天才科学者はこう考える

読むだけで頭がよくなる151の視点

THIS WILL MAKE YOU SMARTER NEW SCIENTIFIC CONCEPTS TO IMPROVE YOUR THINKING

EDITED BY JOHN BROCKMAN
ジョン・ブロックマン［編］
夏目 大＋花塚 恵［訳］

ダイヤモンド社

THIS WILL MAKE YOU SMARTER
edited by
John Brockman

Japanese translation rights arranged with the author through Brockman, Inc.,
New York, U.S.A.

天才科学者はこう考える　目次

※本書の著者プロフィールは原著出版当初のものです

はじめに

デイヴィッド・ブルックス

ニューヨーク・タイムズ紙コラムニスト。
著書に『あなたの人生の科学』（夏目大訳、早川書房、２０１５年）

どの時代にもその時代の「知的ホットスポット」がある。たとえば、20世紀初頭のロンドンには、ブルームズベリー・グループがあった。１９５０年代のニューヨークなら、「パルチザン・レビュー」などの少部数の雑誌に寄稿していた知識人たちがそうだろう。そして現代では、認知科学、進化心理学、ＩＴなどの分野に知的ホットスポットがあると思われる。ダニエル・カーネマン、ノーム・チョムスキー、Ｅ・Ｏ・ウィルソン、スティーブン・ピンカー、スティーブ・ジョブズ、セルゲイ・ブリンなどに大きな影響を受けた人たちが、知的な世界の状況を左右していると言える。皆が現代人に向かって本質的な問いを投げかけている。自分の専門分野以外のことも論じるし、研究者でない一般の人たちとも積極的に関わろうとしている。

本書には、こうした現代の知的リーダーと呼べる人たちの多くが寄稿している。その誰もが、幸運にも、急速に発展している分野の頂点にいる人たちである。だが何より幸運なのは、このリーダーたちが同じ時代にいて、協力し合えることだ。

本書の企画のために人を集めたのは、著作権エージェントのジョン・ブロックマンである。ブロックマンが先頭に立ってすべてを進め、世界でも最高の人材を集結させた。何度かシンポジウムを開催し、オンラインでの活発な交流も促した。Ｗｅｂサイト「エッジ」も活用することで、企画に関わるすべての人たちの才能を倍加させた。重要なのは、ブロックマンが優秀な研究者たちを、専門分野から外の世界へと引っ張り出し、さまざまな分野の人々と盛んに交流させた点だ。科学者だけでなく、企業経営者やごく一般の人たちとも対話する機会を多く設けた。

　大学など専門の研究機関の存在はとても重要である。あくまでそれが科学研究の基盤となる。体系的で信頼のおける研究は、専門の機関なしでは成り立たないだろう。しかし、専門分野に特化するあまり、現実の世界との関わりが希薄になってしまう恐れもある（たとえば、心理学は人間の内面を探求する学問で、社会学は人間の外界との関係を探求する学問という位置づけになっている。わざわざ2つに分かれているからには、両者にはある程度の隔たりがあるということだ。つまり注意していないと、どちらかの分野を専門とする研究者はもう一方に無関心、無知になってしまう）。知の世界を活気づけたいと思えば、誰かが研究者たちを専門分野の囲いのなかから外へ引っ張り出さなくてはいけない。それをしたのがブロックマンだった。彼はそのためにエッジ財団を設立した。

　本書は読者にとって主に2つの意味で有用な本だと言える。ひとつは一見しただけではわかりにくいことで、もうひとつは見てすぐにわかることだ。まず、**この本を読めば、今、世界を主導する研究者や思想家たちが何を考えているかを垣間見られる**。そして、科学やテクノロジーの人間、文化への影響に対して楽観的な見方をする人と、悲観的な見方をする人がいるのもわかる。また、長らく優勢だった演繹的推論の限界を超えたいと考えている人が多い事実もわかるだろう。還元主義を脱し、物事を全体論（ホーリズム）的にとらえようとしている人、創発のような比較的新しい概念に希望を見出している人もいる。

本書を読めば、一流の研究者、思想家たちの人間性に触れられる。皆に共通しているのは、簡単には解けない真の難問を愛しているということだ。フランスの数学者、ブノワ・マンデルブロが「イギリスの海岸線の長さはどのくらいあるか」という有名な問いを投げかけたのは、もはや最近とは言えない。だが、本書に寄稿した人たちは誰もがこの種の問いを愛している。一見、簡単に思える問いだ。「百科事典でも見ればすぐにわかるではないか」と言う人も多いだろう。しかし、実はそう単純ではない。マンデルブロは「イギリスの海岸線の長さは、何を測るかによって変わる」と言った。地図の上に線を引いていけば、海岸線のだいたいの長さはわかるだろう。だが、入り江や湾のごく小さな隆起もすべて測ったとしたらどうだろうか。小石や砂粒の曲線まですべて測れば、まるで違う結果が得られるはずである。

これは難しい問いであり、答えるには高い知性を必要とする。同時に、この問いによって新たにわかる事柄も多い。問いにどう答えるかを見れば、まず、その人が物事をどう見ているかがわかる。本書に寄稿をしている人たちのなかには、過去の世代にわたって、人間の無意識について明らかにするような研究をしてきた人が多い。無意識の思考には果たしてどのようなパターンが見られるのか、それは私たちの人生にどのように影響しているのかを探求してきたのだ。

寄稿者のなかには、シリコンバレーの価値観に影響されている人もいると思う。その価値観において、イノベーションを目指す勇敢な試みは常に称賛される。しかし、冒険に挑んだ結果、失敗したとしても、それを不名誉とは考えない。夢中になって何かに取り組むことをよしとする。

何より重要なのは、皆、冷たい決定論者ではないということだ。こうした価値観に影響を受けた認知科学などの分野の研究者たちは、文学や人文科学からも多くを学んでいる。本書のなかでジョシュア・グリーンは、自然科学と人文科学の間にどういう関係があるかを、脳画像検査と『マクベス』を例に非常にわかりやすく説いている。自然科学と人文科学、両者は互いに補完し合うものであり、互いに深く関わっているものであるとグリーンは言っている。彼の文章によって、2つの文化の間の溝は少し埋まるはずだと私は思う。

本書の読者は、読む前よりきっと世界をより正しく理解できるようになるはずだ。その力を読者に授けるのが、本書が作られた目的であり、それはおそらく誰にでもすぐにわかるだろう。書いたのは専門の研究者たちだが、一般の人々の日常生活にも大いに役立つ。

読み進めていくうち、寄稿者の何人かは、「世界のパターン」について記述しているのだとわかるだろう。たとえば、ニコラス・A・クリスタキスは、「この世界には、部分を見ても全体がわからないものが多くある」と言っているが、同じような内容のこと書いている寄稿者が何人かいる。物事を部分に分けて、その1つひとつをいくら詳しく調べても全体がどうなっているかはわからない。まず部分が互いにどう関係し合っているかを知らなくてはならない。

そのほか、この世界に多く見つかる「二重性（デュアリティ）」について書いている寄稿者が（偶然にも）2人いる。たとえば、電子には波動のような性質と粒子のような性質があるが、それと同じく、同時に2つの性質を併せ持つものはこの世界に数多く存在する。

クレイ・シャーキーはパレート分布について書いている。一般の人々はどうしてもベル・カーブが普通だと思ってしまうが、実際にはパレート分布のほうがありふれていると書いたのだ。この世界では、均等な分布は珍しく、大きく偏った分布のほうが普通だそうだ。たとえば、ある企業の仕事の大半を20％の社員だけでこなしている状況は珍しくない。また、その20%だけを取り出してみると、やはりそのなかの20%がほとんどの仕事をこなしている。

世界のパターンについて書いた寄稿をいくつか読んでいくうちに、きっと驚くべき事実を知るだろう。たとえば、インドでは携帯電話を利用している人の数が、衛生的なトイレを使える人の2倍にもなっているという。

しかし、本書の寄稿の多くは、メタ認知の話だ。メタ認知とは、自分の認知についての認知である。つまり、人間が物事をどう認知しているかを書いた寄稿が多い。

私は特に、ダニエル・カーネマンの「フォーカシング・イリュージョン」について、ポール・サフォーの「裁量のタイムスパン」についての寄稿、ジョン・マクウォーターの「経路依存性」について、エフゲニー・モロゾフの「アインシュテルング効果」についての寄稿に感銘を受けた。読者が組織を統率する立場なら、あるいは世界全体を考えなくてはいけない仕事をしているのなら、きっとこうした文章が魔法の杖のように役立つはずである。

本書で読んだ事柄は今すぐに読者の助けになるだけでなく、生涯を通じて世界をよりよく理解する助けになるだろう。また、**自分にどういう偏見があるのかを正確に知れる**のも利点のはずだ。

最後にひとつ強調しておきたい。本書の寄稿者たちはそれぞれ、私たちに思考に役立つ道具を授けてくれる。そう言うと、とても功利主義的に聞こえるかもしれない。確かに本書にそういう面はある。だがそれが本書のすべてではない。便利な道具を授けるだけではなく、**見慣れている世界を、そして人間の心、感情を、普段とは違った目で見てより深く理解するきっかけを与えてくれる**のだ。

なかには読んでいて元気のなくなるような文章もある。グロリア・オリッジの書いた「カコノミクス」についての寄稿がそうだ。世のなかには、相手の怠慢を許す見返りに自分の怠慢を許してもらうことを期待する人たちがいるという話である。

一方で、ロジャー・ハイフィールドやジョナサン・ハイトの寄稿に勇気づけられる人もいるかもしれない。いずれも生存のための協調について書いた寄稿だ。進化に関わるのは競争だけではなく、実は協調、利他主義も深く関わっているのがわかる。ハイトは「人間は利他的なキリンのような動物である」と少しユーモラスな書き方をしている。どの人にも必ず、散文的な部分ばかりではなく、詩的な部分があるのだろうと思う。

本書の寄稿者は皆、それぞれの分野のトップを行く人たちである。さすがに最先端の研究成果をここで披露することはほとんどない。しかし、読んでいると、皆、発想が実に柔軟かつ自由であり、同時に態度が謙虚で控えめであるのに感動するのではないかと思う。

寄稿のなかには、人間が世界のほんの一部しか見ておらず、人間の知識がごく限られている事実を強調しているものがいくつかある。寄稿者すべてが科学的手法を大切にしている。そして、個人の知力、能力がほんのわずかであると自覚しているので、大勢で協力し合う態度も大切にしている。寄稿者全員が大胆であると同時に謙虚だ。そういう人は探しても簡単には見つからない。とても貴重な存在である。魅力的で、是非、その生き方を真似したいと思える人たちだ。

まえがき――エッジな問い

ジョン・ブロックマン
「エッジ」発行人兼編集者

1981年に、私はリアリティ・クラブを創設した。それから1996年までは、中華料理店、アーティストのアトリエ、投資銀行の役員室、バンケットホール、博物館、誰かの家のリビングなどさまざまな場所で会を開いた。

リアリティ・クラブは、アルゴンキンの円卓とも、12の使徒たちとも、ブルームズベリー・グループとも違うが、知的冒険の質は同じくらい高かった。おそらく会としていちばん近いものというと、18世紀の後半から19世紀の初めにかけてイングランドのバーミンガムで開かれていたルナー・ソサエティだろう。これは新たな工業化時代を担う文化人たちが非公式に集っていた会で、そのメンバーには、ジェームズ・ワット、エラズマス・ダーウィン、ジョサイア・ウェッジウッド、ジョゼフ・プリーストリー、ベンジャミン・フランクリンなどがいる。リアリティ・クラブも同様に、ポスト工業化時代のテーマを探ろうとする人々を集める試みであった。

1997年、リアリティ・クラブはオンライン化し、名称を「エッジ」に改めた。エッジで公開されるアイデアは思索中のものであり、それを読めば、進化生物学、遺伝学、コンピュータ科学、神経生理学、心理学、物理学といった分野の最前線がわかる。そしてこうしたアイデアが集まったことから、新しい自然哲学、物理的なシステムを理解する新たな方法、私たちの基本前提となっている多くの物事に疑問を投げかける新しい考え方が生まれた。

エッジの毎年の記念号で、私はアイデアの貢献者たちに、私を含む仲間の誰かが夜中に思いついた問いを出題している。

問いを考えるのは簡単ではない。私の友人で共同研究者でもあった今は亡きジェームズ・リー・バイアーズがよく言っていたように、「その問いに答えることはできるが、その問いを投げかけるほど自分は賢いか？」と考えてしまうからだ。私が求めているのは、誰も予想すらできない答えが生まれるような問いだ。普通にしていたら生まれなかったであろう思索にふける機会を皆さんにもたらしたい。

今回の問いは、スティーブン・ピンカーが提案し、ダニエル・カーネマンが後押ししたものに決まった。きっかけとなったのは、ニュージーランドのダニーデンにあるオタゴ大学で政治学部名誉教授を務め、知性の研究者でもあるジェームズ・フリンが提唱した概念だ。

フリンは、科学から引用されて日常言語に溶け込み、幅広く適用できるテンプレートと化して人々を知的にする言葉を「ＳＨＡ（手軽な抽象表現）」と名づけた。たとえば、「市場」、「プラセボ」、「無作為標本」、「自然主義的誤謬（ごびゅう）」などだ。フリンによると、こうした抽象表現はひとつの情報のまとまりとなり、思索や議論の一要素として活用できるという。

では、さっそく今年の問いを次に紹介しよう。

人々の認知能力を向上させうる科学的な概念は何か？

この「科学的な」という言葉は広い意味で使われていて、何かについての知識を得るうえで確実に信頼できるものであればよく、対象とする知識は、人間の言動、企業のふるまい、地球の運命、宇宙の未来など多岐にわたるはずだ。

「科学的な概念」は、哲学、論理学、経済学、法律学など、何かを分析する活動から生まれてもおかしくない。世界の理解に広く適用できるという条件を厳密に満たす「認知の武器」となるものであれば、短くまとめても構わないものとする。

謝辞

今年のエッジな問いを提案してくれたスティーブン・ピンカーと、問いの提示の仕方に助言をくれたダニエル・カーネマンに心から感謝する。本書の制作にあたり、ハーパーコリンズのピーター・ハバードが献身的に支えてくれた。また、丁寧に細部まで行き届いた編集を行ってくれたサラ・リッピンコットにもお礼を言いたい。

人類はこれから急激に進化する

――宇宙物理学者が予測する未来

マーティン・リース

王立協会名誉会長、宇宙物理学者、天体物理学者、元ケンブリッジ大学トリニティ・カレッジ学寮長。著書に『今世紀で人類は終わる?』(堀千恵子訳、草思社、2007年)

私たちは「時の地平線」を広げなくてはいけない。それはつまり、私たちがこれまでに過ごしてきたよりもはるかに長い時間が未来に広がっているという事実を十分に理解しなくてはならないということだ。

現在の私たちの生物圏は、約40億年もの進化の結果である。そして私たちは、約137億年前に起きたビッグバンまで宇宙の歴史をたどることができる。生物がとてつもなく長い時間をかけて進化してきたという軌跡を今では私たちの多くが理解しており、その理解が一般の人たちの文化の一部になっている(カンザス州やアラスカ州の全域にまでそれが浸透しているとは言えないかもしれないが)。ただ、これからの未来に膨大な時間が広がっているという観念は宇宙の研究者にとっては常識だが、私たちの文化にそこまで深く浸透しているとは言えないだろう。

私たちの太陽はまだその一生の半ばも終えていない。太陽が誕生したのは約46億年前だが、これから燃料が尽きるまでには60億年以上の時間がかかると思われる。燃料が残り少なくなるにつれて、太陽は閃光を放ち始め、近くにある惑星を飲みこんでいく。そのとき、たとえ地球に生命が残っていたとしても、すべて蒸発してしまう。太陽が死んでも、宇宙は存続し、膨張を続けていく。おそらく永遠に、そして、膨張するにつれ、冷たく、空虚になっていく。少なくとも、宇宙論学者の提示する長期の未来予測ではそうなる。ただし、今から何百億年先の未来がどのようになるか、自信を持って言える人はまずいない。

これから先の未来はただ長いだけでなく、何が起きるのかもまったくわからない。こうした観念はまだ、多くの人たちに浸透しているとは言えない。信仰に篤い人たちだけではないが、多くの人は、人間を進化の頂点に位置する存在だと思っている。しかし、宇宙の研究者はひとりもそんなふうには考えていない。頂点どころか、山の中腹にすら達していないととらえるのが妥当だと考えている。

進化の歴史は、人間が誕生するまでよりも、そのあとのほうが長く続く。今後は、生物も、それを取り巻く環境も、多様性をより増していくし、質的に大きな変化を遂げていくはずである。それは、単細胞生物が人間になるよりもはるかに大きな変化である。

しかも未来の進化は、これまでのダーウィン的な進化だけではない。自然選択によって百万年単位の時間をかけて起きる進化だけではないのだ。**遺伝子操作や人工知能などの発達を考えると、進化はさらに急激な勢いで起きる可能性が高い**（また、仮に人間が地球以外の場所に移住するようになったとすれば、今までとはまったく違う環境の圧力によって進化が起きるかもしれない）。

ダーウィン自身も「遠い未来までまったく変化せずにそのまま存在できる生物種はひとつもない」と認識していた。また現在の私たちは、その「未来」が、ダーウィンが思い描いたよりもはるか遠くまで続いていて、変化もより速く進み得ると知っている。そして、生物が生命を宿す宇宙は、ダーウィンが考えたよりもはるか遠くまで広がり、はるかなる多様性を帯びていくことも知っている。

人類は、進化の枝葉の末端に位置するわけではなく、人類自身がこれからも多様に進化していくという確約はない。むしろ宇宙の歴史の初期に現れた生物種のひとつと言ったほうがいい。

だが、人類にも一定の地位はあり、それはずっと変わらない。私たちは、自分自身を特別に重要だと信じる資格はある。自分たちの進化の痕跡を自らの意思で後世に残す能力を持った地球上で最初の生物種なのだから、それは誇ってもいいだろう。

この広い宇宙のなかで人類だけが特別な理由
——地球外知的生命体がいる可能性

マルセロ・グライサー

ダートマス大学自然哲学名誉教授、物理学、天文学教授。著書に『物理学は世界をどこまで解明できるか』（藤田貢崇訳、白揚社、２０１７年）

科学は、人間の能力を高めるのに役立つものであり、これからは科学の恩恵がさらに多くの人に行き渡るよう努力する必要があるだろう。個々の人間の能力が高まれば、種としての人類全体の能力も高まる。人類という生物がまとまってひとつの役割を果たすうえで、それは重要だろう。科学は、私たちは何者なのか、なぜここにいるのかを知る手立てとなるのは間違いない。科学の進歩は、私たちの暮らし方を変化させ、人類全体の未来の計画をも左右する。私たちの関心の対象も、科学の影響を受けて変わっていくだろう。

私たちは、この地球という稀有な惑星の上に存在する唯一無二の生物であり、特別に重要な生物でもある。そう信じているし、その信念が私たち人類という生物の生き方を規定している。しかし、たとえば、天動説から地動説への転回が起きたように、私たちは、宇宙について知れば知るほど、宇宙にとっての自分たちの重要性が下がるということを体験してきたのではないか。

近代科学は長らく、我々人類を無目的な偶然の産物、宇宙にとって意味のない存在に変えてしまったと言われてきた。しかし私は、それは必ずしも正しくないと言いたい。確かに人類の誕生自体は偶然だろうし、宇宙が我々に無関心なのも事実だろう。ただ、その偶然は稀有な偶然だし、偶然の産物だから即、私たちの存在が無目的だとは言えない。

また、まったく違う見方もできる。生命は宇宙ではありふれたものかもしれず、私たちは、そのありふれた生物のひとつにすぎないのかもしれない。現在、太陽以外の恒星の周りを回る惑星、つまり太陽系外惑星についての研究が進んでおり、生命が存在する可能性のある惑星が次々に見つかっている。物理、化学の法則は宇宙のどこでも変わらないはずだが、そうだとしても、生命は至るところに存在するらしいことがわかってきている。ここ地球に生命が誕生したのだから、ほかの多くの場所で誕生していても何ら不思議はないとも言える。であれば、なぜ「私たちは特別である」と言えるのか？

もちろん、単に生命が存在するのと、知的生命体が存在するのとでは大きな違いがある。ここで言う「知的生命体」とは、カラスやイルカくらいの「賢さ」を持つ生物のことではない。そうではなく、私たち人間のような自己認識の能力を持ち、高度なテクノロジーを生み出せる生物を指す。ただ手近にあるものを利用するだけではなく、物質に手を加えてさまざまな仕事に使える道具を生み出せる生物と言ってもいいだろう。

たとえ単細胞生物であっても、多数の物理的、生化学的な条件が整わなければ存在できない。だが、それでも、この地球の環境でなければ、絶対に生まれないとは思わない。まず重要なのは、地球では、これ以上はあり得ないほどの速度で生命が誕生したということだ。地球に平穏が訪れてからわずか数億年で生命が誕生したのは非常に速い。また、地球上には極限の環境（非常に暑い、あるいは寒い場所、酸性の強い場所、放射線が強い場所、酸素がまったくない場所など）のなかでも生息できる多くの生物が存在する点も重要だ。生物にはそれほどまでの順応性があり、実にさまざまな環境に進出できると証明しているかのようだ。

ただし、ある場所に単細胞生物が存在しても、多細胞生物が存在するとは限らない。ましてや、知的な生物が存在する可能性はさらに低いと言えるだろう。生物は、与えられた環境を最大限いかして生き延びようとするものであり、環境が変化すれば、それに従い、生物が生き延びられる条件も変化する。長い時間が経過すれば、ある環境に必ず「賢い」生物が現れるわけではないのだ。

生物の進化には特定の目的があり、最終的には知的な生物を生み出すために進化する、という考え方に惹きつけられる人は多い。その理由は明白だ。そう考えれば、自分たち人間を、壮大な計画の最終的成果物としてとらえ、特別な存在であるとみなせるからだ。

しかし、生物の進化の歴史を調べても、知的な生物を生み出すことが目的だったという証拠は見つからない。確かに、単純なものから複雑なものへという進化は何度も起きている。だが、どれも事前の予定に従って起きたわけではない。原核生物から真核生物への進化もそうだし（しかも、真核生物が誕生してから30億年くらいの間はほとんど何も起きなかった）、単細胞生物から多細胞生物への進化もそうだ。有性生殖の始まりも、哺乳類の誕生も、知的な哺乳類が生まれ、それが人工知能を作ったことも必然ではない。仮に「生物の進化」というタイトルの映画をもう一度再生したら、その内容はまったく変わり、おそらく私たち人間は誕生しないだろう。

地球以外に知的生物がいると思うのは無理がある

なぜ、私たち人類は、この地球という惑星に存在できるのだろうか。その要因について調べていくと、この惑星がいかに特別であるかがすぐにわかる。

地球の主な特徴をいくつかあげてみよう。まず、長期間にわたり、酸素を多く含んだ大気が存在し続け、その大気は私たちを守る役割も果たしていること。地球の自転軸（地軸）が傾いており、月という単一の大きな衛星の存在によって安定性が高められていること。オゾン層と磁場が致命的な宇宙線から地表の生物を守っていること。二酸化炭素の濃度、ひいては地球全体の気温を一定に保つ働きのあるプレートテクトニクスの存在。太陽が小さめのかなり安定した恒星であり、突然、大規模なプラズマ放射が起きることも少ないという要素……。つまり、**宇宙のどこにでも、地球と同じように生物がいる、特に地球のような複雑な生物がいる、と考えるのはかなり無理がある。**

もうひとつ重要なのは、仮に宇宙のどこかに知的な生物がいたとしても、距離が遠すぎて、実質的に私たち人類は孤独でい続けるしかないという現実だ（もちろん、いる可能性は排除できない。科学は存在するものを見つけるのは得意だが、何かが存在「しない」ことを証明するのは苦手だ）。

たとえＳＥＴＩ（地球外知的生命体探査）によって知的な宇宙生物が発見されたとしても、彼らと協力し合って何かができるわけではない。自分たちが孤独であるのを認識すると、改めてわかってくることがある。それは「生」というものの意味であり、誰もが残りの人生の重要さを強く感じるだろう。

キリスト教に支配されていたコペルニクス以前の時代、生物を創造した地球は宇宙の中心だと考えられてきた。これとはまた違った意味で、今の私たちは自分を宇宙の中心だと思えるし、人生に意味を見出すこともできる。私たちは稀な存在であり、それを知っているからこそ、自分たち自身を大切だと思える。

私たちは偶然にも「宇宙の繭」とでも呼ぶべき素晴らしい星に生まれ、そこに暮らしている。宇宙のどこかほかの場所には別の知的生物がいるかもしれないが、電波でメッセージを送っても、ロケットを飛ばしても、接触は難しい。彼らとまともな交流ができるという考え方そのものを改める必要があるだろう。

いずれにしても、ほかの知的生物が見つかるまでの間、私たちは孤独であり、私たちの思考が宇宙の思考であり続ける。であれば、**できる限り私たちだけの暮らしを楽しんだほうがいい**だろう。

人類も地球もすべては偶然の産物

——凡庸性の原理

P・Z・マイヤーズ

生物学者、ミネソタ大学モリス校教授、科学ブログ「Pharyngula」管理者

私はつい最近、大学の新入生に初等の生物学を教える講座を1学期間、担当した。そして、また数カ月後

には同様の講座を担当する予定になっている。そういう立場の人間として、これから生物学を学ぶ学生たちに大事なことを言っておきたい。まず、生物学を学びたいのなら、全員、必ず基本的な代数学はできるようにしておくこと。そして、確率、統計の基礎的な知識も身につけておいてほしい。そうすれば学ぶのが楽になるのは間違いない。とにかく、頭の良い学生が、小中学校あたりで身につけておくべき基本的な数学ができないがために躓いてしまうのを見るほどつらいことはない。

ただ、数学ができるだけでは十分とは言えない。基本的な数学は確かに、科学、テクノロジーの世界では持っていて当たり前の必須の道具ではある。だが、ほかにも大切なものはある。それは、宇宙における自分の位置についての基本的な考え方だ。

私は読者に**凡庸性の原理**を理解することを勧めたいと思う。これは科学の基礎となる原理であるが、同時に異論の多い原理でもある。天地創造論を唱える宗教とは相容れないのはもちろん、愛国主義者にとっても受け入れがたいものだろう。失敗に終わった社会政策の多くも、この原理と矛盾している。ただ、この簡単な原理を受け入れるだけで、この世界に対する誤った認識を一気に捨て去れるケースが多い。

簡単にまとめれば、凡庸性の原理とは「あなたは特別ではない」という原理である。次にいくつかの具体例をあげてみよう。

宇宙はあなたを中心には回っていない。地球という惑星は、どのような点から見ても特別ではない。あなたの国は、神聖な運命を持った完璧な国ではない。あなたが生まれたのは、誰かが何らかの目的と意図をもって作ったからではない。あなたが昼食に食べたツナサンドイッチの材料となった生物たちは、あなたの栄養となるために生まれたわけではない。

この世界に起きる出来事のほとんどは、普遍の自然法則に従った結果である。自然法則は宇宙のあらゆる場所で、あらゆるものに対して適用される。あなたに都合良く、特定の法則が急に適用されなくなったり、強められたりすることはない。ただ、偶然の初期条件の違いで、結果がさまざまに変わるだけである。**人類にとって重要なものすべては、偶然の産物**だ。

人間は両親からの遺伝により、解剖学的にも生物学的にも人間であると言える形態、特性をもって生まれてくる。生殖細胞の減数分裂の際、両親から受け継いだ遺伝子がどのように組み込まれるかによって、男性になるか女性になるか、両親からどのような性質を受け継ぐかが偶然に決まり、偶然の突然変異によって性質が変わったりもする。背が高くなるのか低くなるのか、目が茶色くなるのか青くなるのか、すべては偶然で決定されるのだ。受精のときには、精子が卵子に向かって壮大なレースを繰り広げるのだが、どの精子が勝者となるのかも結局、偶然である。

こういうふうに書くと気を悪くする読者もいるかもしれない。ただ、偶然の産物なのは人間だけではない。宇宙に存在する星も同じく偶然の産物だ。その星がどのような星になるかは、構成する原子が偶然持っていた性質によって決まる。惑星は宇宙空間に漂っていた塵やガスが集まってできるが、その塵やガスが偶然どのような分布になっていたかで惑星の性質は変わるのだ。

私たちの太陽には、今の位置に存在する必然性はまったくなかった。大きさも明るさも偶然に決まった。この太陽の位置や性質によって、私たちがどのような存在になるかは必然的に決まった。私たち人類を作ったのは部分的には環境と自然選択だが、単なる偶然によって作られた部分も多い。仮に人類が10万年前に絶滅してしまっていたとしても、地球はそのまま存続し、生物は全体として変わらず繁栄を続けただろう。人類の代わりに地球を支配するような生物が生まれたかもしれない。そして私たちとはまったく違った知性を持ち、まったく違った科学技術を発達させた可能性もある。

凡庸性の原理を理解している人であれば、このような話をしてもまったく驚かずに受け入れてしまう。

特別なものを認めると科学の妨げになる

この原理が科学にとって重要なのは、それがすべての始まりだからだ。**私たちはどのようにしてここまで来たのか、世界はどのような仕組みで動いているのか、それを知るにはまず、凡庸性の原理を受け入れなくてはいけない。**私たちはまず、宇宙全体に適用される一般的な法則を見つける必要がある。その法則がわかれば、この宇宙のほとんどのことが説明できるだろう。個別の事象の特徴、詳細を追究するのはそのあとだ。科学はこれまでこの方法で成功を収めてきた。宇宙について深く知るのに有効な方法だからである。

一方、**自分にとって特別なものは、宇宙にとっても特別なはずだという思い込みは科学の妨げになる。**特別なものであれば、ほかのありふれたものとは違い、宇宙の普遍法則には従わないと考えがちだからだ。特別なものは何か特殊な目的を持ってこの宇宙に現れたと考えてしまえば、その発生の仕方や性質についていくら調べても、得た知識はほかの何にも応用できず、何についても確たる根拠のない不合理な説明しかできないだろう。凡庸性の原理が私たちに教えるのは、私たちの現在の状況が誰かの意思の結果ではないということだ。**この宇宙には悪意も善意もなく、すべてはただ同じ普遍の法則に従っているだけ。**

この法則を理解することが、科学の目的であると言っていいのではないだろうか。

宇宙に意思はあるのか？

――世界が今こうなっている理由

ショーン・キャロル

理論物理学者、カリフォルニア工科大学教授。著書に『永遠からここへ：時間の究極理論を探し求める旅（From eternity to here: The Quest for the ultimate theory of time）』

宇宙は物質から成り立っている。そして物質は一定の法則に従う。この宇宙で起きる現象について「なぜ」という問いを連ねていくと、最終的には、宇宙の状態あるいは自然の法則に関する言葉でその問いに答えられる。ただ、これは人間にとっては当たり前の思考方法ではない。人間は元来、自分たち人間を中心に宇宙を見るものだ。どのような出来事も、大義や目的を基準に考えたがり、また、自然界のあらゆるものを生命あるものとして見がちになる。

古代ギリシャのプラトンやアリストテレスは、世界を「目的論的に」見ていた。たとえば「雨が降るのは、水が空気より低いところに行きたがるからだ」というような見方である。また動物（そして奴隷）は、生まれつき、市民である人間に従属するようにできているとも考えていた。

だが古くから、この考え方に懐疑的な人々はいた。古代の哲学者のなかでも、デモクリトスやルクレティウスは、物質は大義や目的とは関係なく、単純に自然の法則に従うものだと考えていた人たちである。しかし、自らを超越した何者かの助けを借りることなく、宇宙は自力で進化していくという考え方が評価されるのには、イブン・スィーナー、ガリレオ、ニュートンといった人々によって物理学が発展するまで待たなければならなかった。

神学者たちは時折、世界を現状のまま維持していくことが神の役割だと訴える。しかし、現代に生きる私たちは、そうは思っていない。まず世界を現状のまま維持する必然性など、どこにもないことを知っているのだ。世界が今、こうなっているのには何の理由もない。ただ偶然にこうなっているだけだ。

ピエール＝シモン・ラプラスは、宇宙のあり方について重要な指摘をしている。

「ある特定の時間の宇宙（そして、宇宙を構成するすべての粒子）の状態が完全にわかれば、物理法則によって、今後に起きるすべての現象をすべて予測できる」

ということは、どの時点であっても、宇宙の状態が完全にわかれば、未来のあらゆる時点で何が起きるかを正確に予測でき、つまるところ、宇宙が終わるまでの歴史の把握も可能になる。

ただ、これは宇宙がある決まった目的に向かって進んでいるという意味ではない。単に、絶対に変わらないルールに囚われていて、そこから抜け出せないというだけである。

宇宙に対するそういう見方は、人間の人生に対する見方にも大きな影響を与え得る。

何か起きると、人間はどうしても、そこには何か理由があると思ってしまう。子供の死、飛行機の墜落事故、銃の乱射事件、どれも偶然に起きたわけではなく、何か裏に起きた理由が隠されていると考える。アメリカの牧師パット・ロバートソンは、ハリケーン・カトリーナは、アメリカ人のモラルが堕落したために神が怒って引き起こしたものだと発言した。それにより、本来、理由のわからないはずの出来事の理由づけをしてみせたわけだ。

だが、自然についてよく調べると、ロバートソンの言説はまったく正しくないとわかる。**あらゆることは**

単に自然の法則に従っているだけで、何か理由や目的があって起きているわけではない。宇宙がこの状態になったら必ず次にはこの状態になると決まっているだけであり、最終的にどうなりたいという意思がどこかにあるのではない。

地球上に生命が生じたのも、誰かの壮大な計画があったからではない。平衡状態からエントロピーが増大していくなかで生じた副産物に過ぎない。我々人間の持つ脳は素晴らしいものではあるが、これは我々よりも複雑で知的な存在の助けを借りてできたわけではないのだ。遺伝子と細胞、そして周囲の環境との間の機械的な相互作用によって偶然に生まれたものでしかない。

これは私たちひとりひとりの人生に目的や意味がないという意味ではないので注意してほしい。**人生の意味や目的は私たちが自分で作り出すものだ。**世界の基本構造を調べてみても発見できるものではない。

あらゆる出来事は、単純に自然法則に従って起きる。それに意味を持たせるのも、価値を与えるのも、私たち人間が意図を持って行っていることなのだ。

地球はどこにでも存在し得る

——コペルニクス原理

サミュエル・アーベスマン

応用数学者、ハーバード大学医学大学院医療政策学部ポスドク研究員、ハーバード大学定量的社会学研究所アフィリエイト天文学者、ニコラウス・コペルニクスは、地球が太陽系のなかのありふれた星であり、何の特権も持たない存在であるのを認識していた。この明解な事実から、**地球は宇宙の中心ではなく、また宇宙にはほかと違う特別な場所などまったく存在しない**とする**コペルニクス原理**が生まれた。この原理に照らして世界を見れば、私たちは自分たちについての先入観を克服でき、自分たちと宇宙との関係を再検証できる。

そもそも私たちの太陽は銀河系の中心から遠く外れた場所にあるありふれた星にすぎず、また銀河系自体も宇宙のどこにでもあるありふれた銀河でしかないのだ。

コペルニクス原理は、私たち人間が広い宇宙について深く理解するうえで大きな助けになった。宇宙のどこにいたとしても、地球にいるときと同じように、ほかの銀河が猛スピードで遠ざかっているのが観測できる。こう信じられるのも、この原理を知っているおかげである。どこにいたとしても、私たちのいる場所は特別ではない。

コペルニクス原理は、空間上の位置だけでなく、私たちの時間上の位置にも適用できる。宇宙物理学者のJ・リチャード・ゴットは、この原理を応用して、ある事象の持続期間を推測する方法を考えだした。その事象について詳しい情報を得ることなく、持続期間をある程度、正確に推測する方法である。

ここで重要なのは、**私たちが今、生きている時代は、宇宙の歴史のなかで何ら特別の時代でない**という前提だ。私たち人間には知性があり、宇宙の事象を観測できる。こんな知的生物がいるからには特別な時代だとつい思いたくなるが、厳密にはそうとは言えない。私たちは特別な観測者ではなく、存在している時点は、おそらく観測している事象の始まりにも終わりにも近くなく、持続期間の中間あたりである可能性が高いと考えられる。ゴットは、ベルリンの壁の崩壊時期を例に、自身の理論が正しいと主張している。また、人類の種としての寿命があとどのくらいかという具体的な推測値も提示した。

この原理を応用し、私たちは、この世界のさまざまなスケールにおける自分の位置を知ることもできる。宇宙全体というスケールで見れば、私たちは、そこに存在する多くのものよりもはるかに小さい。だが、原子や分子に比べれば、はるかに大きい。また私たちの動きは、原子や分子の世界で起きることに比べれば、はるかに遅い。しかし一方で、地質学や進化における出来事に比べれば、はるかに速い。こういう認識があるからこそ、私たちは自分とは大きく異なったスケールの事柄もすべて同じように興味を持って研究できる。自分たちとは異なったスケールの事柄がこの世界に存在しているという認識が重要だ。

この原理は、自分たちがいかに凡庸で取るに足りない存在かを徹底的に思い知らせてくれる。しかしそれでも、私たちは決して絶望しなくていい。**私たちの存在がいかにありふれているとしても、自分たちのいる位置に関しては、宇宙のなかにこれ以上よく理解している生物種は私たちの知る限りいない**からだ。

私たちが真に理解できるのは、自分が存在する特定の環境のことだけである。いかに屈辱的ではあっても、その点は正しく認識しておくべきだ。ただ逆説的なのは、本当にそれができれば、自分たちもそれほど捨てたものではないと思えることだ。

地球に似た惑星は数十万もある

——地球外生命の存在

J・クレイグ・ヴェンター

ゲノム・サイエンティスト、J・クレイグ・ヴェンター研究所創立者兼理事長。著書に『解読される生命（A Life Decoded）』

いつか太陽系の外に生命が存在することがわかったとしたら、それ以上に私たち人類に大きな影響を与える発見はないと私は思う。生命に関し、私たちの頭のなかには、人間中心、地球中心の考え方が染みついている。それは国や文化を問わずそうだろう。ところがもし、宇宙のあちこちに生命が存在し、しかも生命に何百万という起源が存在するとわかれば、すべての人の思考に深い影響を与えずにはいないはずだ。

私たちの住む地球は、微生物の惑星でもある。海や湖、川の水1立方センチメートルには、100万くらいの微生物がいるし、地殻の奥深くにも、大気のなかにも微生物はあまねく存在する。私たち人間ひとりひとりの身体の表面、内側には合わせて100兆くらいの微生物がいるそうだ。

何百万ラド（訳注：吸収した放射線の総量）の電離放射線に耐える微生物や、私たちの皮膚を溶かすような強い酸や塩基にも耐える微生物もいる。氷のなかで生き、成長できる微生物もいれば、摂氏100度を超える温度でも成長、増殖できる微生物もいる。二酸化炭素に依存して生きる微生物や、メタン、硫黄、糖などに依存して生きる微生物も存在する。

この数十億年の間に、地球から宇宙へは、兆という数の細菌が送り込まれた。たとえば地球と火星の間では長い間、物質の交換が行われてきた。だから、太陽系、特に火星に、微生物が存在する証拠がこれまでまったく見つかっていないのは実は驚くべきことである。

近年、ディミター・サセロフは、私たちの太陽系の外に、「スーパーアース」と呼ばれる巨大な惑星も含め、私たちの地球に似た大量の水を有する惑星を多数、発見した。これで、地球外で生命が発見される可能性は大きく高まったと言える。サセロフの試算によれば、**私たちの銀河系だけで、地球に似た惑星は、スーパーアースも含めればおそらく数十万はある**という。宇宙はまだ若いので、どこかに微生物が見つかったとしたら、将来、そこに知的生物が誕生する可能性も十分にある。

遠い宇宙についての科学的研究がさらに進んでいけば、どこかで私たち人間は今とはまったく違ったものになるだろう。

私たちは微生物に生かされている

――世界を動かす微生物

スチュアート・ブランド

「全地球カタログ」創刊者、WELL共同創始者、グローバル・ビジネス・ネットワーク共同創始者。著書に『地球の論点――現実的な環境主義者のマニフェスト』（仙名紀訳、英治出版、2011年）

全米研究評議会の報告書「メタゲノミクスの新科学」は、「微生物は世界を動かす」という一文で始まる。これを読むと、生物学に対する認識は今後大きく変化していくと予感される。そしておそらく社会というものに対する認識も大きく変わっていくだろう。

研究を大きく変える突破口となったのは、ショットガン・シークエンス法の開発だった。ヒトゲノムの解読を当初の計画より何年も前倒しで終わらせるのに貢献した技術だ。

2003年、クレイグ・ヴェンターたちは、単一の菌種のゲノムを個々に解析するのではなく、大量の細菌集団のゲノムを一度に解析する「メタゲノミクス」と呼ばれる研究を開始した。その結果、何千という数の新しい遺伝子が発見された（それまでに発見されていた遺伝子の総数の倍にもなる）。

新たに発見された遺伝子がそれぞれ、どのようなタンパク質を生成するのか、つまりそれぞれにどのような機能を持っているのかも調べられた。これによって、地球上に大量に存在する細菌たちが具体的にどのような活動をしているのかが細かくわかるようになった。このメタゲノミクスは、微生物学の世界に革命を起こした。そしてその後10年以上にわたり、生物学全体に大きな影響を与え続けている。

微生物学者カール・ウーズによれば、バイオマスの約80％は微生物が占める。ティースプーン5分の1杯分の海水のなかには、約100万もの細菌（そして1000万のウイルス）がいるとクレイグ・ヴェンターは説き、「細菌が嫌いな人にとって、地球はきっとつらい惑星だろう」と付け加える。この惑星で代謝をしている生物の大半は、細菌を含む微生物なのだ。

ジェームズ・ラブロックは、地球の大気をひとつの生命体のようなものと考え（ガイア仮説）、このような大気を作った気体は果たしてどこから来たのかを突き止めようとした。そして、**地球の大気を今あるよう**

なものにしているのは微生物であり、私たちの身体が機能するのも微生物のおかげであるという結論に達する。ラブロックの問いに答えを与えたのは、微生物学者のリン・マーギュリスだった。

微生物は、私たちの胃腸、口、皮膚などあらゆるところにいる。身体にいる細菌は3000種類ほどになり、その遺伝子は合計で300万にもなる（一方、人間の細胞の遺伝子はせいぜい1万8000ほどである）。最新の研究によれば、私たちの体内の微生物たちは免疫系の働きにも影響を与えているし、消化において重要な役割を果たしてもいる。

微生物は「遺伝子の組み換え」で進化する

微生物の進化は、すでに36億年以上続いていると考えられる。だが、私たちが一般に「進化」と聞いて思い浮かべるダーウィン的進化とは大きく異なっている。ダーウィン的進化は、遺伝子が世代から世代に受け継がれる間に自然選択というフィルターを通ってゆっくりと起きるものだが、微生物の進化はそういうものではない。

細菌は、同じ世代の別の細菌と無作為に遺伝子を交換し合う。まったく違う種類の細菌の間でも、大きく分けて3種類の機構によって、この「遺伝子の水平移動」ができる。そのおかげで細菌は絶え間なく急速に進化する。さらに細菌は、新たに獲得した遺伝子を日和見（ひよりみ）的に子孫に受け継ぐことができる。しかも、わずか数時間というような短い期間で獲得形質を遺伝させ、長い間ありえないとされてきたラマルク的進化を実際に成し遂げている。

このように絶えず「遺伝子の組み換え」をしている微生物を見ていると、いわゆる遺伝子組み換え作物など、まったく斬新でも特別でもなく、危険でもないように思えてくる。

野外生物学では、生物圏をいわゆる「パンゲノム」としてとらえることがある。生物圏に存在するすべての生物種は、絶えず循環している遺伝子のネットワークのようなものであり、そのなかの遺伝子から生じるものと理解し、パンゲノムを個々の生物種のゲノムの上位集合と考えるのである。新しい研究分野である合成生物学では、私たちにとって都合のいいように、種間で遺伝子を人為的に交換するという直接的な操作も行われている。

21世紀はバイオテクノロジーの世紀でもある。そしてバイオテクノロジーはおそらく微生物の力によって発展するケースが多いだろう。

社会ダーウィン主義という考え方はすでに正しくないことがはっきりしている。また「文化の進化」という言葉には大した意味はない。「ミーム」という概念もあるが、ミームはあまりにも不安定で変化しやすく、通常の生物の遺伝子とは違い、ダーウィン的進化の単位にはなりにくい。ダーウィン的な進化の単位となるためには、もっと安定し、変化の少ない保守的なものでなくてはいけない。

しかし、「微生物の社会学」はこれから力を入れて研究すべきだと考えられる。微生物の形質の流動性、クオラム・センシング、生物膜、代謝バケツリレー、ライフスタイル遺伝子など新しい機構を次々に生み出す創造性には、力を入れて研究するだけの価値がある。困難に直面したとき、「微生物ならどう対処するだろうか」と問えば、何か重要なことがわかる可能性が高いだろう。

なぜアメリカ人の半分は幽霊を信じているのか
——二重盲検対照実験のすすめ

リチャード・ドーキンス

オックスフォード大学の元進化動物学者。著書に『進化の存在証明』（垂水雄二訳、早川書房、2009年）

プロの科学者には彼ら特有のものの見方、考え方がある。一般の人が同じことをしようとしても、この世界がより良く理解できるとは限らない。科学者が科学を発展させるのには役立っても、一般の人にはあまり役立たないことをここに書いてもしかたがない。だから、科学者ではない普通の人が科学をよりよく理解するのに役立ち、しかも普段の生活で物事を判断するのにも役立つようなことを書きたいと思う。

アメリカ人の約半分は幽霊を信じているという。そして4分の3は天使を、3分の1は占星術を、4分の3は地獄を信じているらしい。

なぜそうなのか。アメリカ人の約4分の1は、オバマ大統領は国外で生まれたので本当は大統領になる資格がないと信じているようだ。またアメリカ人の40％が、宇宙の始まりをごく最近だと信じている。彼らの言うとおりだとすれば、宇宙の始まりよりも、犬の家畜化のほうが先になる。

なぜ、こんなことになってしまうのか。この問いに絶望的な答えを与えることはやめよう。「彼らが愚かだから」という答えは何も生みはしない。確かに愚かだというのも理由かもしれないが、それがすべてではないだろう。ここはひとつ楽観的になって、少しでも状況が良くなるかを考えてみよう。批判的に物事を考える訓練が不足しているということはあり得る。目の前の出来事について、自分の意見や先入観を差し引いて、確かな証拠だけをもとに考えるという訓練ができていないのだ。

私はすべての人に**二重盲検対照実験**について教えるべきだと考えている。二重盲検対照実験には2つの大きな特長がある。ひとつは、もちろん科学研究の有効な手段となるということ。そしてもうひとつは教育的な価値があるということだ。

この実験法を学べば、批判的に考えるとはどういうことかが理解できる。だが、学んだからといって、一般の人が普段の生活で自らこの種の実験をする必要はないし、そうしないと物事を認識し判断する力が向上しないというわけでもない。単純に、二重盲検対照実験という実験法の原理を理解し、なぜこのような実験法が必要なのかを知ったうえで、その優雅さを楽しむだけでいい。

学校が生徒に二重盲検対照実験を教えるようになれば、次のような改善が見られるはずだ。

①個人的な逸話がすべてに当てはまるとは考えなくなる。
②どれほど大きな出来事も、何の理由もなく偶然だけで起こり得ると理解できるようになる。偶然に何かが起きる確率がどの程度かを自分で推測できるようになる。
③主観的偏見を排除することがいかに困難かが理解できる。一方で、主観的偏見があるからといって、即、その人が不誠実なわけでも、私欲にかられているわけでもないとわかる。さらに発展させて、権威を疑う姿勢を養い、他人の意見を尊重する姿勢が身につく。

④ホメオパシーなど、正当な医学界から相手にされていないニセ医療に騙されなくなる。
⑤批判的、懐疑的にものを考える習慣が身につく。これは自分自身の認識力、判断力を高めるだけでなく、世界全体を救うことにつながるかもしれない。

資金力が豊富な「反科学陣営」とどう戦うか
——科学的思考の教育

マックス・テグマーク
マサチューセッツ工科大学の物理学者、精密宇宙論研究者、基礎疑問研究所（FQXi）サイエンティフィック・ディレクター

科学において、人間の認識能力、判断能力の向上に何より役立つのは、おそらく「科学的思考」そのものだと思われる。

科学界はこれまで、調査、研究という面においては目覚ましい成功を収めてきた。しかし、一般の人たちを教育するという面においては大失敗したと言わざるを得ない。

ハイチでは今もなお魔女狩りが行われ、２０１０年には12人の「魔女」が殺されている。アメリカの最近のアンケートによれば、39％の人が占星術を科学だと考え、40％の人が人類の歴史を1万年より短いと信じているという。もし誰もが科学的思考を十分に理解していれば、このパーセンテージはゼロとなり、皆が科

学的思考に基づいて生活するようになれば、世界は今よりも良いところに変わるだろう。なぜなら、あらゆる判断を正しい情報をもとにして下し、常に成功の確率を最大限に高めようとするからだ。**国民の誰もが合理的な判断に基づいてものを買い、投票をすれば、企業や政府もやはり科学的思考に基づいて意思決定をするようになる**だろう。

なぜ私たち科学者は教育にこれほど失敗してしまったのか。その問いに答えてくれるのは心理学、社会学、経済学なのではないかと私は思う。

科学的な生き方を実践するには、情報の収集、また収集した情報の利用の両方を科学的に進めることが求められる。だが、収集、利用の双方には大きな落とし穴がある。

何かを判断する際、事前にありとあらゆる情報を集められれば、おそらくその判断は正しいものになるだろう。ところが困ったことに、さまざまな理由から完全な情報というものを得られない状況がある。情報を得るための手段を持っていない人も少なくない（アフガニスタンではインターネットを使える人が国民の３％しかおらず、２０１０年のアンケートでは国民の92％が９・11テロを知らないという結果になった）。

その一方で、社会的責務や精神的不安に縛られて、本来探すべき情報を見つけられない人もいる。思い込みも邪魔をするし、人を惑わす余計な情報も多い。自分の先入観を肯定してくれる情報源にしか目を向けない人もいる。非科学的なメディアが氾濫している現代においては、誰にも阻害されず自由にあらゆるメディアを利用できる人であっても、価値ある情報を見つけ出すのは容易ではない。

だが、こういう状況でもできることはある。**科学的な生活において最も重要なのは、自分の考えと矛盾する情報に出合ったとき、その情報に基づいて自分の考えを更新することだ**。何も変えないという姿勢は良くない。ところが、何があっても頑なに考えを変えない人が称賛されることは珍しくない。頑固に自分の意見に固執するリーダーを「強いリーダー」であると褒め称える風潮もある。

偉大な物理学者、リチャード・ファインマンは、**「その道の権威を疑うこと」を科学の基礎だ**とした。しかし、実際のところこの社会には、群集心理や、権威への盲信が蔓延している。科学的推論の基本を成すのはあくまで論理のはずなのに、希望的観測や不合理な恐怖によって認識を歪められ、誤った判断を下してしまう人が実に多い。

今、学校で何を教えるべきか

では、科学的な態度を多くの人に広めるにはどうすればいいのだろうか。すぐに思いつくのは教育の改善だ。国によっては、たとえどのようなものでも、教育を大半の国民に受けさせるだけで大きな改善に結びつくだろう（たとえば、パキスタンでは、読み書きのできる国民が全体の半分以下しかいない）。教育を受ける人が増えれば、原理主義は力を失い、寛容性が高まる。それは暴力を抑制し、戦争防止にもつながるだろう。女性の権利を拡張すれば、貧困を減らし、人口爆発を食い止められる。

もちろん、すでに国民のすべてが教育を受けている国でも大きな改善は可能だ。学校というところはどうしても、博物館のようになりがちだ。未来を形づくるよりも、過去の振り返りに熱心になるところがある。そして授業のカリキュラムはさまざまな人たちの意見を取り入れようとするあまり、焦点のぼやけた内容の薄いものになりがちだ。そうではなく、本当に今の時代に必要なことを教えるべきだろう。たとえば、**人間**

関係の構築、健康維持、避妊、時間管理、批判的思考、プロパガンダの見分け方などを教えれば、間違いなく有用なはずである。

若い人にとっては、外国語とタイピングの習得も有用だろう。今では割り算の筆算の方法や筆記体を学ぶよりも大事だ。インターネット時代になり、私のように教室で授業をする教師の役割も変わってきたと感じる。教師が単に一方的に情報を提供する存在なのだとしたら、もはや必要とはされていない。情報は生徒が自分の力でダウンロードできるからだ。教師の役割は、科学的な生活を送るよう生徒を促すこと、そして好奇心を刺激し、学ぶ意欲を高めることだ。

どうすれば科学的な生き方が人々に根づくだろうか。どうすれば誰もが科学的な思考をする社会になるだろうか。それはとても重要な問いだ。

心ある人々は、それこそ私が生まれるずっと前から、この問いについて考え、議論をしてきた。教育はどうすれば改善できるかを長らく考えてきたわけだ。にもかかわらず、アメリカを含めた多くの国で事態は良くなっていない。むしろ悪くなっていると言っても反対する人は少ないに違いない。人々が科学的思考、態度を身につけるような教育はできていないのである。

その理由として明らかなのは、逆方向の力が強く働いているということだ。こちらの力のほうが強いと言ってもいい。**人々があまりに正確な科学的知識を持ってしまうと自分たちの利益が損なわれるのではと懸念する企業には、科学教育を阻害する動機がある。**ニセ科学をよりどころとする新興宗教団体なども、自分たちの怪しげな理論を信じない人が増えれば力が殺がれると恐れている。

反科学陣営が科学教育の邪魔をする

ではどうすればいいのか。

私たち科学者はまず謙虚になって、自分たちのやり方が間違っていたことを認め、もっと良い方法を考えるべきだろう。私たちの強みは何と言っても正しい根拠をもとに行動ができるということだ。だが「反科学陣営」には資金が豊富という強みがある。

皮肉なのは、**反科学陣営のほうが、科学者たちよりも「科学的な」組織を持っているという現実**だ。たとえば、ある企業が自分たちの利益を増やすために人々の考え方を変えたいと思ったとする。その場合、彼らは科学的かつ極めて効果的なマーケティング・ツールを駆使する。

まず、現在、人々はどのような考え方を持っているのかを調べ、そして、それを具体的にどう変えたいのか、目標を明確に定める。人々は今、何を恐れ、何に不安を感じているのか。人々のどういう感情を利用すれば、自分たちの目的が達せられるのか。人々の考え方を変えるのに最も費用対効果の高い方法は何か。すべてを詳しく調べたうえで綿密な計画を練り、実行に移す。そしてそれを確実にやり遂げる。

彼らの出すメッセージは単純化されすぎているし、誤解を招く恐れもはらむ。また、競合相手（この場合は科学者たちだ）を不当に貶めるものになっている場合もある。これはまったく不思議ではない。企業にとって反科学のキャンペーンは、最新のスマートフォンやタバコを売るためのものと何ら違いはないのである。だから、科学に対抗するときだけ行動基準が異なると思うのはあまりに世間知らずというものだろう。

確かに私たち科学者は、時に痛々しいほど世間知らずだ。自分たちは道徳的に優位な立場にいるのだから、いくら企業が反科学的な動きをしようと負けるはずがないと深く考えもしないで信じ込んでしまうところがある。だから、彼らと対抗するのに、時代遅れで非科学的な戦略しか採れないことも多い。科学者たちは、彼らと同じレベルにまで降りたくないと思っているのかもしれない。大学教授ばかりが集まる食堂で「世の中を変えていかないと」などと話し合って盛り上がったり、ジャーナリストを相手に延々と退屈な統計データを読み上げたりしたところで、何が変わるというのか。どういう科学的根拠でそれが有効だと思うのか。**私たち科学者は、戦車を使う敵を倫理に反すると批判し、その戦車に剣で立ち向かっているようなものなのだ。**

科学的思考とは何か、また生活をどう改善できるのか、それを人々に教えたいと思えば、そのための方法も科学的に行う必要がある。まず、科学教育を推進するための専門団体を新たに設立すべきだ。その団体は、企業と同じように、マーケティングや資金集めに科学的な手法を使う。広告宣伝、消費者団体へのロビー活動など、科学者たちが嫌がりそうな手段も多く使う。広告のキャッチフレーズは、消費者にアンケートを採り、強く印象に残るとされたものを採用する。

もちろん、卑屈になるわけでもないし、知的レベルを下げるわけでもない。不誠実なことは言わないし、しない。この闘いにおいて私たちには、何よりも強い武器がある。それは「事実」だ。この武器を最大限に利用しなくてはいけない。

正しい判断を下すための実験思考

——今の科学教育に足りないもの

ロジャー・シャンク

心理学者、コンピュータ科学者、エンジンズ・フォー・エデュケーション創立者。著書に『知性を劣化させる教育（Making Minds less well educated than our own）』

科学に関係する概念のなかには、教育システムの問題のせいでひどく誤解されているものがある。誰もが理解していて当然だと思っているにもかかわらず、実際にはまったく理解していないのだ。

たとえば「実験」がそうだ。私たちは皆、学校で実験について学ぶ。学ぶのは、「科学者は実験をするもの」ということだ。さらに高校の実験室では、生徒たちは科学者が過去にしたとおりの実験をそのまま模倣する。当然、科学者が得たのと同じ結果を得る。

実験を行い、物質には物理的、化学的にどういう特性があるかなどを調べ、どういう結果が得られたかを科学雑誌に報告する。それが科学者の仕事であることも学ぶ。

その結果、どういうことが起きるか。**生徒は「実験とは退屈なものだ」と思い込んでしまう**のである。また、実験はあくまで一般の人間とは違う科学者がすることで、自分たちの日々の生活には何の関係もないと思ってしまう。

これは大きな問題だ。**実験は科学者だけのものではなく、実際には誰もが絶えずしている。**乳児でさえ、色々なものを口に入れて美味しいかどうかを確かめる。これも立派な実験だ。少し大きい幼児も実験をする。色々な行動をしてみて、自分がうまくできるのはどれか、できないのは何かを確かめるのだ。

ティーンエージャーは、セックス、ドラッグ、ロックンロールを試すという実験をするかもしれない。ただし、皆、自分のしていることを実験だとは思ってはいない。仮説を立て、それが正しい、あるいは誤っているということを示す証拠を収集するという実験の正しい方法を知っているわけでもない。自分が実は絶えず実験をしていると教わる機会もないし、実験をもっとうまくこなすには学習が必要なことも知らない。

医者から処方された薬を服用するときも、私たちは実験をしている。しかし、薬を服用した結果を毎回、正確に記録している人はまずいないし、対照群の設定をすることもない。ある行動の効果を確かめるには、それ以外の行動を同時に取ってはいけないが、そういう注意もしないだろう。そのため複数の変数を混同してしまう。こんなふうだから、仮に薬を服用したあと、副作用らしき症状に苦しんだとしても、真の原因が何なのかは結局わからない。

同様のことは人間関係でも起こり得る。同じような問題が何度か起きても、条件が毎回異なるため、その原因が何なのかは正確に判別できないのだ。

もちろん、日常生活で正しい対照実験をするのは、絶対に不可能とは言わないまでもかなり難しいのは確かだ。それでも、科学者ではない自分たちが普段の生活で当たり前のように実験をしていることは理解してもらえると思う。新たな仕事に臨むとき、ゲームで新しい戦略を試すとき、入学する学校を選ぶとき。私たちは何かするたびに、それについて他人はどう思うか、また自分はどう感じるか、それはなぜかを知るための実験をしているとも言える。

私たちが人生のあらゆる局面で実験をしているというのはよくわかってもらえたと思う。しかし、それをわかっていなければ、自分がどうすればいいのかもわからないに違いない。

正しい実験をするためには、まず適切な証拠を十分に集め、それをもとに推論をする必要がある。実験の条件をよく確かめ、**繰り返し実験をするときには常に条件が同一になるよう気をつける必要もある。**いつ、どのように実験すれば条件が同一になるのかを慎重に検討する。

また実験で重要なのは、実験で得られた結果について正しい考察ができるかどうかだ。だが、自分のしていることが実験だとわかっていない人、得られたデータから正しい推論ができない人は、せっかく実験をしていてもそこから大したことは学べないだろう。

ほとんどの人は「実験」という言葉を、学校の退屈な科学の授業の場で学ぶ。そのせいで、科学も実験も、自分の実生活には何ら関係のないものとみなし、後の人生をそのまま過ごしてしまう。

学校ではただ機械的な計算を延々繰り返させるような授業をせず、もっと学問と自分との関わりがよくわかる授業をしてもらいたいと思う。たとえば、実験が私たちの日常生活にどう関わっているかを理解できるようにしてほしい。そして実験の結果をもとに正しい推論をする方法も教える。そうすれば、**政治について考えるとき、子供を育てるとき、他人と関わるとき、仕事をするとき、その他人生のあらゆる局面でよりよく考え、適切な判断ができる人になれる**はずだ。

客観的な意思決定に欠かせないもの

——対照実験

テイモ・ハネー

デジタル・サイエンス、マクミラン・パブリシャーズのマネージング・ディレクター

科学の構成要素のなかでも**対照実験**は幅広く理解されており、実際にこの種の実験を利用している人は多い。対照実験は、科学というものの性質を決定づけている大切な要素と言っていい。

何らかの意思決定が必要になったとき、科学者ではない一般の人たちが自然にするのは、まずじっくり考えること、あるいは、関係者を集めて会議を開くことかもしれない。だが、科学の世界では、ほかに何かができたとしても、まずはとにかく適切な対照実験をすべきとされている。

後者の方法が優れていることは、もちろん、これまでに世界の隠された真実を数多く解き明かしてきた実績によって証明されているが、それだけではない。より重要なのは、コペルニクス原理、自然選択による生物進化、一般相対性理論、量子力学など、科学理論には驚くほど直感に反するものが多いという事実だ。

直感に反しているものが真実であると受け入れられたのは実験の持つ力のおかげである。決して常識や合議、人生経験、神の啓示などのおかげではない。つまり、**科学の実験には、私たちを生来の思い込みや偏見、想像力の欠如から解放してくれる力がある**のだ。実験のおかげで、私たちは直感だけではわからなかっ

たはずの宇宙の真の姿を知ることができ、先天的な能力の限界を超えられた。

アマゾンやグーグルは実験で意思決定をする

残念なのは、対照実験を行うのがほとんど専門の科学者だということだ。**一般の会社員や為政者など、科学者以外の人たちが、直感や情報不足の会議などに頼らず、もっと客観的な手段で意思決定をしてくれたらきっと素晴らしい結果になるだろう。**おそらくそのほうがより良い判断を下せると思うのだ。

ただし一部ではすでにそうした動きが始まっている。たとえばアマゾン、グーグルといったオンライン企業では、ウェブサイトのデザインについて決定を下すのに、誰かの直感や会議に頼ることはない。その代わりに彼らは、それぞれに仕様の異なるサイトを複数作り、個々を性質の異なる複数のグループのユーザーに使ってもらうという対照実験を行う。

実験は、最適な解決策が見つかったと判断できるまで繰り返される（実験の際に生じるサイトのトラフィックはそう大きくないので、1回の実験はせいぜい数秒で完了する）。もちろん、ウェブはその性質上、データの収集は極めて速くできるし、修正してテストしてまた修正という作業が簡単なことも後押しになっている。だがそれだけではなく、プロジェクトのリーダーたちが往々にして工学、科学の素養を持ち合わせている事実も大事かもしれない。そういう素養があるからこそ科学的なものの見方をし、対照実験をしてみようという発想にもなりやすいのだろう。

政府の政策（これには、学校教育のカリキュラムから、犯罪者への量刑、徴税まで、さまざまな要素がある）を決定する際にも、対照実験はきっと大いに役に立つ。そんなふうに言うと機嫌を損ねる人もいるかもしれない。確かに、教育を受ける子供たちや、受刑者たちを対照実験の「被験者」にするというと違和感を持ち、反論したくなる人も多いに違いない。被験者になれば、どのグループに入るかで異なった扱いを受けることになるからだ。これでは公正とは言えないのではないかと感じる。人間には誰にもほかのすべての人と同じ扱いを受ける権利があるという多くの人が持つ強い信念に反しているとも言える。

確かに、子供たちや受刑者たちを実験群と対照群に分けたとしたら、どちらか一方の群が得をして、他方が大損をする可能性はある。ただ、この言い方は正確ではない。そう単純な話ではないからだ。どちらのグループが「得をする」かは事前にわからず、わからないからこそ実験が行われる。

有益な情報が得られる可能性が高い実験をしなければ、全員が確実に損をする。したがって、「誰かが損をするかもしれないのでやめよう」という理屈はあまり正しくない。実験をすれば、将来の世代の人たちは全員が得をする。

しかし、人々が違和感を持つ本当の理由は、単にこういう領域に実験を持ち込むのに慣れていないからだろう。実は対照実験は、臨床試験というもっと深刻な場面でも利用されていて、皆それを受け入れている。こちらは文字通り、即、生死に関わるかもしれないのに、気にも留めないのだ。

当然、対照実験は万能薬ではない。たとえば、刑事被告人が有罪か無罪かを実験では決められない。また注意すべきなのは、実験で何らかの結果が出ても、目の前の問題についての結論が出るとは限らない点だ。

そういうとき、科学者ならば、肩をすくめて「はっきりしたことは言えませんね」と言えば済む。だが、企業で働く人や政治家にそんな贅沢は許されないだろう。無理にでも結論を出すことを強いられる。しかし、それでも対照実験がこの世界の真実を解き明かすうえで最高の手法であるという事実は揺るがない。うまく利用できるとの判断がつけば、積極的に利用していくべきだろう。

ブラックホールのなかで情報収集はできない

——思考実験

ジノ・セグレマン

ペンシルベニア大学物理学教授。著書に『目立たない天才たち〜マックス・デルブリュック、ジョージ・ガモフ、そしてゲノミクスとビッグバン宇宙論の起源（Ordinary Geniuses: Max Delbrück, George Gamow, and the Origins of Genomics and Big Bang Cosmology）』

思考実験は、理論物理学にとって不可欠の要素である。それは、この分野が生まれて以来変わっていない。思考実験では、実験に関わる事物を頭に思い浮かべ、想像のなかだけで実験を進めていく。それによって、ある仮説が正しいこと、あるいは間違っていることを証明する。そもそもこの分野においては、思考実験以外に採り得る方法がない場合も多い。たとえば、実際にブラックホールのなかに落ちて情報を収集するなどは絶対に不可能だ。

思考実験は、量子力学という学問が発展するうえで特に重要な役割を果たした。なかでも不確定性原理や波動・粒子の二重性といった斬新な考え方の正しさを確認するために、ニールス・ボーアやアルベルト・アインシュタインが行った思考実験は伝説的である。「シュレーディンガーの猫」などは、その実験の名前が物理とは無縁の一般の人たちの語彙にも入り込んでいる。猫が生きているとも同時に死んでいるとも言えるというのが、誰にとっても印象的なのだろう。また、粒子と波動の両方が通り抜ける「二重スリット」の実験は、初期の量子力学における重要な実験であり、今でも量子力学の意味を理解するうえで重要な実験であり続けている。

思考実験の対象となる課題は、必ずしも難解なものでなくてもかまわない。私が気に入っているのは、ガリレオの思考実験だ。「真空のなかでは、たとえ質量の異なったものでも、すべて同じ速度で落下する」という事象を証明した実験である。これにより、それまでの常識だったアリストテレスの説は否定された。

これを証明するには、思考実験ではなく本物の実験が必要ではないかと思う人もいるだろう。しかし、ガリレオは私たちに、「大きくて重い石と小さくて軽い石があり、両者がとても軽い糸でつながれていたとしたらどうだろう」という簡単な問いを投げかけた。

もしもアリストテレスが正しく、両者の落下速度が違うとしたら、重い石は軽い石を引っ張り、軽い石の速度を上げることになる。また反対に軽い石は重い石を逆に引っ張って、重い石の速度を下げるだろう。さらに、糸の長さがゼロに近づくと、2つの石は事実上、2つを合わせた質量を持った1つの石と同じになり、2つを合わせた質量を持つ石は、元のどちらの石よりも速く落下するはずだ。だが、そんなばかげた話はあり得ない。つまり、すべての物体は質量にかかわらず、真空中ならば同じ速度で落下すると考えるのが適切だ。

仮に意識していないとしても、私たちは日々の生活のなかで何らかの思考実験をよくしている。携わる仕事によっては、思考実験の訓練も受ける。それでも、改めて思考実験について意識すれば必ず役に立つはずだ。

思考実験を具体的にどう実施するか、どういう場面に適用すると有効なのか。**何か不可解な状況に直面したとき、「この問題を解決するのにどのような思考実験が役に立つか」と考えてみるのは有意義だ。**金融、政治、軍事、どの世界の人でも、思考実験をうまく使えば、より良い結果が得られ、利益になるに違いない。

現在の科学理論はすべて誤っているかもしれない

――科学史からの悲観的メタ帰納法

キャサリン・シュルツ

ジャーナリスト。著書に『まちがっている――エラーの心理学、誤りのパラドックス』（松浦俊輔訳、青土社、2012年）

サブタイトルの文言が気に入らない人も多いだろう。確かにあまりよいとは言えない。言い訳をさせてもらうと、「科学史からの悲観的メタ帰納法」は私が造った用語ではない。科学哲学者と呼ばれる人たちが一時よく使っていた用語だ。長すぎて言いにくい言葉だし、覚えやすいとも言えない。だが、この言葉の意味する概念はとても重要である。「メタ」という部分に注目してほしい。この「メタ」があることで、何か自己言及的な要素があると推測できるだろう。

「過去の時代の科学理論の多くは、のちの時代に誤っているとわかった。だから、私たちが正しいと信じて

いる科学理論も、多くがいずれ否定されるのではないか」

これが、これから論じる内容の要点と言っていい。

同じことは科学だけでなく、ほかのさまざまな事柄に言える。政治、経済、法律、宗教、医学、子供向けの本、教育、あらゆる分野で同様のことが言えるのだ。いかなる分野においても、今の時代に正しいとされている考え方が次の時代には誤りになる可能性がある。歴史を振り返ると、科学だけでなく、あらゆる物事に同じような「悲観的な」推測ができてしまうのだ。

優れた科学者は皆、この事実を理解している。科学は絶え間なく続く近似の連続であり、自分はそのなかの一部であると認識しているのである。彼らは皆、自分のしているのは現実の秘密の暴露ではなく、現実のモデルの構築だとわかっており、常に自分のしていることに確信の持てない状況を受け入れている。自分が今、立てている仮説は正しくないかもしれない、データと照らしたら誤っていると証明されるかもしれないと単に疑っているだけではない。**絶えず真実に近づく努力をしながらも、絶対的な真実にたどりつくことは永遠にないと理解している。**

科学者でない一般の人たちはそれとは違っていることが多い。暗黙のうちに、自分だけは、自分の時代だけは例外だ、と思いがちである。地球は平らだ、地球は宇宙の中心だと思い込んでいた人々、常温核融合が成功したと信じた人々と自分は違うと思っている。自分は幸運にも、過去とは違い、人間があらゆることを正確に理解し、認識している時代に生きているのだと信じている。

文芸評論家のハリー・レヴィンがこんなことを言っている。

「人間は自分の生きている時代の文明を歴史上、最高のものとみなしがちだ。それは自分の住む街を宇宙の中心だとみなしたり、自分個人の理解の限界を人類全体の限界だとみなしたりするのに似ている。こういう発想は逆説的だが普遍的なものである」

仮に自分たちが最高とは思わなくても、現在の延長に未来があるという幻想も抱きがちになる。自分たちの知識のうえに何かを積み重ねることで、未来の人間は今の自分たちよりも上に行くのだと信じがちだ。確かに知識は蓄積されるかもしれないが、反対に蓄積されたものが一気に全否定されるケースも珍しくはない。私たちはその事実を無視する。あるいは認めたがらない。自分たちの積み重ねてきた知識が、未来の人々に全否定されるとは思いもよらない。

科学史からの悲観的メタ帰納法は、「悲観的」という言葉を使ってはいるが、考え方そのものは決して悲観的ではない。これを悲観的と思うのは、自分が間違えることを絶対に許せない人間だけだろう。自分の間違いが明らかになり、それによって世界に対する見方が改まり、理解がますます深まると思えるのなら、むしろこれは楽観的な考え方だと言える。

悲観的メタ帰納法の背後にあるのは、**現在の科学理論はすべて暫定的なものであり、どれも誤っている可能性が十分にある**という考えだ。いつもそういう考えでいれば、仮に自分が信じているものとは矛盾する理論に触れたとしても、興味を持って調べることができるし、その結果、受け入れられる可能性もある。

私たちは自分の理論への反証に関心を持ったほうがいい。自分の世界像が少し歪むような、濁るような、世界が昨日よりわかりにくくなり、研究にはまだ先があると思えるような特異な実験データを大事にすべきだ。そうすれば、仮に何か信じていることがあっても謙虚さを失わずに、この先もっと正しいことがわかるはずだという幸せな期待をいつも持っていられる。

人は皆ありふれていると同時に唯一無二

――二重の自己像

サミュエル・バロンズ

カリフォルニア大学サンフランシスコ校神経生物学・精神医学センター理事長。著書に『人間を理解する：個性の謎を解明する（Making Sense of People: Decoding the Mysteries of Personality）』

私たちは皆、ありふれた存在だが、同時に唯一無二の存在でもある。

私たち人間は皆、だいたい同じである。誰もがはじめは2つの生殖細胞が出合うところから生じ、しばらくの間は子宮のなかで成長する。誰もがほぼ同じ発達プログラムを生まれつき持っており、子宮から外へ出たあともそれに従って成長を続け、そしてやがては衰える。

しかし私たちは同時にほかの誰とも違う特別の存在でもある。持っているヒトゲノムに含まれる遺伝子はほかのすべての人と似通っているが、ほかの誰とも違っている。また、私たちは皆、独自の家族、文化、時代、仲間集団に属している。取り巻く環境はひとりひとり違い、その環境に生まれ持った独自の能力で適応する。私たちは皆、自分なりの独自の生き方を日々作り上げていき、ほかの誰でもない自分という意識も持つようになっていく。

この、ありふれていると同時に特別な私という二重の自己像は、特に生物学者や行動科学者の力もあり、今ではすでに確立されたごく当たり前の見方になっている。だが、この自己像についてはは改めてよく考えてみる価値がある。これには重要な意味があるからだ。他人と共通する部分が非常に多いことを認識すれば、共感が生まれる。他人を仲間だとみなし、謙虚に敬意をもって接するようになる。一方、自分は特別であると認識すれば誇りが生まれる。自分の能力、創造力を高め、独自の成果をあげようという意欲も生まれるだろう。

自分の存在のこうした二重性を常に意識していれば、日々の生活はより豊かなものになるはずだ。平凡な自分でいる安心感と、唯一無二の自分でいる興奮を同時に楽しめるからだ。

「因果関係」を理解できれば世界はより平和になる

——複雑に絡み合う原因と結果

ジョン・トゥービーマン

進化心理学の創始者、カリフォルニア大学サンタバーバラ校進化心理学センター共同ディレクター

すでに得られている情報のうえに、また新たな情報をつけ加える、それを繰り返していると、私たちの知性は次第に向上していく。**大事なのは、情報の積み重ねによって知り得た事実がたとえ気に食わなくても、この繰り返しをやめない姿勢だ。**実際、気に食わない事実は多いし、そればかり聞かされている。

私たちは、自分自身や、自分の属する集団を当然のようにほかより優れていると思いがちだが、それは単

なる自惚れ、勘違いだと知らされることが多い。私たちは皆、この世界について、はじめは恐ろしいくらい無知だ。この世界はひたすらに広く、複雑に入り組んでいて、不思議と驚きの連続だと感じられる。

無知から解放されるには、基礎に適切な考え方、態度が必要になる。何かを推測し、正しいか否かを実際に検証するという繰り返しが大切だ。それによって次々に新たな発見ができ、理解の幅が広がっていく。

新たな発見が多くあること自体は喜ばしいのだが、人間には、せっかくのその素晴らしい道具を存分に使わず、つい使うのを拒む性質もある。あまりに色々なことがよく「わかりすぎる」からだ。一見、とても素晴らしい成果が上がっていると思えたことが、実際には恥ずかしいほど、あるいは悲劇的なほどの失敗だったとわかったりもする。現代に生きる私たちは科学的であり、超自然的な力など信じないはずだが、ギリシャ神話に登場するオイディプスのような確固たる信念がないことも多い。オイディプスは、たとえ不吉な前兆があろうとも、それをものともせず、自分の意志をつらぬいて行動し続ける。

人間には弱いところがある。ジョージ・オーウェルの言うとおり、私たちは「自分の鼻の先にあるものを直視しようとすれば、大変な苦労をしなくてはいけない」のだ。なぜそれほど苦労をするのか。鼻の先にあるものは近すぎて、目の焦点が合いにくいからだ。だが、いくら焦点が合わなくても懸命に努力して見るべきだし、見えたものに動揺して理性を失うようなことがあってはならない。オイディプスのように、**真実を知った結果、恐怖のあまり自分の目を潰してしまうようではいけない**のだ。

個人はたとえほんのわずかであっても、何かを学んで知識を増やし、自分の知的能力を高められる。**ひとりの向上の幅は少しでも、大勢の分が集まると世界を変革するほどの力を発揮することさえある。**能力の高まった多数の個人が関わり合い、「知の連鎖反応」とでも言うべき素晴らしい現象が起きたりもするのだ。

大げさだなと思うかもしれない。だが、考えてみてほしい。現代の優秀なエンジニアたちは皆、学習によって微積分という便利な道具を手に入れ、個人としての知的能力を高めている。そのおかげで、力を合わせればレオナルド・ダ・ヴィンチ、プラトンといった歴史上の偉人たちよりもはるかに世界を深く理解できるし、彼らよりもはるかに高度な物を作り、高度な計画を立案し、実行できる。これにはニュートンの功績が非常に大きい。

特に重要なのは、**「無限小」**という概念である。無限小とは、ゼロよりは大きいが、ゼロに限りなく近いほど小さいという意味だ。革新的な概念のなかには、微積分よりもっと単純だが、影響がはるかに大きいものも多数あった。たとえば、実験（これは何らかの権威を持つものにとっては恐ろしい概念だった）、ゼロ、エントロピー、ボイルの原子論、数学的証明、自然選択、偶然、粒子遺伝、ドルトンの元素記号、統計分布、形式論理、栽培・養殖、シャノンの情報定義、量子などはその例である。

鼻先にあるものを直視するための3つの概念

ここでは、私たちが自分の「鼻先」にあるものを直視するのに役立つ、3つの概念を紹介しよう。どれもさほど難しいものではない。それらは、**連結因果律**、**道徳戦争**、**帰属錯誤に基づく判断**である。

因果律は、ある状況を単純化し、体系的に理解するための道具として進歩してきた。因果律によって、目の前の状況の本質を大まかにつかむことができる。これは、物事には必ず原因があって結果があるという考え方である。何か結果があるとしたら、それには必ずひとつ原因があるとする。だが、詳しく見ると、**ひと**

つの結果の原因は正確にはひとつではないことが多い。複数の原因が交差している、あるいは連なっているのが普通だ（また、その結果が生じるのを阻害する条件がなくなった、という場合もある）。

小説『戦争と平和』（工藤精一郎訳、新潮社、2005年）のなかでトルストイはこう問いかけている。

「りんごは熟すれば落ちる。なぜ落ちるのか？　引力によって地面へ引かれるからか、軸がひからびるからか、日光で干されるからか、重くなるからか、風にゆすられるからか……」

現代の科学者ならば、労せずしてトルストイの書いた原因のリストを果てしなく長くできるだろう。ただ私たちは日頃、状況に対する見方、考え方を臨機応変に変えている。また、その場の状況で何をすれば直後の利益が最も大きくなるかを判断して、次の行動を決定することが多い。だから、私たちは、因果の連鎖のなかでも、自分の力で操作しやすい部分に注目しやすい。脳がそのように進化しているのだろう。

原因のなかでも、固定されていて自分の力で変えられないもの（地球の引力や、人間の本性など）については、無意味なのではじめから除外して考えるようだ。**人間が自分の力で制御できない要因でも、その結果が予測できるもの（たとえば、風が吹けば、りんごが落ちるなど）は注目するだけの価値がある。**あらかじめその結果に備えておけば、それを利用して利益を得ることや、危険を避けることが可能だからだ。

因果関係は現実には複雑なのだが、どうしてもそのことは忘れられがちだ。原因をひとつに限定するほうがわかりやすく、話がおもしろくなるからだ。人を騙して得をしてやろうと目論む悪人には都合が良いだろうが、これでは私たちの物事に対する科学的理解は貧しくなる。がん、戦争、暴力、精神疾患、無信仰、失業、気候変動、貧困……どのようなことであれ、原因をひとつに求めるような議論は滑稽なものでしかない（残念ながら、一般の人たちだけでなく、いわゆるエリートや科学者ですらこの罠にかかることがある）。

人は嫌なことを敵のせいにしたがる

他人の行動によって何らかの結果が出たとき、「本人が自由意志によって選んだのだからすべて本人が原因」とみなすことにも同様の危険がある。人間は社会的動物であり、常に他人と関わって生きているが、他人の行動は自由意志によって決まると信じている人は多い。これは、アリストテレスのように、人間を「その人自身の行動の起点」とみなす考え方だ。

こういう考え方をしていると、何か気に入らない結果があるとき、一足飛びに誰か特定の人を原因だと決めつけやすい。本当は複雑な原因があるはずなのに、それは無視するのだ。私たちは多くの場合、すでに結果がわかった状態で原因を探す。また、何か（誰か）が原因だと思うと、そういう目で結果を見る。結果が好ましくないものであれば、その原因となった人（責任者）を特定し、その人を罰し、もう同じ行動はさせたくないと思う。

反対に結果が好ましいものであれば、原因となった人を促して、同じ行動を繰り返させたいと思う。また卑劣にも、何か好ましくないことが起きたとき、その原因を自分と敵対する人間だと決めつける人もいる。まったくそんなはずはないのに、無理に理屈をつけてそう主張するのだ。

残念ながら、**私たち人間の脳は、こうした「道徳戦争」、情け容赦のないゼロサムゲームに適応するよう進化しているらしい。**敵とみなす他人を不利益の原因と決めつけることは、この道徳戦争における典型的な攻撃手段である。誰かを悪い結果の原因だとし、周囲に知らせ、その人を集団から排除しようとする。

このように実際にそうではない人を犯人にすることは、「帰属錯誤に基づく判断」の一種である。たとえば、当時の人たちは知らなかっただろうが、現代の目から見れば、1905年までは病気になっても医者にかかる意味はなく、医者にかかるのはかえって危険なことだったとわかる（ハンガリーの医師、イグナーツ・フィーリプ・ゼンメルヴァイスは、「医師は出産時の母親の死亡率を倍ほどに高めている」と言った）。

医師という職業は何千年も前から存在したが、つい最近まで実質的にはその役割を果たせていなかった。なぜ役に立たないにもかかわらず医師がいたのか。それは今、エコノミストや、市場予想家、ポートフォリオ・マネジャーなどが存在するのと同じ理由からかもしれない。彼らの観測が当たる場合もあるが、その確率は、偶然に当たる確率より有意に高いとは言えない。にもかかわらず、その仕事で高給を得ている。

気候モデルなども同じだ。気候モデルは将来の気候変動を予測するのに利用されているが、予測が外れたために、食料価格が急騰して、発展途上国で飢餓が起きる場合もある。弁護士は、病気にかかった原告を裁判で勝たせ、莫大な賠償金をもたらす。ただし、たとえば、病気の原因とされた物質に触れた人が、そのほかの人たちよりも本当に病気にかかりやすいという確かな証拠がないこともある。

なぜ、こんなことになってしまうのか。現実の因果関係というのはあまりに複雑だ。一見、原因のようだが、実は無関係の「ノイズ」も多く紛れ込み、結局、真の原因は霧に包まれたようでわからないということも多い。少しでも偏見や先入観（たとえば、何もしない罪よりも、何かした罪のほうが重い、というのは偏見の一種である）が入り込めば、すぐにそれに値しない人を称賛する、または罪もない人を責めることになってしまう。

患者が病気から快復すれば、医師は自分の英雄的な奮闘努力のおかげだと思いがちだし、快復しなければ、病気があまりに重く、対処のしようがなかったのだと思いがちだ。

政治家は、自国の経済が思うように良くならないとき、自分のマクロ経済政策がなければもっとひどいことになっていただろう、などと思う。

道徳戦争をやめ、帰属錯誤に基づく判断もやめて、皆が複雑な因果関係を正しく認識しようと努力すれば、少なくとも今、人類に大きな損失をもたらしている破壊的な妄想の一部はなくせるはずだ。

90%の人が自分を平均以上のドライバーだと考える
——自己奉仕バイアスの回避法

デイヴィッド・マイヤーズ

ホープ大学の社会心理学者。著書に『懐疑主義と無神論者への好意的な手紙(A Friendly Letter to Skeptics and Atheists)』

人間は普通、自分自身のことは高く評価する。自分をよく思えるのは楽しいことだが、危険も多い。社会心理学では、これを**自己奉仕バイアス**と呼んでいる。

人間は成功を自分のおかげだと思いたがる一方で、失敗は自分のせいだとは思いたがらない。良い行いは自分のものだと進んで認めても、悪い行いは自分のものだと認めない。

実験でも、思いどおりの結果が出たときにはすぐにそれを受け入れる。自分に能力があり、努力もしたおかげだと思いたがる。しかし失敗したときには、その原因を、不運や実験の難しさなど、自分以外に求める。スクラブル（訳注：アルファベットの文字が書かれたコマを使って単語を作成するゲーム）で遊んでいて、勝ったときには自分の語彙力が優れているおかげだと思う。だが負けると、「Uがあるとよかったのに、Qしかなかったから」などと言い訳をする。

自己奉仕バイアスは、スポーツ選手にも（試合に勝った場合、負けた場合）、学生にも（成績が良かった場合、悪かった場合）、ドライバー（事故を起こしたとき）、経営者（業績が良かった場合、悪かった場合）にも見られる。「私がいったい何をしたというのか？」というのは、何か問題が起きたときの言葉だ。決して何かが成功したときの言葉ではない。

人は自分のことを平均よりは上だと思いたがる。他人が自分を愛する理由は色々だ。たとえば、どういう理由があるのか考えてみよう。自分は他人と比べて平均以上だと考える現象を一般に「レイク・ウォビゴン効果」と呼び、この現象は子供にも見られる。非営利組織カレッジ・ボードが高校の最上級生82万9000人を対象に実施した調査によれば、自分のことを人付き合いが平均より下手だと思っていた生徒は0％、人付き合いのうまさが上位10％には入ると思っていた生徒が60％にもなった。しかも、自分が上位1％に入ると思っていた生徒が25％もいた。

自分の思い描く自分は、ほぼ誰にとっても平均以上だ。頭も外見も平均よりいいし、偏見も平均より少ない。平均より道徳的だし、健康で、きっと平均より長生きする。フロイトのジョークに私たちの持つこの偏見がよく表れている。ある男が妻に「僕らのうちどちらかが死んだら、僕はパリに引っ越すよ」と言ったというジョークだ。

車を運転する人に尋ねると、10人中9人までが自分を平均より上のドライバーだと答える。とにかく自分ではそう思っているわけだ。大学教授は、90％以上が、自分を平均以上に優れた教授だと思っている（当然、能力が高く評価されなければ、強い不満を持つし、評価されている他人を妬みもする）。夫と妻に「自分は家事の何％を負担していると思うか」と尋ねたり、もしくは、ある職場のチームに属するメンバーに「自分の仕事への貢献度はチーム全体の何％だと思うか」と尋ねてみると、その合計は１００％を超えるのが普通である。

自己奉仕バイアスについて、またそれによく似た錯誤楽観主義、自己正当化、内集団バイアスなどについて調べていると、常に思い出すのが「驕れる者久しからず」という言葉である。これは文学や宗教が私たちに教えてくれる教訓でもある。

自分自身や自分の属する集団について良く思えば、確かに希望を感じて元気になり、ストレスにも耐えやすい。しかし、やはり弊害のほうが大きいだろう。**自分や自分の集団を不当に高く評価しすぎると、夫婦の不和にもつながり、他者を見下すような態度を取れば、交渉ごとはことごとく決裂する。**国家間の交渉でその態度で臨むと、やがては戦争になりかねない。

自己奉仕バイアスにはどんなに注意してもしすぎることはない。謙虚になりすぎて困ることもないだろう。自分と他人の能力、美徳を同様に正しく評価できるのが良策なのは間違いない。

脳は場当たり的に情報を取り出す

——確証バイアスの克服

ゲイリー・マーカス

ニューヨーク大学幼児言語センター所長。著書に『脳はあり合わせの材料から生まれた』(鍛原多惠子訳、早川書房、2009年)

人間は理性のある高貴な存在であり、その能力は無限だと、ハムレットなら言うかもしれない。だが実際には、認知心理学の分野での40年におよぶ実験の結果を見る限り、私たち人間の知性は有限であり、高貴という言葉からはほど遠い。ただし、限界を知れば、それによって理性を高めることはできる。

限界の多くは、人間の記憶というものの性質に起因する。**私たちは、脳に情報を蓄積するのはとても得意なのだが、一方で蓄えた情報を取り出すのは苦手である。**事実、高校の卒業アルバムに写っている人については何十年経っても見れば思い出せるのに、昨日の朝食に何を食べたかになると意外に思い出せない。

また記憶とはまったく当てにならないものでもある。そのせいで誤った目撃者証言がなされ、無実の人が刑務所に入ることもある。互いの誕生日を忘れ、それが夫婦喧嘩につながる場合もある。ひどいときには死をも招く(たとえば、スカイダイバーは時々、パラシュートを開くひもを引くのを忘れることがわかっている。スカイダイビングでの死亡原因の約6%はそれだ)。

コンピュータの記憶能力が人間よりもはるかに優れているのは、初期のコンピュータ科学者たちが、生物の進化が決して実現し得なかった記憶手法、すなわち個々の情報をすべて記憶領域中の決まった場所に保管するという方法を採用したからである。これにより、どの場所にどの情報が保管されているという地図が作れるようになった。

これに対し、人間の記憶には地図のようなものはなく、情報の取り出しは非常に場当たり的に行われている。今すぐ必要な情報を確実に探し出すのは苦手であり、何かのきっかけによって偶然、出てくるのを待つという不確実な方法しか採れない。**私たちの記憶は、コンピュータ（あるいはインターネットのデータベース）のように体系的には利用できず、極めて信頼性が低い**と言っていい。

人間の記憶には、覚えたときの状況と強く結びつくという特徴がある。たとえば、スキューバダイバーが水中で言葉を覚えたとしよう。その言葉は陸の上でよりも水のなかでのほうがよく思い出せる傾向が実験で確かめられている。たとえ水にまったく関係のない言葉を学んだとしても、そういう結果になるのだ。

記憶のこの特性は、時に便利である。キッチンで料理について学んだとする。そこで覚えた事柄は、スキーをしながらよりも、キッチンにいるときのほうが確実に思い出しやすくなるのだ。

だが、困ることもある。覚えたときと異なる状況に置かれると、その記憶を取り出すのが難しくなるのだ。これは学校教育にとっては非常に大きな問題だ。子供たちは主に学校の教室で学ぶわけだが、学んだことを活かすのは教室とは大きく異なる現実社会である。

何より恐ろしいのは、**人間は自分の信念に合う物事はよく覚えるが、信念に合わないものはあまり覚えない**という事実だ。2人で同じものを見ていても互いの記憶が食い違うケースはよくある。これは2人の考え方の相違が原因であることが多い。考え方が違っていたがために、注目する視点が違い、記憶も違ったわけだ。もちろん、本来、物事をよく理解しようとすれば、他人の記憶も取り入れるべきなのだが、それには相当の努力を要する。何も考えずに自然にそれができる人は少ないだろう。どうしても自分の考えに合わないことは忘れたまま思い出さずにいる。

こうした弱点（**確証バイアス**と呼ばれる）を克服するには、絶えず努力をし続けなくてはいけない。まず、自分にそういう弱点があると認識する姿勢が大きな一歩になる。絶えず注意していれば、生まれつきの癖を修正することは不可能ではない。**自分の考えに合致することだけを記憶する癖を直し、自分とは考えの違う他人が何を記憶するかを想像してみるといい**だろう。

iPadを使ってコンテンツを作る人が少ない理由

――メディアとテクノロジーに潜むバイアス

ダグラス・ラシュコフ

メディア理論家、ドキュメンタリー・ライター。著書に『プログラムするか、それともプログラムされるか――デジタル・エイジのための10のコマンド（Program or Be Programmed: Ten Commands for a Digital Age）』

テクノロジーやメディアはそれ自体、あくまで中立なもので、もし何か偏りが生じるとしたら、使い方、あるいは伝える内容のせいだ。そう考える人は多いだろう。

たとえば、銃はそれ自体、人を殺すものではない。人を殺すのはその銃を使う人だ。しかし、銃には、ほかのもの、たとえば枕よりは人を殺しやすい傾向があるのも確かである。これまで、年老いた肉親や、自分を裏切って浮気をした配偶者などを枕を使って窒息死させた人がいないとは言わないが、枕より銃のほうが多くの人を殺してきたのは間違いないだろう。

となると、**人間だけでなく、テクノロジーやメディアにも「バイアス」があると考えられる**のかもしれない。ただ、このバイアスを認める人は少ないし、気づいてすらいない人は多い。そのせいで、テクノロジーやメディアが真の力を発揮できないこともある。私たちはiPadやフェイスブックのアカウント、自動車などを単に道具であると思っていて、その使い方を決めるのは自分だと思っている。道具そのものにバイアスがあるとはあまり考えない。

マーシャル・マクルーハンも、メディアにはそのメディア独自の影響力があると言っている。**伝える内容とは無関係に、そのメディアだから発揮される影響力があるので、私たちはそれを認識しておくべき**だというのだ。マクルーハンのメッセージも、何らかのメディアによって伝えられるので、必ず歪められるのだろう（どのメディアによって伝えられるかで伝わり方は変わる）。

同様のことはメディアだけでなく、あらゆるテクノロジーに言えるのではないだろうか。たとえば、車に乗って通勤する場合、ガソリン車、ディーゼル車、電気自動車、燃料電池車などの選択肢があり、どれを選んでも勤務先に行けるという事実は変わらない。だからつい、どの車にも本質的な違いはなく、それぞれにバイアスがあるなどとは考えもしない。だが実は、長距離に向いている、通勤に向いている、郊外を走るのにいい、エネルギーの節約になる、といったバイアスがあるのだ。

基軸通貨から心理療法に至るまで、あらゆる種類の「ソフトテクノロジー」にも同じようにバイアスがある。要するに、どう使おうにもはじめから何らかの偏りがあるのだ。

たとえば私たちアメリカ人は、アメリカドルという世界の基軸通貨を使っている。日頃、それを意識してドルを使う人は少ないが、基軸通貨を使っているというだけで、アメリカの銀行は強い力を持ち、世界の資金はアメリカに集まる。

心理療法士は、カウチの傍らにいるだけで、何もしなくても患者の病気の治療に強い影響を持つ存在となる。フェイスブックを使っていると、特に意識していなくても、獲得した「いいね！」の数で自らを評価する感覚を持ってしまう。

iＰａｄなどのタブレットを持っていると、他人の作ったコンテンツを消費することに熱心になり、自分で新たなコンテンツを作るほうにはあまりエネルギーが向かわなくなる。

テクノロジーにもバイアスがあるというとらえ方が常識になれば、私たちはもっと意識して、注意深くテクノロジーを利用するようになるだろう。そうならない限り、テクノロジーはこれからも、使い手がそう意識しなくても、私たちにとって危険なもの、恐ろしいものになり得るだろう。

過去の経験が思考を左右する

——バイアスとの付き合い方

ジェラルド・スモールバーグ

ニューヨーク在住の実践神経学者、オフオフブロードウェイの脚本家、ザ・ゴールドリンクの創立メンバー

現代は、情報の量が爆発的に増えている時代である。情報の入手が以前よりも格段に容易になっているため、当然、情報の真偽を判断する能力が重要なのだが、その判断は難しくなるばかりだ。情報の価値は、自分にどの程度、関係があるか、また自分にとってどういう意味があるかで変わる。意思決定にどのくらい影響するか、自分の知識の一部として定着するかによっても情報の価値は変わるだろう。

情報の真偽を見分ける際に大きな役割を果たすのは、私たちの知覚である。だが、私たちには、情報の客観的な真偽を察知できるような知覚はない。ただ刺激を受けた感覚器官から脳に送られてくる電気信号の意味を解釈するだけである。感覚器官から送られたデータをもとに、脳は現実世界とその事象をシミュレーションするためのモデルを作り上げる。知覚には、過去の経験が必ず影響を与える。**私たちは、経験に基づき、このあと何が起きるかを常に予測している**からだ。

ゲーテが「サクランボやイチゴの味を知りたければ、子供か鳥に尋ねるべき」と言ったのはそういう理由からだ。大人は過去の経験から、たぶんこうだろう、と予測してしまう。この**事前に生じた直感、感情、考**

え、これを一言でまとめると「バイアス」になるが、このバイアスが目の前の出来事を歪めてしまう。そのせいで、確かな証拠が提示されていても、そのまま受け取らず、真実にたどり着くのが難しくなる。バイアスは、定量をごまかすために底上げされた器のようなものなのだ。

私たちの脳は、限られた情報をもとに物事を判断するよう進化している。情報が限られているから、確実な正解は望めず、どうしてもその判断は「賭け」になる。賭けの当たる確率が少しでも高まるような判断をするわけだ。

ルイ・パスツールは「幸運は準備のできている者に訪れる」と言った。バイアスとは、言ってみれば、自分の望む目が出やすいよう、サイコロに重りをつけるようなものだ。その細工があるから、サイコロは本来とは違う確率で目を出す。

自分の価値観、考え方と密接に結びついているため、バイアスを修正するのは簡単ではない。バイアスは、私たちの知覚にとって、レンズやフィルターのような役目を果たす。それによって、受容する情報が元と変わってしまうわけだ。「知覚の扉が清められていれば、すべては常にありのままに見える」とウィリアム・ブレイクは言っている。

しかし、バイアスには有用な面もある。**バイアスがあるからこそ、私たちは自分の注意を集中させることができる。**それがなければ、処理しなくてはいけない情報が無限に増えて、結局、何もわからなくなってしまうだろう。バイアスには数限りない種類があり、私たちはそれを自在に組み合わせて使っている。どういうバイアスをどう組み合わせて使うかは指紋のように人によって違う。

バイアスは、私たちの知性と感情の仲立ちをしているとも言える。知覚情報から私たちが何かを判断する際には必ずバイアスが関わっている。このおかげで私たちは自分の意見を持てるし、物事の分類もできる。比喩、理論、イデオロギーなどはバイアスが元で生まれる。私たちが世界をどう見るかにバイアスは大きく影響する。

思考には必ずバイアスがかかっている

バイアスはすべて暫定的なものだ。現実が変化するにつれ、バイアスのほうも変化していく。バイアスは一時的な仮説であり、変化しつつも常に存在しているものである。

バイアスは常に存在しているものであり、私たち自身が情報を知覚し、選択した結果として生じるものなので、排除はできない。そして、**私たちの思考にバイアスが必ず影響を与えている事実を忘れてはいけない。**

医学の世界では、臨床データを収集、分析する際に、どうしても関わった人間のバイアスが入り込むことが古くから知られていた。臨床医学において極めて重要な役割を持つ二重盲検ランダム化比較試験は、このバイアスによる影響をできる限り排除すべく考えられたものだ。ただ、私たちが住んでいるのは研究室ではなく、現実世界であり、普通はバイアスを排除することなどできない。

バイアスは気をつけて使えば、注目すべきデータを絞り込むのに役立つ。いつ、どこでどのデータを見ればいいかを判断するのに役立つのだ。これは、帰納的推論、演繹的推論の両方にとって大切である。ダーウィンは何の予断もなくランダムにデータを集め、その結果、自然選択による進化の理論を打ち立てたわけではない。バイアスがあったからこそ、理論は生まれたのだ。

ある理論が正しいか否かは絶えず検証される必要がある。公正に誠実に異議を申し立ててくる人によって提示される証拠をすべて論破しなければ、理論が正しいことを証明できない。

科学研究は必ず、定められた方法で進めなくてはいけない。適切な実験をして正しさを証明するだけでなく、同じ実験を誰もが再現できるようにする必要がある。また、誰もが定められた方法で実験すればまったく同じ結果が得られるようにしなければならない。

科学は、その人のイデオロギー、宗教、文化、文明によって変化しない。科学においては誰も特権を得ることはないのだ。

いくつもの異議申し立てという試練に耐えた末に生き残った真実は、また別の重荷も背負わなくてはいけない。クロスワードパズルのなかの言葉が、パズルのなかのほかの言葉すべてと整合性を保たなくてはいけないのと同じように、科学理論にはほかの既存の理論すべてとの整合性を要求される。どれだけ細かく調べても矛盾する既存の理論がどこにも見つからないとわかった時点で、その理論は間違いなく正しいと証明できたことになる。

科学においては例外はひとつも許されない。どの理論も容赦なく訂正されていく。誤りが見つかればそこから学ぶ。**どれほど神聖とされた理論であっても、いつ訂正されるか、無効になるかわからない。**その状態が永久に続くのである。

自分の意志力はコントロールできる

——戦略的注意配分

ジョナ・レーラー

ワイアード誌寄稿編集者。著書に『一流のプロは「感情脳」で決断する』(門脇陽子訳、アスペクト、2009年)

1960年代後半、心理学者のウォルター・ミシェルは、4歳の子供を対象にした簡単な実験を始めた。まず、子供を机と椅子のある小さな部屋に招き入れる。机には皿が置かれ、その上にはマシュマロやクッキー、プレッツェルがのっている。ミシェルは4歳児にこう持ちかける。「お菓子は今すぐ食べてもいいけれど、自分がここを出て戻って来るまでの数分の間、待っていることができたら、倍にしてあげるよ」

すると、当然、ほとんどすべての子供が「待つ」と答える。

当時の心理学者たちは、お菓子を今すぐ食べずに我慢して、倍のお菓子を手に入れられるかどうかは、その子の意志力によって決まると考えた。単純に意志力の強い人間と弱い人間がいて、それで行動が変わると考えたわけだ。意志力が強ければ、今すぐお菓子を食べずにいられるし、定年後に備えて貯金もできる。

ところが、実験で何百人という数の子供たちを観察するうち、ミシェルはそれまで常識とされてきた考え方が実は間違っていると気づいた。実験でまずわかったのは、**意志力とは元来、とても弱い**ものだという現実だ。自分で「待てる」と言った子供たちは、歯を食いしばって誘惑に勝とうとするのだが、結局すぐにその闘いに敗れてしまう。早ければ30秒以内で降参してしまう子もいる。

お菓子が倍に増えるまで本当に待てた子供はごくわずかだった。そして、そのわずかな子供たちについて調べると、興味深い事実がわかった。待てた子供たちは皆、お菓子のことを考えないという方法を採っていた。美味しいマシュマロのことではなく、ほかのことに注意を向けるよう努力をしていたのである。手で目を覆う子もいたし、机の下に身を隠してしまう子もいた。セサミストリートで覚えた歌を歌う子、靴ひもを何度も結び直す子、眠ったふりをする子。食べたいという欲望がなくなるわけではないが、一時的にせよ忘れていられる。ミシェルはこのスキルを**「戦略的注意配分」**と呼び、それが一般に「自制心」と呼ばれているものの背後にあると主張した。

私たちはどうしても、意志力の強さとは道徳心の強さではないかと考えがちだ。だが、その考えは誤りのようだ。**意志力とは、本当は、注意のスポットライトを適切なところに向けられる力らしい**。また、ワーキングメモリに入れる情報を適切に選ぶ能力も大事だ。ワーキングメモリには一度に数少ない情報しか入らないので、何を入れるかについては熟考を要する。目の前のマシュマロについて考えてしまえば、同時にほかのことはほとんど考えられず、結局、食べてしまう。だからほかに目をそらさなければならない。

注目すべきは、このスキルは何も食に対する姿勢だけに有用というわけではない点だ。何をするにしても、現実世界で成功をするためには非常に大切なスキルと言える。

ミシェルは、初期の実験で被験者となった子供たちの13年後を追跡調査した。4歳児だった子たちは高校の最上級生となっていた。

おもしろいことに、当時マシュマロの実験でうまく我慢できた子は、さまざまな側面で高い評価をされる子になっていたのだ。一方、４歳のとき、マシュマロを食べるのを待ちきれなかった子のなかには、高校生になって学校でも家でも行動に問題のある子が多いこともわかった。彼らの多くは強いストレスのかかる状況に弱く、また、何かに長い時間、注意を向け続けられない。人間関係を維持することも不得意だ。

よりわかりやすいのは学業成績である。４歳のとき、マシュマロを食べずに15分間待つことができた子供のＳＡＴスコアは、30秒しか待てなかった子供に比べ、平均で２１０ポイント高いという結果になった。

この相関関係を見ると、戦略的注意配分というスキルを身につけることがいかに大切かがわかる。**注意のスポットライトをうまく制御できれば、否定的な思考にとらわれそうになっても抵抗できるし、危険な誘惑に負けることも少なくなる。**誰かと喧嘩をすることはまずないし、何かの依存症になる危険性も低い。

私たちの意志を左右するのは、事実についての情報と感情である。ただ、情報も感情も脳内には多数、同居している。そのうちのどれに注意を向けるかで当然、意志は変わる。注意の対象はかなりの程度、意識的に選択できる。

近年では、このスキルの重要性はさらに増していると言えるだろう。私たちは今、情報化時代に生きている。こういう時代には、大量の情報のなかから特に有用なものを選び、それに注意を集中する能力が極めて大切になる（ハーバート・サイモンはこの状況について「情報が豊かになるにつれ、注意力は乏しくなる」と言っている）。脳は能力の限られた機械であり、世界は混沌とした場所である。大量の情報であふれ、どれもが注意を引こうとする。情報から少しでも意味を読み取るには知性が必要になる。意志力と同様、知性が働くためには、戦略的注意配分が必要だ。

もうひとつ大事なのは、この何十年かの間に、心理学、神経科学の分野では昔ながらの「自由意志」という概念が大きく揺らいでいる点である。今では、人間の心の大きな部分を無意識が占めるとわかっている。それでも、私たちは、自分の注意のスポットライトを意識的に制御できる。自分の成功に役立つ事象、情報だけに注意を集中するのは可能だ。

結局のところ、私たちが自分で制御できるのはそれだけだとも言える。**マシュマロを見ないでおこうとすれば、見ないでいられる**のだ。

裕福になっても幸せを感じられないのはなぜ？

――フォーカシング・イリュージョン

ダニエル・カーネマン

プリンストン大学ウッドロウ・ウィルソン・スクール、心理学、パブリック・アフェアーズ名誉教授、2002年ノーベル経済学賞受賞者

教育は収入を決定する大きな要因である。特に大きな要因のひとつであると言ってもいい。しかし、多くの人が考えているほど、収入を決めるうえで教育は重要ではない。仮に誰もが**まったく同じ教育を受けられたとしても、収入の格差は10％も縮まらない**だろう。教育にばかり気を取られると、収入に影響するその他無数の要素に注意が向かなくなる。同程度の教育を受けた人々の間の収入格差も実は大きいことを見逃して

はならない。

収入は、人が自分の人生に満足するか否かを決める大きな要素ではある。ただ、その重要度は多くの人が考えるよりもはるかに低い。仮にすべての人の収入がまったく同じでも、人生に対する満足度の格差は5％も縮まらないだろう。収入は、人が幸福を感じる大きな要因ではあるが、その重要度は普通に思われているほど高くない。宝くじに当たることは幸せな出来事だが、高揚感は長く続かない。**収入の高い人は、低い人に比べ、総じて機嫌良くいられるが、その差は多くの人が考える差の3分の1ほどにとどまる。**

裕福か貧しいかということに注目して人を見ると、どうしても、生活のなかで収入の多寡によって差がつきやすい部分に目がいってしまう。しかし、幸福度は、収入に関係のない要素によっても大きく変化する。下半身不随の人は不幸である事例が多い。しかし、彼らがいつも不幸かと言えばそうとは限らない。障害とは無関係の物事を考え、また障害とは無関係のことを体験しているときも多いからだ。

下半身不随の人、盲目の人、あるいは宝くじの当選者、カリフォルニアの住人など、私たちは自分とは違う立場の人がどういう気持ちで生きているのか想像ができる。だが、想像する際、私たちはどうしても、その人の特徴的な要素にだけ注目をしてしまう。当の本人は常にその要素にだけ注目して生きているわけではない。だからどうしても、想像するのと、実際にその状況を生きるのとでは大きな差が生まれる。**自分が本当にその境遇になったとき、思っていたのと違ったと感じるのはそのせいだ。これがフォーカシング・イリュージョンである。**

商売人はこのフォーカシング・イリュージョンを最大限に利用する。ある商品を買うように勧める際には、その商品がどれほど生活を変えるか、その変化の程度を誇張して言うのだ。

フォーカシング・イリュージョンの大きさは、商品の種類によっても違う。大きい商品もあれば小さい商品もある。買った人の注意をどれほど長く引きつけるかによって程度は変わる。買うものが車のレザー・シートの場合、おそらくオーディオ・ブックよりはフォーカシング・イリュージョンが大きくなるだろう。

政治家も商売人と同様、フォーカシング・イリュージョンの利用に長けている。彼らは、注目を集めている問題の重要度を実際よりも誇張する。

たとえば、学校に制服を導入すれば教育の成果は大きく改善される、医療保険制度を改革すれば、良い方向か悪い方向かはわからないがアメリカ人の生活の質は大幅に変わるなどと言う。医療保険制度改革は確かに生活を変えるだろう。しかし、普通に生活していれば、その変化は、改革そのものに注目していたときに比べて小さく見えるに違いない。

「確信のない結論」のほうが信頼できる

――哲学的実用主義

カルロ・ロヴェッリ

エクス=マルセイユ大学理論物理学研究室の物理学者。著書に『最初の科学者――アナクシマンドロスと彼の遺産（The First scientist: Anaximander and His Legacy）』

「科学的に証明されている」という言い方をする人は多いが、実はこれは非常に害の大きい言い方である。

まず言葉として矛盾している。**科学にとって大切なのは、常に懐疑に対して扉を開けておくこと**だからだ。科学においては、あらゆることを常に疑う必要がある。特に「当然」だと思うこと自体を疑う必要がある。そうするからこそ、私たちは物事をより広く、深く知れる。

だから、優れた科学者は決して何かを「確信」したりはしない。むしろ、**確信を持たない人間の出した結論のほうが、確信を持っている人間の結論よりも信頼できる**。優れた科学者とは、より良い証拠が見つかった場合、あるいは誰かによって斬新な主張がなされた場合、即、それまでとは違った観点で問題を見直せる人だ。確信を持つことはまったく有用でないばかりか害悪になる。確信は信頼性を下げるだけだ。

確信を持たない姿勢の価値を理解できる人は少ない。社会が愚かな方向に進んでしまいがちなのはそのせいであることが多い。地球はこのまま私たちが何もしなければ、温暖化する一方だと言われるが、確信を持って絶対にそうだと言い切れるだろうか。現在の最新の進化論は細部も含めてすべて正しいと言い切れるか。現代医学は、あらゆる面において伝統医学よりも優れていると言い切れるのか。どれも答えはノーだろう。

私たちは、何についても確信を持てないのだ。ただ、確信を持たないからといって、即「地球温暖化については気にするべきではない」などと考えるのは間違いだし、「生物は進化などせず、世界は6000年前に創造された」などと考えるのも間違いだ。さらには、伝統医学は現代医学よりも効く、などと考えるべきではない。それではただの愚か者になってしまう。しかし、実際にそういう思考に陥っている人は多数いる。そういう人たちは、確信がないことを当然と思わず、弱さの証明だと見る。確信のなさを知識の源泉だとは考えないのだ。

すべての知識は、たとえどれほど間違いないと思えるものでも、必ず少しは疑わしいものである（たとえば、私は自分自身の名前を間違いなく知っていると思っている……だが、仮にどこかに頭をぶつけたとしたらどうだろう。一時的に混乱することはないだろうか）。あらゆる知識が絶対確実なものでないのは本来、当然のことだ。それが強調されるようになったのには、哲学的実用主義の影響が大きい。

「確からしさ」という概念の理解が進んだことも重要だ。何か決断を下す際、前提となる事柄は必ずしも「科学的に証明」されていなくても構わない。ある程度以上、確かであろうと思えれば、それを頼りに決断を下せる。そういう考え方をすれば、誰もがより良い判断、行動ができるようになるだろう。

不確実性を無視した数値はすべて無意味
——科学の核をなす不確実性

ローレンス・クラウス

物理学者、アリゾナ州立大学起源プロジェクトのディレクターを務める。著書に『ファインマンさんの流儀』（吉田三知世訳、早川源書房、２０１２年）

不確実性という概念は、科学に関係のある概念のなかでも特に誤解されることの多いものだろう。科学者でない一般の人々の間では「不確実性」は悪いものとみなされるのが普通である。何かが不確実だと言えば、不真面目だ、あるいは先を見通す目がないと思われてしまう。たとえば「地球温暖化が今後どう進むか、科学では確実なことがわかってないらしい」と言う人は多い。そのほとんどは、現状の温暖化対策を否定するのが目的でこう言っている。

だが本当は、**不確実性は科学にとって「核」と言ってもいいほど大切な要素**である。不確実性を定量化し、モデルに組み入れられるおかげで、科学は定性的でなく、定量的なものになりえている。厳密に言えば、計測、観測によって得られるすべての数値は不正確なものだ。だから、不確実性を考慮せずに提示される数値は、本質的にすべて無意味だ。

一般の人にとって不確実性が理解しにくいのは、不確実性の持つ重要性が常に相対的であるからだろう。たとえば、1年のうちのある時期に地球と太陽の間の距離を測り、その結果が1・49597×10^8キロメートルになったとしよう。これは比較的、正確な数値である。有効桁数が6ということは、誤差は100万分の1キロメートルより少ない。

ただし、次の桁に関しては確実なことは言えない。誤差が1000万分の1キロメートルより多いのか、少ないのか、多いとしたらどの程度多いのかはわからないのだ。つまり誤差は、もしかするとニューヨークとシカゴの間の距離より大きい可能性がある。

使う数値が「正確」と言えるかどうかは、その数値をどう利用したいかによって変わる。たとえば、明日何時何分に日が昇るかを知りたいのであれば、先にあげた地球と太陽の距離の数値は十分に正確と言える。しかし、衛星を太陽より少しだけ上の軌道に送りたいなら、もっと正確な数値が必要だろう。不確実性が重要というのは、こういう理由からだ。**何かを発言するとき、あるいは予測するとき、そこに不確実性がどの程度あるのか定量化できない限り、発言や予測の影響力、重要性をほとんど知ることはできない。**

これは科学の世界だけの話ではない。一般の世界でも同じである。たとえば、国が何らかの政策を打ち出したとして、そこにどの程度の不確実性があるか定量的にわかっていなければ、あるいは少なくとも不確実性の定量化は容易ではないと理解されていなければ、その政策はおそらく悪い政策と言える。

なぜ子供にワクチンを受けさせない親がいるのか
──未知への恐れ

オーブリー・デグレイ

老年学者、センス財団主任研究員。共著書（マイケル・レイとの共著）に『老化を止める7つの科学─エンド・エイジング宣言』（高橋則明訳、NHK出版、2008年）

アインシュタインは歴史上の科学者のなかでも、極めて高い地位にいるとみなされる人物である。ただ、同時に、科学の世界と現実世界とをつなぐような警句（アフォリズム）を多く生み出した人物としても知られている。なかでも「自分が何をしているかわかっているのだとしたら、それは研究とは言えない」という警句は私が特に好きなもののひとつだ。肩の力が抜けるような言葉である。分野を問わず、その道の専門家の優れた警句の多くがそうだが、共感と軽蔑の感情が絶妙に混じり合っている。一般の人にとっては理解が難しい専門家の仕事の本質を知らせ、少し身近に感じられるようにしてくれる。

科学者はその研究活動のなかでいくつもの困難に直面するが、そのうちのひとつが、不確実性の扱いだろう。不確実性をどう扱うか、また自分の扱い方をどう他人に伝えるか、そこが難しい。

一般の人たちは、専門家であれば、専門としている分野のことはほかの誰よりも知っていると思っている。だが、**「誰よりも知っている」からといって、「何でも知っている」わけではない**。これをわかってもらうのが難しい。また、知っていることに限りがあるからこそ、専門家は常に「今、何をどうするのが最も良いか」を考え続けなくてはいけないのだが、その点についてもあまり理解されていない。さらに、専門家が何かをするときには、ほかの研究者にとっても、マスコミにとっても、為政者にとっても、自分の行動を評価しやすいものにすることが大事なのだ。

専門家のなかには、自分の仕事について平易な言葉で説明するのが苦手な人が多いのは確かだ。この問題がなかなかなくならないのは、専門家は普段、一般の人たちとあまりコミュニケーションを取らないせいでもある。使う機会が少なければ、そのスキルを身につける優先度はどうしても下がる。大学の広報課などがトレーニングを提供したり、助言をしたりしているが、そのくらいでは大して役に立たないのが現実だ。

一般の人と科学者の根本的な違いとは

ただし、私自身はこれだけが原因ではないと思っている。幸い、私は科学者のなかでは、一般の人たちとコミュニケーションを取る機会が多いほうだ。その私が確信を持って言えるのは、たとえコミュニケーションの経験を積んだとしても、それだけではさほど上達しないということだ。ある程度は上達したとしても、結局、根本的な問題は残ったままになる。

根本的な問題、それは、不確実性への対応の違いだ。科学に詳しくない一般の人たちの日常生活での不確実性への対応は、科学者とは大きく違っている。科学やテクノロジーの世界で最適な方法とは違っていても、総じてそれでうまく対応できるので構わないと思っている人が多い。もちろん、特にテクノロジーはとても重要である。テクノロジーとは科学の現実世界への応用だからだ。テクノロジーに携わる人間は絶対に一般の人たちとうまくコミュニケーションを取る必要がある。

科学者、技術者と一般の人々のコミュニケーションの失敗例は数限りなくある。あまりに多いので、ここで少しくらい例をあげてもほとんど意味がないほどだ。豚インフルエンザ、鳥インフルエンザ、遺伝子組み換え作物、幹細胞……テーマが何であっても、一般の人たちのする議論は、科学者にとって心地よいものからはほど遠くなってしまう。**科学の研究には失敗がつきものであるにもかかわらず、コミュニケーションの失敗のせいで、一般の人たちは科学者の失敗に極端に不寛容になる。**たとえば、核移植の技術が「クローン」の技術だと理解されたせいで、研究が何年もの間停滞した。

コミュニケーションの失敗が、一般の人たちの持つ「できる限りリスクを回避しようとする」傾向と結びつくと、大きな害をもたらす恐れがある。過度にリスクを恐れた結果、一般の人たち自らが大きな損失を被ることがあるのだ。

たとえば、核移植の研究には倫理面での不確実性があるし、インフルエンザ・ワクチン接種には経済面での不確実性があるが、適切な計画さえ立てられれば、さほど問題なく推し進められるだろう。

しかし、リスクを回避したがる一般の人々の全体的な傾向そのものを変えるのはそう簡単ではない。小児期の主要な疾患に関するワクチンの接種率は近年、大幅に減少した。これは、ワクチンと自閉症に関連があるとするひとつの研究結果のためである。この研究には反論する研究者も多く、正しいかどうか大いに疑わしいのだが、こういう困った結果につながっている。

そのほか、遺伝子治療の臨床試験で死亡者がひとり出たのを受けて、その後、臨床試験が基本的にすべて停止されるという事態も起きた。この決定を下したのは規制機関だが、世論の影響を大きく受けたのも確かである。

最先端の科学研究、テクノロジーにリスクと利益の両方があるとき、一般の人たちは不合理なほどにリスクに注目してしまう。これは、未知のものに対する恐れの感情が大きいためだろう。現状の変化によって利益と危険が生じるならば、変化を起こさないほうを選んで危険を避けようとする。

しかし、この態度は長期的には良くない結果をもたらす。**たとえリスクはあっても、変化を受け入れたほうが、長期的には生活の質が向上し、寿命も延びるだろう。**

未知への恐れはそれ自体、まったく不合理なものではない。「〜という危険がある」と言われたときに、「注意をしよう」と考えるのであればそれは良いことだ。しかし問題は、恐れは行き過ぎになりやすく、実際、行き過ぎになっているケースが多いということだ。

一般の人たちが、未来のテクノロジーを追究すれば必ずリスクがあるという現実を理解し、またリスクの大きさを正しく理解すれば、大きな長期的利益のために短期的なリスクを受容するようになるはずだ。そうなれば、あらゆる分野のテクノロジー、特に生物医学テクノロジーの進歩は大きく加速するだろう。

大暴落が起きた理由は特定できない

——因果のクモの巣

ナイジェル・ゴールデンフェルド
イリノイ大学アーバナ・シャンペーン校物理学教授

進む方向を誤ると、自分では前進しているつもりでも、実は後退しているかもしれない。人間の世界観は時々、破壊的に大きく変わる。ただし、歴史を振り返ると、新しい科学理論の確立によってこうした変革が起きた例は少なく、むしろ古い理論がしりぞけられたときに起きる。

人にはそれぞれ生まれつき持っている直感がある。その人の科学的な思考がどう偏るかは、どのような直感を持っているかで変わる。また私たちの直感は、極端にスケールの大きい世界や小さい世界について理解するのに向いていないとよく言われるが、それだけではなく実際には日常の身近な現象についても正しく理解できない。次に人間の世界観が大きく変わるのがいつかはわからない。しかし、その変化に気づくためには、まず**自分がどういう直感を持っているのかを改めてよく確かめてみる必要がある**だろう。手始めとしてこのエッセイで私は、読者の因果律に対する考え方を根本的に変えてみたいと思う。

因果律は通常、ある出来事には必ずそれに先立つひとつの原因があるという考え方だと理解されている。たとえば、古典物理学においては、「あのボールが空を飛んでいるのは、テニスのラケットによって打たれたからだ」というような説明をする。

私は同じ車に16年乗り続けているが、最近、この車にはエンジンの回転数が異常に速くなるという不具合がある。その原因は温度センサーの異常だ。温度センサーが感知する温度が実際よりも低くなるため、始動して間もないときのように、エンジンの回転数が必要以上に上がってしまう。これを因果律による説明だと思っている人は多いだろう。私たちは因果律に馴染んでおり、現実世界は因果律によって成り立っていると考えている。

原因がひとつだと思うと本質を見誤る

人は、因果律を物理学に結びつけて考えがちだ。だが、物理学には私たちの日常的な感覚とは大きく違うところもある。単純な因果律だけでは理解が難しいということだ。たとえば、物理学の法則では、時間の進む方向を特定しない。時間が前に進もうが後ろに進もうが関係ない。一般にこうだと思われている物理法則と、実際の物理法則との間には乖離があるわけだ。

実際、金融市場や地球の生物圏のような極端に複雑なシステムは、因果律には従わないように見える。どの出来事にも原因の候補は無数に見つかるが、どの原因がどの程度、結果に寄与したのかも明らかではない。どれが先でどれが後かもよくわからない。無数の原因と結果が絡み合っていると言う人もいるだろう。

株式市場の相場は全体では1日に1％にも満たない幅で変動することが多い。上がった場合も下がった場合も、ウォール・ストリート・ジャーナル紙では、「利益確定の売りが出たため」、「割安感から買いが増えたため」などとごく単純な説明をする。そして続く翌日には、前日とはまるで反対の値動きが見られることも珍しくない。ひとつの取引が行われるたびに、それが複数の影響を生む。互いに相矛盾する影響が同時に生まれることも多い。

大事なのは、すべての取引に買い手と売り手がいるという事実である。両者の見方は、どの取引に対しても正反対なものになるだろう。このように、**市場は、視点の違う人たちが関わって成り立っていることを忘れてはならない。**ひとつの支配的な要因で市場が動いているかのように言うと、複数の視点の存在を無視したことになる。それでは、市場の本質、市場に働く力を見誤ってしまう。

普段は見方の違う人たちの数がだいたい釣り合って、相場は安定しているのだが、一時的にその数に不均衡が生じて極端な動きをする場合もある。ひとつの要因だけに注目する考え方ではそのような現象を説明できないだろう。

同様の誤りはほかの場面でもよく見られる。たとえば、病気についての説明はその例である。ある病気について説明するとき、まるでその原因がひとつであるかのように言う人が多いのだ。

なかにはハンチントン病のように、突き詰めれば原因はひとつという病気もある。ハンチントン病は、ＤＮＡ中の特定箇所の特定ヌクレオチド配列（アミノ酸をコードするもの）の異常反復が原因とされる。

しかし、この病気でさえ、発症年齢や症状の重さは、環境要因やほかの遺伝子との相互作用によって変わることがわかっている。**要因はひとつではなく複数の要因が複雑に絡み合っているという説明は、疫学などの分野でも何十年も前からよくなされている。だが、どのような要因がそれぞれどの程度働いているのかについて定量的に理解されることはほとんどない。**それについては、ハーバード公衆衛生大学院のナンシー・

クリーガーが、1994年の有名な論文「クモを見たことがある人はいるか?」で痛烈に批判している。

インターネットの構造はひとりでに生まれた

ただし、**因果関係を過度に突き詰めようとすると、無意味な論争を引き起こすこともある。**インテリジェント・デザイン(訳注:知性ある何かによって宇宙や生命が作られたとする説)論と進化論のどちらが正しいかの論争などはその典型例だろう。この論争が過熱しやすいのは、何ごとにも究極の始まりがあるはずだという因果律の根本理念のせいである。生命に始まりがあるとするなら、突き詰めれば必ずたったひとつの要因から始まっているはずだと考える。これが問題だ。

ただ、複数の要因がクモの巣のように絡み合って生命が生じたと考えてもやはり問題は残る。クモの巣があるのなら、それを作ったクモがいるのではないか、そのクモを見た人はいるのか、という問題である。

クモはどこにもいないことがわかっている。因果のクモの巣は、誰の意志とも無関係にひとりでにできあがった。システムを構成する要素がめいめいに自由に機能するうち、いつしかそこに結びつきが生まれ、やがて複雑なネットワークを作るにいたったのだ。

日頃私たちが使っているインターネットもそうしてできあがったネットワークの例だ。通信のための標準プロトコル(TCP/IPなど)は存在しているが、**インターネットのトポロジーや構造は、急激に成長しながら自然発生的にできあがっていった**ものである。

空前のスケールのゴールド・ラッシュとも言える状況になった時期に、サービス・プロバイダたちが競って自分たちの領土を確保しようとするうちにインターネットの構造は固まっていった。驚いたことに、混乱が収まると、できあがったインターネットの統計的特性は非常に特異なものになっていた。パケット伝送の時間的遅延、ネットワーク・トポロジー、そして伝送される情報までもがフラクタルになっていたのだ。

これはつまり、どこからどのようにインターネットを見ても、常に同じように見えるということである。ローカルに見ても、グローバルに見ても、また短いタイムスケールで見ても長いタイムスケールも同じように見える。このフラクタル構造が発見されたのは1995年頃だが、当時は「嬉しくない驚き」という受け止められ方だった。ルータの採用する標準のトラフィック制御アルゴリズムは、ネットワークの構造や動きに関する特性がすべてランダムになるという前提で設計されていたからだ。

フラクタルになるのは、インターネットだけではなく、生物学的ネットワークに広く見られる特性でもある。どこかに意志を持った存在がいて設計図を描いたわけでもないのに、インターネットは、生物の進化と同様の統計法則に従って進化したのだ。**その構造は、誰かが意図的に操作したわけではないにもかかわらず、ひとりでに生まれた。**

また、インターネットの不思議なところは、いつの間にか誰も予測しなかった法則に従って機能するようになったところだ。その法則がどこから生まれたかは誰にもわからない。ネットワーク内の特定の部分から生じたわけではない。インターネット全体のふるまいは、部分のふるまいの総和にはなっていない。この場合、因果関係について語ることには意味がない。ネットワークのどこかに中心があるわけではなく、どこかのふるまいが別のどこかのふるまいの原因ということはなく、またいつかのふるまいがあとのいつかのふるまいの原因というつながりもないからだ。

２０１０年5月6日の午後2時42分から2時50分の間に、ニューヨーク市場のダウ平均株価は急激に下落したあと、急反発をした。上下の幅は６００ポイント近くにもなった。これほど短時間にこれほどの幅で変動した前例はなかった。この大幅変動は、「フラッシュ・クラッシュ」と呼ばれる現象の一部だ。このときは、多数の市場指数が大幅に変動し、個々の銘柄の株価も急激に上下した。なかには、一時的に信じられない価格をつける銘柄もあった（たとえば、アクセンチュアの株価は一時的に1セントにまで下落した）。

今では、短時間での値動きを細かく追えるため、このような急激で大幅な変動もスローモーションのようにとらえられる。それはまるで金融危機の記録映画を見ているようだ。だが、危機がなぜ起こったのか、その原因はたとえスローモーションで見たとしても謎のままである。

アメリカ証券取引委員会は、２０１０年5月6日のフラッシュ・クラッシュについて、その引き金になった出来事（ある投資信託会社による40億ドル相当の売り）は特定できたと報告してはいる。しかし、その出来事がなぜそのような急激な相場変動を引き起こしたのか、詳しい理由はまったく説明できていない。

このクラッシュを引き起こす条件が元々、クモの巣のように絡み合った市場の因果律のなかに組み込まれていたのだとも言える。コンピュータにより高速で自動的に売買が行われるシステムが進歩を遂げたことも要因として大きいだろう。

フラッシュ・クラッシュとは実は、新たなネットワークの誕生を知らせる産声だったのかもしれない。アーサー・C・クラークの小説『Fはフランケンシュタインの番号』（『太陽からの風』山高昭・伊藤典夫訳、早川書房、２００６年）を連想して薄気味悪い思いがする。この小説の冒頭は「グリニッジ標準時１９７５年12月1日午前1時50分、世界中のすべての電話のベルが一斉になり始めた」となっている。

もちろん、この驚くべき現象を科学的に詳しく解明できれば大変おもしろいとは思う。私も何とか説明ができないかと考えないわけではない。しかし、残念ながら今のところ私にはまったく説明ができない。

名前がつくと、わかった気になる

――名づけの誤謬

スチュワート・ファイアスタイン
神経科学者、コロンビア大学生命科学部長

科学の世界ではよく「手なずけるために名づける」という行為をよくする。また少なくとも、よくそういう考え方をすると思われている。ここに潜む問題は、現役の科学者でさえ、**単に名前をつけただけで、何かを説明したような、あるいは理解したような気になりやすいということ**だ。

教育の現場でも同様の発想をしてしまうため、事態はさらに厄介になる。教える側がそうだと、教わる側も自然に、「名前のついている現象は既知の現象」と勘違いし、「名前を知れば、それに対応する現象も理解した」と思い込んでしまう。

この誤りは**「名づけの誤謬」**とも呼ばれる。特に生物学では、とにかくあらゆるものに名前をつける。分子、解剖的部位、生理学的機能、生命体、概念、仮説、どれにもひとつひとつ名前がつけられている。すると、名前がその対象物について何か教えてくれるような錯覚に陥ってしまうのだ。

名前を知っていると、それだけで十分なように思いがちだ。そして、その言葉の真の意味をあまり考えなくなる。本来、非常に重要な言葉のはずなのに、つい軽く見てしまうことも多い。

「本能」という言葉がいい例だ。この言葉は、生物が取るさまざまな行動のうち、その目的がよくわからないというものに当てはめられる。何のためにそれをするのか、どうしてそんな行動を取ってしまうのかわからない場合に、私たちは「本能的」、「先天的」、「生得的」という表現を使ってやり過ごす。

ただ多くの場合、本能という言葉を使うとそこで話が終わってしまう。「氏か育ちか」論争（この言葉自体もやはり「名づけの誤謬」につながりやすい）の「氏」のほうである、だからもうそれ以上分析して考えるのは不可能というわけだ。だが、それが正しいと言えるのは稀であると、過去の経験から間違いなく言える。

ひとつとても良い例がある。ヒヨコは卵から孵ると、すぐにクチバシで地面をつつき始める。長い間、この行動は本能だと信じられていた。ところが1920年代、中国の研究者ツィン・ヤン・クオは卵から孵したヒヨコを詳しく観察し、それまでの常識を覆した。観察方法は驚くほど単純だった。彼は熱したワセリンをニワトリの卵に塗ると、なかが透けて見えることを発見した。これをすれば、なかの活動を何ら妨げることなく、胚の成長を観察できる。受精から孵化までの様子をつぶさに見られるわけだ。

この観察でわかったのはまず、狭い卵のなかで大きく成長するために、孵化前のニワトリの首は曲がっているということだ。そして、頭は胸のすぐ上に位置し、胸のなかでは心臓が成長していた。心臓が鼓動を始めると、頭はそのせいで上下に動くようになる。その動きは、のちにヒヨコが地面をつつくときの動きにそっくりだ。つまり、生まれたときから地面をつつくという奇跡のような行動は、長い間、本能だと信じられていたが、実は、卵のなかですでに練習済みだった。

「理論」と言うと科学的に見える

医師は専門用語を多く使うが、そのせいで誤解を招くことがある。患者は、医師が自分の病状について実際よりもよく理解していると思い込んでしまうのだ。たとえば、パーキンソン病の患者は、動作が緩慢になり、手足が絶えず震えるようになる。医師はこうした現象を表現するのに「寡動(かどう)」、「振戦(しんせん)」といった用語を使う。難しげではあるが、結局これは「動きが遅い」、「いつも震えている」と伝えているだけで、それ以上に意味はない。

こうした言葉を使われても、なぜ動きが遅くなるのか、いったいどういう原理で症状が出ているのか、原因は何なのかはまったくわからない。しかし「パーキンソン病の主症状は寡動である」と簡単に言い切られると、患者やその家族などはそれだけで少し満足し、さらに深い原因を知ろうとしなくなる恐れもある。

科学において非常に重要なのは、わかっていることとわかっていないことの区別である。実はこれだけでも十分に難しい。わかっているはずのことも、よく考えるとわかっていない場合が多いし、少なくとも曖昧にしかわかっていないこともたくさんある。

何かについて実験をしているとき、それをいつやめるかの判断は難しい。自分で何かがわかったと感じたら、そこでやめてもいいのか。ある調査に資金、時間、労力をつぎ込んでいたとして、それをいつやめるのか。もうこれで事実が十分わかったと思ったときにやめればいいのかもしれないが、わかったと判断する基準はどこにあるのか。**「わかっている」と「わかっていない」の線引きはただでさえ難しいのに、「名づけの誤謬」はその境界線をさらに曖昧にしてしまう。**

たとえば、「重力」のような言葉は、よく知られているだけに、何か動かしがたい風格を持っているように感じられてしまう。言葉に実体以上の価値があるように思えてしまうのだ。だが、ニュートンが完璧に確立したかに思われた重力の概念は、400年近くもの時間が経ってから、アインシュタインによってすっかり覆された。そして現代でも、物理学者は重力とは何なのか、どこから来るのか、明確に理解したとは言えない。重力が何にどう影響するかについては極めて正確にわかるようになったが、もっと根本的な部分はまったくわかっていないのである。

「名づけの誤謬」には、本来、大した意味のない言葉を不当に科学的に見せてしまう危険もある。それが科学をよく知らず警戒心も薄い人たちに誤解をもたらし、悲惨な結果を招いてしまう。

たとえば、「理論」、「法則」、「力」といった言葉は科学者にとっては重要だが、一般の人たちの会話のなかではさほどの意味を持たない。ダーウィン的進化における「成功」の意味は、デール・カーネギーの言う成功とはまったく違う。物理学者にとっての「力」と、政治の文脈で言う「力」とはまるで意味が違う。

そしてなにより困るのは、「理論」あるいは「法則」という言葉だ。この2つには、正反対の性質がある。「理論」は、科学の文脈においては強固な意味を持つ言葉だが、一般の人の間では実に曖昧に使われている。だが、「法則」のほうは逆に、科学の文脈での意味のほうが曖昧になっている。その違いのせいで、科学者と、その仕事を支援する一般の人たちの間で、深刻な誤解が生じることもある。

もちろん、言葉が重要なのは確かだ。それに、そもそも名前をつけなければ、物事について話すことすらできない。しかし、思考の方向に影響を与える言葉の力を軽視してはいけない。何かに名前をつける危険性には常に留意しておかねばならない。

感情を動かされると確率を見誤る

――確率の見積もり

セス・ロイド

マサチューセッツ工科大学の量子機械工学者。著書に『宇宙をプログラムする宇宙―いかにして「計算する宇宙」は複雑な世界を創ったか？』（水谷淳訳、早川書房、2007年）

不確実性は推論の妨げとなるものである。ただ、不確実性にはある程度、うまく対処できる。対処の仕方さえ知れば、より良い推論が可能になるだろう。また、そういう力を持った人が増えれば、人類すべての進歩にもつながるはずだ（もちろん、これ以外にも身につけておくべき大切な力はいくつもあるだろう）。

不確実性に対処するのに役立つ道具として古くから存在するのが、確率の数学理論である。確率とは、ある出来事がどのくらい「起こりやすいか」を数値で示してくれるものだ。ただ、出来事の確率を見積もるのが苦手な人は多い。数字、計算に弱いというのも理由かもしれないが、それだけではない。そもそも直感のレベルで、確率を誤って見積もってしまう人が少なくないのだ。

たとえば、**めったに経験しないが、経験すると感情を大きく動かされる出来事は、経験する確率を過大評**

価してしまう。寝ているところを強盗に襲われるような重大事はめったに発生しないのだが、実際より多く起きるように思ってしまう。

反対に、**静かに、知らない間に進行するような出来事は、実際より起きる確率を低く見積もることが多い。**たとえば、動脈壁に脂肪がゆっくりと蓄積していくというのは誰にでも普通に起きるが、自分には関係がないと思いやすい。また、今こうしている瞬間にも大気には大量の二酸化炭素が排出されているかもしれないが、それについて考えることはあまりない。

人は元来、確率を理解するのが苦手

今後、出来事の確率を正しく見積もれる人が増えるかと言えば、私の考えは悲観的である。**人間は元来、確率を理解するのが非常に苦手**な生き物なのだと思う。

ひとつ例をあげてみよう。これは、ロックフェラー大学のジョエル・コーエンによって報告された実話である。ある有名大学の大学院課程への女子の合格率が男子に比べて著しく低いという数値が、大学院生のグループの調査によって明らかになった。データを見る限り、合格率の違いは明確であるように思えた。大学の入試を受けた女子の合格率は、男子の受験者の3分の2にすぎなかったからだ。

大学院生たちは、大学を相手取って裁判を起こした。性別に基づく差別が行われたと訴えたのである。ただ、データを学部ごとに精査すると奇妙な事実が明らかになった。各学部では、男子よりも女子の合格率が高かったのだ。一見、あり得ない話のようだが、なぜそんなことが起きたのか。

その答えは、直感には反するものの、実に単純だった。女子は、合格者が元々少ない学部を多く受験していたのだ。当然、そういう学部では、男子でも女子でも合格率は低くなる。一方、男子は、合格者が多く出る学部を多く受験した。そういう学部は男女問わず合格率が高くなる。各部を取り出してみれば、合格率は女子のほうが男子より高くなっていたのだが、女子は合格しやすい学部を受けていなかったのだ。

この結果から、この大学院ではどの学部でも合格者を決めるにあたって女子を差別してはいなかったことがわかる。しかし、これで大学院生の選抜に関して偏見が一切ないと証明されたわけではない。アメリカの場合、各分野の大学院生の数をどの程度にするか決めているのは、結局のところ主として連邦政府だ。どの研究分野にどのくらいの資金を割り当てるかを決めているのが連邦政府だからだ。女子が多く志望する分野に資金が回らないことが、女子の大学院生が増えない原因というわけだ。つまり、性別による差別をしているのは大学ではなく、政府、つまりは社会全体となる。社会が、男性の好む分野に優先的に資金を回すから男子の大学院生が多くなっている。

すべての人が確率を苦手にしているわけではない。なかには確率が得意な人もいる。たとえば、自動車保険の会社は、事故の確率を正確に推測する必要がある。それができなければ会社は倒産するだろう。また私たちが保険会社に掛け金を払うのは、その会社が事故の確率を正しく見積もっているはずという信頼があるからだ。

車の運転は、日常生活のなかのごくありふれた行動だが、同時に危険性の高い行動でもある。**ありふれた行動だけに、どうしても悪いことが起きる確率を低く見積もりがちになる。**実際以上に安全だと思い込んで保険に入るのをやめる人もいる（大半の人が自分のことを平均以上のドライバーだと思っているという事実もあまり驚きではない）。保険への加入率を高めるには、人がいかに事故の確率を過小評価しているかを証明するようなデータを皆に提示する必要があるだろう。

車の運転以上に多くの人が危険性を過小評価しているのが「人生」だ。だからこそ、健康保険への加入を法律で義務づけるべきか否か、というテーマが議論になるのだろう。

人生は車の運転と同じくありふれているし、皆がそれに伴う危険性を過小評価している。何しろ人生において人が死亡する確率は「１００％」なのだ。何人も死からは逃れられない。

クモに噛まれて死ぬ人は1億人にひとりもいない
——確率計算能力の上げ方

ギャレット・リージ
在野の理論物理学者

私たち人間という生き物は総じて確率が苦手だ。どうやら生まれつき確率が計算できない作りになっているらしい。しかし、私たちは日常生活で、確率が正しく計算できないとうまく対処できない場面に頻繁に遭遇する。

確率が苦手なことは、私たちの言語にも反映されている。確率が「だいたい50％から１００％の間」である状況を示す「たぶん」、「普通」といった言葉はあるが、それ以上正確に確率を表現しようとすると、途端に「70％の確率で」のような妙に堅苦しい言い方しかできなくなる。気軽な会話をしているときに急にそういう言葉を使えば、相手は困惑して表情を歪めるだけで、言いたいことはあまり伝わらないに違いない。

問題は、総じて確率が苦手という人間の弱点をあまり重要視する人がいないところにある。実際には、そのせいで恐ろしい結果を招くことも少なくないのに、それを認識していない。確率が苦手なせいで私たちは恐れなくていいことを恐れ、また誤った意思決定も多くしている。

たとえば、クモを見たとき、私たちはどういう気持ちになるだろうか。恐怖心を抱く人は多いのではないか。恐れの程度は人によって違うが、だいたいの人は怖いと思うに違いない。しかし、考えてみてほしい。クモに嚙まれて人が死ぬ確率はどのくらいだろうか。**クモに嚙まれて死ぬ人は平均して年に4人未満である。つまり1億人にひとりもいない**ということだ。

これくらい少ないと、怖がる意味はまずなく、怖がることが逆に害になってしまう。ストレスが原因の病気で亡くなる人は、年に何百万人、何千万人といるだろう。クモに嚙まれる可能性、嚙まれて死ぬ可能性は非常に低いが、クモを恐れたことによって生じたストレスはあなたの死亡確率を確実に上げてしまう。

恐怖にしろ喜びにしろ、その感情が不合理なものだと、大きな代償を払わなくてはいけないことがある。砂糖まみれのドーナッツを目にしたとき、思わず嬉しくなり、食べたいと思う人は多いだろう。だが、そのドーナッツを食べれば、心臓病になる危険性を高めるなど、健康への悪影響がある。それを考えれば、ドーナッツを見たときに人は恐怖、嫌悪といった感情を抱いてしかるべきだろう。

ドーナッツを見て恐れるなどというと、バカげていると思う人もいるかもしれない。ドーナッツよりさらに危険性の高いタバコですら、見て恐れるのは妙だと感じる人もいるだろう。しかし、自分の生命への悪影響を考えれば、恐れたり嫌ったりするのが極めて妥当と言えるのだ。

人間が特に苦手なのが、もし起きたとしたら大変だがめったには起きないという出来事の扱いだ。宝くじやカジノが成り立つのは人間のこの性質のおかげだろう。ほかにも同様の例は数多くある。人がテロに巻き込まれて死ぬ確率は極めて低い。しかし私たちは「テロを防ぐため」と言われると、生活の質を著しく低下させるような対策でも受け入れてしまう。

X線全身スキャナーなど、それによってがんになる危険性のほうが、テロに遭う危険性よりもはるかに高いのに、当然のように受け入れる人も多い。これは、クモを必要以上に恐れることに似ているかもしれない。クモやテロリストが何をしようが放っておけばいい、何もしなくていいと言っているわけではない。ただリスクを正しく認識して合理的に対処すべきと言っているだけだ。

確率がわかれば、合理的になれる

不確実性を認めることを、自分の限界、弱さを認めることのように思う人も多い。しかし、私たちの人生は不確実性だらけである。**起こるか起こらないかわからない出来事に対してどう行動すべきかは、その出来事がどのくらい起きやすいか、また起きにくいかをよく考えて合理的に判断しなくてはいけない。**

最近、連邦裁判所の判事が、幹細胞研究への資金提供を禁止する裁定を下すという判例があった。幹細胞研究が短期間のうちに人の生命を救う成果をあげる可能性は非常に低い。だが、もし研究が成功すれば、人間の健康に大きな好影響があるのは間違いない。今後、研究によって何がどのくらいの確率で起きるかを正しく予測できる人であれば、判事の裁定が何千、何万という人たちの生命を救う可能性を潰したとわかるだろう。

どうすれば確率に基づく合理的な判断ができるのだろうか。判事は、実際に何千、何万という人たちを殺したわけではない。

量子物理学でいう**「多世界解釈」**では、私たちの宇宙は絶えず「なり得る可能性のある」無数の世界へと分岐していっている。つまり、**幹細胞研究が何百万という人々の生命を救う世界もあれば、判事の裁定で研究が止まったことにより、その人たちが死んでしまう世界もある**わけだ。

「頻度論者」と呼ばれる人たちは、ある出来事が起きた結果として、どういう出来事がどのくらいの頻度で起きるか、という考え方で確率を計算する。幹細胞研究が進むという出来事が起きた場合、患者の生命が救われるという出来事がどのくらいの頻度で起きるかを考えるわけだ。

量子力学という学問分野では、確率でしか記述できないような事象を扱う。こうなったら必ずこうなるという法則のない事象を扱うのだ。

おもしろいことに、量子力学では、頻度論とベイズ推定を合わせたような考え方で、多数の「存在し得る世界」の存在頻度を推定する。人はさまざまな理由で死ぬ可能性があるが、そのなかで、たとえば先に書いた判事の裁定が原因でどのくらいの数の人が死ぬと考えられるか、その期待値を確率計算をもとに推測するのだ。高い期待値が出たからといって、その出来事が必ず起きやすいわけではない。期待値はあくまでも平均値である。ただし、判断、意思決定には有用な情報になるだろう。リスクに適切な対応をするには、確率に関するさまざまな考え方、確率の計算手法などをよく知っておく必要がある。決して直感に頼って対応を決めてはいけない。

確率とは何かを深く理解し、また確率計算の能力を高めるには、おそらくいわゆる「ブックメーカー」の賭けに参加するのが最もよい方法だろう。ブックメーカーは、社会にとってある程度以上重要で、しかも結果が定量化できる出来事であれば、何でも賭けの対象にする。

賭けに当たる可能性を少しでも高めたいと思えば、確率に関する知識やテクニックを少しでも多く身につけたほうがいいだろう。

たとえば、ベイズ推定の基礎でも理解しておけば、それだけで有利になるはずだ。また、**確率について詳しくなれば、自分が日々、どのようなリスクに直面しているのかも明確にわかるように**なるだろう。**未知のリスクに対しても、ただ直感に頼るのではなく、社会への影響の大きさなどを考慮した合理的な推定に基づいて行動を決められる**ようになる。

不確実な状況でよい意思決定をするには

私たちはいつかクモに対する過度な恐怖心を克服し、健康への懸念からドーナッツやタバコ、テレビ、そしてストレスの多いフルタイムの仕事などに対して強い嫌悪感を抱くようになるかもしれない。

人間の生活の質を上げ、寿命を延ばすための研究のコストが、大きな成果が得られる確率に比して安いと多くの人が認識するときが来るかもしれない。

さらに、これは些細な変化だが、確率に関する言葉の使い方が、この先、今とは違ったものになるかもしれない。「たぶん」、「普通」といった曖昧な言葉ではなく、もっと正確に確率を表せる言葉が一般に使われるときが来る可能性はある。

不確定な状況を前に良い意思決定をするには、集中してよく考える必要がある。しかし、あまり考えすぎると、かえってよくない結果を招くこともある。ただストレスを高め、時間を浪費するだけに終わる恐れもあるのだ。大事なのはバランスだ。リスクは恐れすぎず、ときには楽しむべきだ。リスクは適度に冒すのが健全とも言える。**一度も何のリスクも冒さないまま人生を終えてしまうことこそ、最大のリスク**だろう。

科学者は真実を探しているわけではない
――誤解されがちな科学者の役割

ニール・ガーシェンフェルド

マサチューセッツ工科大学ビット・アンド・アトムズセンター所長。著書に『Fab―パーソナルコンピュータからパーソナルファブリケーションへ』(田中浩也監修、糸川洋訳、オライリー・ジャパン、2012年)

科学者は真実を追究するもの、真実を見つけ出すものと思われていることが多い。これは科学についてのよくある誤解だ。**科学者は真実を探しているわけではない。**

科学者はモデルを作り、それを検証するだけだ。たとえばケプラーは、惑星をプラトン立体であると仮定して、その運行を観測し、かなり正確に運行を予測することができた。やがてケプラーは自ら惑星運行に関する法則を打ち立て、より正確な予測ができるようになる。その後、ニュートンの法則によってさらに正確な予測が可能になり、アインシュタインの一般相対性理論により、またさらに正確になった。

ニュートンが新たに真実を発見したからケプラーは間違いだと証明されたわけではない。またアインシュタインの登場によってニュートンの業績は誤りだとわかったわけでもない。彼らのモデルはすべて連続している。想定している条件、精度、妥当性に違いがあるが、どれが真実でどれが誤りというわけでも、勝つか負けるかの戦いでもない。

この世界には、どちらかが勝てばどちらかが負けるという戦いが多くあるが、科学はそういうものとは違う。政党や宗教、ライフスタイルなどを比べて、どちらかが正しいと主張することがあるが、それは科学とはまったく違う。**科学は、誰かの誤りを証明したり、自分の絶対的な正しさを証明したりするものではない。**モデルを作ることは、自分の意見の正しさを主張する行為とは大きく違っている。**科学は、発見と改良の繰り返しであり、それが永遠に続いていく。**勝利を目指す戦いとは違う。たどり着くべきゴールがあるわけではないのだ。

まったく知らなかった事柄や事象を発見するのが科学なので、先行きが不透明なのは当然である。それはまったく弱点ではない。バグがあるのが仕様だ。予想を裏切られることは問題ではなく、科学を改良するチャンスの到来と言える。**この先、何をするかは、どうすれば少しでも科学を改良できるかを考えて決めるべきであり、既存の知識の上にあぐらをかいていてはいけない。**

科学者の仕事は、赤ん坊が歩くこと、話すことを覚えるのに似ている。よろめきながら、間違えながら進歩していくしかないのだ。あちこちつまずき、失敗をしながら、科学者たちは自分なりの理論を考え出し、それを検証する。モデルを作るのに特別な訓練は必要ない。その能力は私たちが皆生まれつき持っている。

重要なのは、モデルを真実と混同しないことだ。モデルは、どんなことがあっても、揺るぎのない絶対的真実に変わったりはしない。モデルを真実だと思い込んでしまうと、その先のさらなる探究に進めなくなってしまう。モデルができたら、それを使って適切な予測ができるか、また観察結果と合うかを検証していく。真実は、モデルとは常に別にある。

クラウド上で一貫性を保つにはどうすればよいか
——分散システム

ジョン・クラインバーグ

コーネル大学コンピュータ・サイエンス教授。共著書(デイビッド・イースリーとの共著)に『ネットワーク・大衆・マーケット―現代社会の複雑な連結性についての推論』(浅野孝夫・浅野泰仁訳、共立出版、2013年)

今から25年前、パソコンで使うデータは、すぐそばにあるハードディスクに入っているものだった。ところが今では、アプリケーションも含め、使うデータが世界中の数多くのコンピュータに分散している。自分が今使っているデータがどこに存在するものなのか、まったくわかっていないことも多いと思う。メッセージや写真、プロフィールといったデータがどこに存在するのかわからないとき、私たちは今、「クラウドにある」という言い方をする。

一口にクラウドと言っても、その言葉の指すものはひとつではない。Ｇｍａｉｌを思い浮かべる人もいるだろうし、フェイスブックのプロフィールを考える人もいる。どちらも、物理的にはあちこちに散らばった多数の要素から成り立っている。コンピュータの世界で「**分散システム**」と呼ばれるものだ。

クラウドという言葉の指すものがひとつに限定されないとはいえ、この言葉で表されるものにはすべて単一の共通した特徴があるのも確かだ。**それぞれは独立して動作する多数の小さな要素が、協調し合い、ひとつに統一された（と錯覚できる）体験を生み出すという分散システムをクラウドと呼ぶ**のだ。

クラウドは通常、インターネットを利用して実現されるものだが、ほかにもクラウドは存在する。たとえば、大企業が新製品のリリースを発表するとき、まるで企業をひとりの人間のように言うことがある。実際にはその背後に何千、何万という社員がいるのを皆知っているのだが、それでも、その言い方を受け入れる人が多い。

巨大なコロニーの多数のアリたちが協調してひとつの巣を成り立たせているのもクラウドの一種と言えるかもしれない。また、私たちの脳を構成する多数のニューロンがひとつの体験を生み出しているのもある意味で同じだろう。

クラウドを成り立たせるのはとても難しい

分散システムの要素が協調し合ってひとつの仕事を成し遂げているように見せるのは容易ではない。それには多数の困難を乗り越える必要がある。多数の小さな要素があれば、要素間に必ず緊張関係が生じる。その緊張関係への対処が必要となる。

まず問題になりやすいのが、一貫性の確保だ。分散システムを構成する要素は、それぞれ得られる情報が違っている。ほかの要素とコミュニケーションを取る能力にも限界がある。つまり、システムの構成要素ごとに、「世界の見え方」が大きく異なってしまう可能性があるわけだ。

テクノロジーの分野でも、またそれ以外の分野でも、これがトラブルの原因になる例は数多くある。たとえば、自分に届いた最新のメールをスマートフォンが極端に遅れて表示するようになったとしたらどうか。出したメールにすでに返信が届いているにもかかわらず、それに気づかずに行動してしまう可能性がある。見ているデータが違ったために、アメリカ大陸の東と西で、2人の人が同じ飛行機の同じ席を予約してしまうかもしれない。会議のとき、自分だけメモを取らず、そのせいで重要なことを忘れてしまったとしたら問題になるだろう。軍隊が一斉攻撃を仕掛けるはずが、一部の部隊だけ早く攻撃を始めてしまったら、敵が警戒を強めて勝つのが難しくなる。

ひとつの「正しい世界観」を設けて、システムの構成要素すべてが行動の前に必ずそれを参照するよう強制すれば、問題は解決するはずという意見が出てくるのは当然だ。だが、そんなことをすれば、分散システムの数多くの長所をなくしてしまう。

システムのどこかに「正しい世界観」を全体に提供する構成要素を設定すれば、アクセスが殺到するのは間違いない。すると、その構成要素は大変なボトルネックになるはずだ。また、唯一の構成要素に問題が起きると全体が機能しなくなる可能性があるのも非常に危険だ。社内のありとあらゆる意思決定にすべてCE

Oの署名が必要だとしたら、そんな企業はとても機能しないだろう。

実現可能な対策を講じるためには、いくつかの例をもとに考えてみるといい。この種の分散システムに発生する典型的な問題の例である。個々をどうすれば解決できるのか、そのために、システムの構成要素にはどのような情報、動きが必要になるのかを考えてみたい。

まず考えられるのは、システム内での情報共有に問題が起き、必要なデータを適切かつ安全にシステム内で共有できないという事態だ。この問題を解決するために、あらかじめ重要なデータのバックアップを複数のコンピュータに取っておくという対策が考えられる。重要なデータが破損、消滅するなどの事態になったとき、重要なコンピュータがいくつか協力し合えば修復できるようにしておくのだ。これはコンピュータ、インターネットだけに限定される問題ではない。

誰にも一人占めさせずに5人に財宝を遺す方法

話をわかりやすくするために、海賊と埋もれた財宝の話に置き換えて考えてみよう。海賊王が年老いて、そろそろ引退を考えていたとする。彼は秘密の財宝を隠した場所を、引退前に5人の息子たちに教えようと思っている。ただ、この息子たち、そろって無能なのだ。

5人のうち3人以上が協力し合って、財宝を手に入れてくれればいいのだが、問題は、1人か2人が裏切って財宝を自分たちのものにしてしまう恐れがあることだった。それは絶対に防ぎたい。そのため、王は情報を5つに分け、ひとりにひとつずつだけ渡すことにした。少なくとも5人のうち3人が情報を共有し合わなければ、財宝のありかを知ることはできない。息子のうちひとりが持つ情報だけでは無理だし、2人の情報を合わせても、宝を見つけるのは不可能だ。

では具体的にどうすれば、そんなことができるのか。すべてそろわなければ財宝が見つからないようなヒントを5つ用意することはそう難しくない。しかしそれだと、5人全員が協力し合わなくてはいけない。3つそろえば十分だが、2つだと不十分、そういうヒントを用意するにはどうすればいいのか。

優れたアイデアは、思いつくのは大変だが、知ってしまえば意外に単純なことも多い。海賊王は、地図の上に円を描いた（この円をどこにどう描いたかは誰にも教えない）。そして、息子たちには、自分の描いた円の南端に当たる場所に財宝は埋まっていると告げ、円の上の地点をひとりにひとつずつ教えた。

点を結んで王の描いた円を再現するには、少なくとも3つの点の位置を知る必要がある。3人の息子が協力し合えば十分な情報が得られるが、2人だけでは情報が足りなくて円が再現できず、財宝は見つけられない。2点が決まっても、それを結んで描ける円はひとつに特定できないからだ。

これは実に有用な方法で、広く応用ができる。事実、現在でも、秘密を保ちながら必要な人に情報を提供する際には、この方法が応用されることが多い。

この方法を発見したのは、暗号研究者のアディ・シャミアだ。データの暗号化に、任意の曲線上の点を使用する。その曲線が特定できれば、同じ曲線上の別の点を使って元のデータが再現できる。

分散システムに関しては、ほかにも書くべき内容が多くある。相互に関係し合う多数の部分から成る複雑なシステムに内在する問題がいくつもあるので、それについてもぜひ、知っておくべきだろう。

ただ幸い、日頃からウェブやグローバルなバンキング・システムを利用している私たちにとって、統一された体験を提供する分散システムがどういうものかは、比較的理解しやすいと言える。また、**私たちの脳自体が、多数の感覚情報から統一された体験を作り出すシステムのひとつ**でもある。

この種のシステムがどれほどの困難を乗り越えてこの仕事を途切れることなく成し遂げているか、私たちは改めて考えてみるべきだろう。

どんなコミュニティも簡単に壊す性的な力
――都市の性的近接学

ステファノ・ボエリ
建築家、ミラノ工科大学、ハーバード大学デザイン大学院客員教授、アビターレ誌編集長

部屋、家、街路、都市、あらゆる場所で、人間の行動あるいは人間同士の関係、そして空間のあり方を規定するのが、個人間の性的な引力と斥力の論理である。

とても乗り越えられないような、民族、宗教の高い壁があったとしても、性的な強い引力があれば瞬時に消滅することはあり得る。またどれほど温かく、まとまりのあるコミュニティであっても、そこに性的な張力がなければ、簡単に崩壊することもある。

コスモポリタンでマルチジェンダーな都市がどう成り立つのか、それを理解するには、まず都市における

性について知ること、性的近接学とでも呼ぶべき学問が必要になる。

失敗が許される環境だと人は成功しやすい

——失敗を成功に結びつける力

ケヴィン・ケリー

ワイアード誌創刊編集長。著書に『テクニウム——テクノロジーはどこへ向かうのか?』（服部桂訳、みすず書房、２０１４年）

私たちは、失敗に終わった実験からも、成功した実験と同じくらい多くのことを学べる。**もちろん失敗は避けるべきだが、失敗は決して無駄ではない。**

これは科学による学びと言えるが、その恩恵を受けるのは何も専門の研究者だけではない。デザイナー、スポーツ選手、エンジニア、起業家などあらゆる種類の人が恩恵を受けられるし、すべての人の日常生活に役に立つ。創造的に生きる人にとって、失敗は大事にすべきもので、最大限、有効に活かすべきものだ。それにより、大きな成果を得ることができる。

優れたグラフィック・デザイナーは数多くのアイデアを出す。大半は捨てる結果になるのをわかりながら、あえて多くのアイデアを出すのだ。優れたダンサーも、ほとんどは失敗だとわかっていて、あえて新たな動きを多く考え出す。同様のことは、建築家にも、電気技師にも、彫刻家にも、マラソン選手、起業家、微生物学者などにも言える。

結局、科学とは、成功からだけでなく、失敗からも学ぶものなのだ。もちろん、常に成功を目指して努力はするのだが、それでも間違いなく数多くの失敗を経験する。**大事なのは、そこから何かを学ぼうという姿勢だ。**また、研究なり事業なりが成功したとしても、そこで立ち止まらずに先へ進まなくてはならない。細心の注意を払い、停滞、困難に直面するまで、つまり何か失敗をするまで先へ先へと進んでいくのだ。

失敗それ自体に必ず価値があるとは限らない。そもそも今の世の中で、失敗が良いものとされることはほとんどないだろう。失敗は能力のなさの証明とみなされがちだ。失敗をしたがために、その後、チャンスがなかなか得られないこともある。

世界の多くの国で子供たちは、失敗は不名誉であり、とにかく失敗を避けて成功することに全力を尽くせと教わっている。だが、西洋が今日のように発展を遂げたのは、失敗に寛容だったからだろう。失敗に不寛容な文化で育った人も、移民によって失敗に寛容な文化で生きるようになって急に能力を発揮したという例は多い。**失敗が許されている環境では、成功の可能性は高まっていく。**

悪い結果に終わった話ほど有用である

科学が私たちにもたらしたもののなかでも最も大きかったのは、失敗にうまく対処して、それを成功に結びつける力だろう。小さな失敗はしても、それが大失敗になるのを防ぐ。自分の力で制御できる程度の平凡な失敗にとどめ、必ず、なぜどういう経緯でそれが起きたのかをあとで検証できるようにする。わざと失敗するわけではないが、常に失敗に備えておき、実際に失敗したときには毎回、何かを学べるようにする。

問題は事前にいかに失敗を予期できているかである。科学においては、良くない結果が出たときに、それをどれだけ有効に活かせるかがカギになる。ただ、自分にとって良くない結果が出たとき、他人に知らせたがらない人は多い。本当は悪い結果が出た話ほど有用なのに、それが広く共有されなければ、学べるはずの人が学び損ねてしまう。

それでも、これまでに失敗（そのなかには、実験自体は成功したが、結局、それに何の意味もなかった、という類いの失敗もある）を皆に広める努力をした人が大勢いたからこそ、その情報が科学にとっての欠かせない道具になった。

失敗を有効に活かすのに似た方法として、何かを改良するためにわざと壊すという方法もある。これは特に複雑なものの改良に有効だ。複雑なシステムを改良する際には、わざとさまざまな誤動作をさせるという方法が採られる。それによって現時点でのシステムの限界を知るのだ。

ほかに改良の方法がないケースは多い。ソフトウェアは、人間が作るもののなかでも特に複雑だが、通常はそれを専門にするエンジニアがわざと誤動作を誘発するという方法でテストされる。

故障した複雑な機械を修理する際にも同じような方法が使われる。いくつもの機能をわざと誤動作させ、故障箇所を特定するのだ。優秀なエンジニアは機械が誤動作するのを嫌がらないばかりか喜ぶこともあるので、一般の人間がその様子を見て驚く場合もある。これは、科学者が実験の失敗を喜び、普通の人を戸惑わせるのに似ている。

ともかく失敗を大切にし、うまく活かすのが成功に不可欠であるのはどの世界でも同じだ。

小さな要素に分けてもわからないものがある

——ホーリズム

ニコラス・A・クリスタキス

医師、ハーバード大学の社会学者。共著書（ジェイムズ・H・ファウラーとの共著）に『つながり—社会的ネットワークの驚くべき力』（鬼澤忍訳、講談社、2010年）

世のなかには砂の城を建てるのが好きな人もいれば、その城を壊すのが好きな人もいる。後者も確かにとても楽しいのだが、私が好きなのは前者のほうだ。何千年もの間、波に打たれ続け極めて小さくなった砂粒を手で集め、何の役にも立たない城を建てる。誰かが手や足で強い力をかけない限り城が崩れないのは、細かい砂粒の間に働く物理的な力のおかげである。

私が特に好きなのは、城を建て終わり、少し離れたところからそれを見るときだ。広い砂浜のなかにある城を見ると、また違ったものに見えてくる。少し前までどこにも存在しなかったその城は、そこにある無数の砂粒が集まってできたものだが、地面からひとりでに立ち上がったものに見える。これは、**「ホーリズム（全体論）」と呼ばれる科学理論の象徴とも言える現象**だ。

ホーリズムとは、簡単にまとめれば「全体は、部分の総和以上のものである」とする考え方である。砂の城はその具体的な例だろう。ほかにも数多くの部品が組み合わさって作られた飛行機などの機械や、人間が数多く集まってできた企業なども具体例と言える。ただ、私が本当におもしろいと思うのは、そういうものではない。ここにあげたのは、すべて人間の手で作られたものである。だが、実は同様のものが自然界のいたるところに存在している。いずれも驚異的で魅了される。

おそらくそのなかでも最も素晴らしいのは、「生命」だろう。炭素、水素、酸素、窒素、硫黄、リン、鉄といった元素が組み合わさって、個々の元素とはまったく違うものが生まれている。生命には、それを構成する部分にはない、また部分からは予測のできない特性が数多くあるのだ。部分の相互作用の結果、とてつもない全体が生じているわけだ。

ホーリズムを知れば、世界をより深く理解することに必ず役に立つはずである。何かの部分をいくら詳しく調べても、全体については何もわからないときがある。**小さな部分に還元しても全体を把握できないものが存在するという認識はとても大切だ。**

たとえば、炭素原子には、固有の物理的、化学的な特性がある。しかし、この原子は、結合のしかたによって、グラファイト、ダイヤモンドなど、まったく違う物質になり得る。どの物質も、黒さ、透明度、硬さ、柔らかさといった性質がそれぞれに違うし、元の炭素原子ともまったく違っている。炭素原子が集まって、炭素原子にはない性質が生まれているのだ。

炭素原子の集合がどういう性質を持つかは、結合のしかたのみによって決まる。原子はシート状に結合することもあれば、ピラミッド状に結合することもある。それぞれの物質の性質は、まさにこの原子どうしの結びつきによって生じるのだ。これは炭素に限った話ではない。この世界には同じような例がいくらでも見つかる。私たちの脳は多数の神経細胞（ニューロン）から構成される。もしあなたが個々の神経細胞の構造や機能を完全に理解できたとしても、記憶とは何か、欲望はどこから湧いてくるのかといった問いには答えられない。

構成部分の数が増えると、全体が複雑になるのは当然だが、部分の増え方に比して驚くほど急激に複雑になる場合もある。人間関係などはその良い例だ。たとえば、10人から成るグループがあるとしよう。このグループには、２人の組み合わせが45通り（10×９／２＝45）あり得る。グループの構成人数が１０００人に増えれば、組み合わせは49万９５００通り（１０００×９９９／２＝49万９５００）にまで増える。つまり、グループの構成人数が１００倍（10人から１０００人）になるだけで、組み合わせの数（これはシステムの複雑さの尺度のひとつだ）は１万倍ほどにもなっているわけだ。

分解したものをまとめて全体を見るのは難しい

ホーリズムはただ普通に生きて、経験を積んでいるだけで身につく考え方ではない。まず、**この世界には、単純な要素にわけてもわからないものがあるという事実を知る必要がある。**また少なくとも、複雑なもののなかに単純さや一貫性が隠れている可能性があると知ることも重要だ。

好奇心は人間が生来持っているものだし、経験主義のような考え方も、理解するのはそう難しくない。ただ、科学にとってこれらと同じくらい大切なホーリズムは難しく、理解は容易ではない。これは科学の歴史のなかでも比較的、あとになって生まれた考え方である。

実際、**何世紀もの間、デカルト的な考え方が主流だった科学界では、もっぱら、物事をできるだけ小さな要素に分解して理解することを続けていた。**そして、この方法はかなりの程度、有効ではあった。私たちは、物質を原子にまで分解し、次に陽子、電子、中性子、さらにクォーク、グルーオンにまで分解し、理解を深めてきた。生物に関しても、まず器官、組織に分け、次に細胞、細胞小器官、さらにタンパク質、DNAへと分解して理解した。

分解したものをまとめて全体を理解することが始められたのは、科学の歴史のなかでもあとになってからだ。そしてこれは分解して理解するよりも難しい。細胞そのものについて研究するのと、多数の細胞が体内でどう協調して働くかを研究するのと、どちらが難しいかを考えてみればわかる。部分をまとめ全体を理解することを目的とした新しい神経科学やシステム生物学も生まれている。

こうした分野の研究はまだ始まったばかりの状況だ。何世紀もの間、砂の城を壊すのに注力してきた科学界が、ようやく城を建てることを始めたのである。

ただほど高いものはない

――TANSTAAFL

ロバート・R・プロヴァイン

メリーランド大学の心理学者、神経科学者。著書に『笑い：その科学的研究(Laughter: A Scientific Investigation)』

TANSTAAFLとは、〝There ain't no such thing as a free lunch.（ただほど高いものはない）〟の略

である。これは普遍の真理だろう。科学の世界でも日常生活でも幅広く応用でき、強い説得力のある言葉だ。この表現は、無料の昼食を提供する代わりに法外な価格の酒を飲ませる店があったことから生まれたものだろう。私がこの言葉に出合ったのは、ロバート・ハインラインのSF小説『月は無慈悲な夜の女王』(矢野徹訳、早川書房、2010年)だ。1966年に発表され、すでに古典となったこの作品のなかで、ある登場人物が無料の昼食には高いコストが伴うものだと警告する。

代償なしで何かを手に入れられないというのは、物理学(たとえば熱力学の法則)をはじめとする科学の世界でも、経済学の世界でも言えることである。

ミルトン・フリードマンも、1975年に刊行された自身の著書に"There's No Such Thing as a Free Lunch"というタイトルをつけている。こちらは、同じ意味で文法的に正しい文になっている。自然科学に携わる人間はすべて、TANSTAAFLの原則を理解している。また科学者に比べ嘘やごまかしには慣れていそうな政治経済学者たちも、その点は同じである。

私も日頃、学生たちに、TANSTAAFLの原則についてよく話している。たとえば、孔雀の美しい羽や、私たち人間の高度な神経系には、高い生物学的コストがかかっているという話はよくする。ただし、いつ、どこでコストがかかるかによって、その意味は変わってくる。コストをかけずにメリットだけを享受しているように見えることもあるのだ。

孔雀のオスは、美しく性的魅力のある羽と、それに必要になる旺盛な生命力のおかげでメスの孔雀を手に入れる。人間は、高度な神経系のおかげで周囲の光や音に適切な対応ができる。コストはもちろん支払っているのだが、メリットはそれに比して非常に大きいと言える。どちらの場合も、昼食は無料ではないが、

「お得な値段」といえる。

値段を決めるのは、単純で正直で情け容赦のない自然選択である。環境に適応して生き残れば、コストは決して高くはない。

一度決めたことも常に検証せよ

——懐疑的経験主義

ジェラルド・ホルトン

ハーバード大学物理学マリンクロット教授、科学史教授、名誉教授。共同編集に『21世紀へのアインシュタイン：科学、芸術、近代文化におけるその遺産(Einstein for the 21st Century: His Legacy in Science, Art and Modern Culture)』

政治の世界に特に顕著だが、私たちの社会では、特定の前提、イデオロギー、ドグマなどに基づき、重要な決定が絶えずなされている。また一方で、現実主義と称し、短期的な利益だけを考えた安易な決定も頻繁になされる。長期的にその決定がどのような結果をもたらすかを十分に考えないのだ。

そんな状況のなかで私が推奨したいのは、**懐疑的経験主義**である。物事を十分に考えたうえで、科学的な手法で自分の意見の正しさを検証するという態度だ。これは単純な経験主義とは異なる。「原子は目で見ることができないので、その存在を認められない」としたエルンスト・マッハのような態度とは違う。

現実には、十分な時間もなく、少ないデータ、しかも矛盾を含んだデータだけを頼りに決定を下さなくてはいけない場面は多い。しかし、だからこそ、**たとえ決定を下したあとになったとしても、それについての懐疑的経験主義に基づく検証を慎重に進めるのが賢明**だろう。

性急な判断をして良くない結果を招いたとしても、事前に予測ができていれば対応がしやすい。はじめからよい結果を期待するわけではないが、こうした姿勢は大事だ。

ウェブの独創性を支えるもの
——オープン・システム

トーマス・A・ベース

ニューヨーク州立大学オールバニ校英語教授。著書に『私たちを愛したスパイ（The Spy Who Loved Us)』

Webサイト「エッジ」は2011年、「すべての人の認知能力を高めるのに有効なツール（概念）が何かあれば教えてほしい」と読者に呼びかけた。私が自分で何か新たに考え出せればいいのだが、そこまでの力はないので、ここでは私が良いと思っている既存のツールを推薦しようと思う。

私が推薦したいのは**オープン・システム**である。これはまるでスイスのアーミーナイフのような便利なツールだ。それひとつで多数の難問に対処できる。

現在では、オープン・システムというとコンピュータの世界の言葉だと思う人が多いだろう。それに関連してオープン・ソース、オープン・スタンダードという言葉もよく使われている。しかし、オープン・システムは実はほかの分野にとっても重要な概念である。たとえば、熱力学などの物理学の分野、また、人類学、言語学、歴史学、哲学、社会学などにも関わりがある。

オープン・スタンダードがあれば、十分な知識さえあれば誰でもコンピュータ・システムの設計に関われる。誰でもシステムの設計を詳しく知ることが可能で、またそれを改良、拡張できる。オープン・スタンダードと呼ばれている標準規格は広く万人に開かれたものであり、誰もが内容を知り得るし、さらにはそれを使える。また開発者もユーザーも無料で利用可能だ。オープン・スタンダードはウェブの世界でのイノベーションを促進してきた。創造力を高めることにも貢献したし、商業的な成功も後押しした。

ただ残念ながら、オープンなウェブを理想とする考え方はすべての人、企業に受け入れられているわけではない。自分たち独自の排他的なシステム、アプリケーションを良しとする人も少なくない。誰もが自由に利用できるよりも、利用できる人、できない人を区別し、そして利用できる程度を人によって変えるほうがいいと考える人もいるのだ。利用する人を市民とみなすのではなく、単なる消費者にしたい人たちと言ってもいいだろう。彼らの提供するウェブ・サービスは表面上、愛想はいいが、アクセスした人たちの行動を克明に記録するトラッキング・システムを備えている。これが金銭的な利益を得るのに大いに役立つ。また、このシステムは警察国家にとっても非常に有用だ。警察国家は、追跡システムによる調査とクローズドなシステムを好む。

ウェブの世界は20年もの間、混沌のなかにあり、そのおかげで次々に独創的なものが生み出されてきた。だが、今ではそれをクローズドなものに変質させようという強い力が働いている。

「市民たちよ、市民たちよ、オープンという概念で武装せよ」

私たちはウェブを無効化するようなそういう力を跳ね返さなくてはならない。ほかのオープン・システムにも同じことが言える。

発明した道具が自分の知能を高める

——新しい遺伝と進化

ジョージ・チャーチ

ハーバード大学教授、パーソナル・ゲノム・プロジェクト・ディレクター

ルイセンコ、ラマルクという名前は、今では「悪い科学」の代名詞のようだ。彼らの名前に象徴される科学は、「二流の科学」よりもさらに悪いものとされる。それは、政治的、経済的に悪影響が非常に大きかったからだ。

1927年から64年までの間、トロフィム・ルイセンコは「獲得形質の遺伝」の理論を正統な科学であると主張し続けた。その結果、ソ連の農業、科学は誤った方向に導かれてしまう。アンドレイ・サハロフなどの物理学者たちが、彼らを批判し、その地位を奪ったのはようやく1960年代になってからだった。サハロフらは「ソ連の生物学、特に遺伝学は恥ずかしいほどに遅れている……その

せいで多くの本物の科学者たちが名誉を毀損され、職を奪われた。逮捕された人や、死に追いやられた人までいる」とルイセンコを非難した。

遺伝学において、ルイセンコの対極に位置する（しかし、同じように科学の名誉を傷つけた）のが、ゴルトンの優生学運動である。1883年以降、優生学運動は多くの国で広く支持を集めるようになっていった。その状況は、すべての人は性別、年齢を問わず、また人種、国籍、信じている宗教に関係なく、結婚し、家族を持つ権利を有するとする世界人権宣言（これは世界で最も多くの言語に翻訳された文書である）が1948年に出されるまで続いた。

ただ、強制断種は1970年代まで続けられていた。ごく簡潔に要約すれば、ルイセンコは環境の影響を過大評価し、優生学は遺伝子の力を過大評価したということになるだろう。

このように、**ある理論が政治や宗教にとって非常に都合が良いとき、誤った科学が盲目的に受け入れられやすい。**しかし、人が陥りやすい罠はほかにもある。**ある科学（似非科学）のせいで破滅的な失敗を体験すると、その反動によって目が曇り、真実が見えにくくなる。**

先にあげた2つの失敗例からひとつ言えるのは、形質遺伝は生殖細胞経由で行われるものであるということ。そしてそれに不当に介入してはならないと思うことだ。それは確かだろう。だが、私たちはこうした失敗から、学ぶべきでないことまで学んでしまう恐れがある。

ダーウィンの唱えた進化論については絶えず批判があり、彼の主張のなかにはすでに誤りが証明された部分もある。しかし、それとは無関係に、進化については一定以上、考えるのをやめてしまう人も少なくない。たとえば、人間はすでに進化を止めており、これ以上、進化はしないと思っている人は多いし、進化を意図的に「デザイン」するなどありえないと思っている。ところが現在の進化学は、一般の人たちが思うものとは違った新たな段階に入ってきている。これまでのDNA中心の世界観からは脱するべきなのだ。

獲得形質は遺伝され得ることが今ではわかっている。しかも、それは決して例外的な事象ではない。遺伝され得る獲得形質は次々に新しく発見されている。過去から現在に至るまで、個人、家族のレベルでは人間は優生学的な行動を絶えず取っている。これは決して誤りではないし、問題視すべきことでもない。政府のレベルでそういうことをするのが問題であるだけだ。

また、訓練や医療によって(理想の人間に近づくための)改善を図ろうとする努力も、人間の画一化を目指すのだから優生学的と非難するのは間違っているだろう。

進化はすでに地質学的な速度からインターネットの速度へと加速している。もちろん、**ランダムな突然変異と自然選択による進化は続いているが、同時にランダムでないインテリジェント・デザインによる進化はすでに起きている。**後者は当然、前者よりはるかに速い。

生物種は従来のように自然絶滅で失われるだけではない。人間が異種の生物を複数融合することで既存の生物種が失われることもある。人間、細菌、植物などを隔てていた種の障壁は失われつつあるし、人間と機械との間の障壁すらなくなり始めている。

平均の知能指数が全世界で向上し続けるという「フリン効果」が起きたのは、物事を簡潔に要約して理解する能力が人間にあるからかもしれない。しかし、ほかにも私たちには便利な道具が数多くあり、そのおかげで知能、能力が高まっている可能性はある。まず、試験に電卓を持ち込めるようになった。これでどれほどの変化が起きたか気づいた人は少ないだろう。

インターネット、eメールなどのおかげで、以前よりはるかに幅広い人たちと会話ができるようになったことも大きい。AIが進歩すればさらに大きな変化があるだろうが、それ抜きでも、計算能力、記憶力、筋力などを高めてくれる技術や道具の存在は重要と言える。

なぜ人は枯渇するまで資源を使うのか
——シフティング・ベースライン症候群

ポール・ケドロスキー
インフェクシャス・グリード誌編集者、カウフマン財団上級研究員

ジョン・カボットは1497年、ニューファンドランド島沖のグランドバンクスに来たとき、自分が目にしたものに驚愕した。それは魚だった。とてつもない数の魚、いったい何匹いるのかまったくわからないほどの魚だ。ファーレイ・モウワットによれば、カボットはこんなふうに記していたという。

「海のなかは魚に満ちていて、網で簡単にすくえたし、石の重りを入れたかごを沈めるだけでも魚を捕ることができた」

この場所はそれから500年もの間、非常に豊かな漁場であり続けた。しかし、1992年にはすべてが終わっていた。グランドバンクスのタラの漁場は破壊されてしまったのだ。カナダ政府は完全に漁場を閉鎖

せざるを得なくなり、3万人もの漁師が仕事を失ってしまった。

いったい何がいけなかったのだろうか。こうなった原因は数多くある。工業化された漁業も原因のひとつだし、漁業の管理体制にも不備があったのは間違いない。

だが、**最悪の事態に向かって進んでいるのにもかかわらず、目の前で起きているひとつひとつの出来事を皆が「ごく普通のこと」として扱ってしまったのが何より問題だった。**資源が豊富にあった時点から、事実上、枯渇してしまうまでの間、そのときの資源量を単なる「現状」として扱い、それを危機として扱わなかったのが問題なのだ。

海洋生物学者のダニエル・ポーリーは1995年、この現象を「**シフティング・ベースライン症候群**」と名づけた。環境が悪化しているのに、評価基準を無意識に下げているせいで問題を認識できなくなるのだ。ポーリーはこの現象にはじめて言及したとき、次のように述べた。

> どの世代でも水産科学者たちは、自分が仕事を始めたときの漁業資源の量、種数を基準値ととらえる。そして、その基準値に照らして環境変化を評価する。次の世代が仕事を開始する頃には、資源はさらに減少しているが、今度はそれが基準値となる。それが繰り返されれば、当然、基準値は徐々に下がっていく。ついには資源がまったくなくなってしまうまで基準値は下がり続けるのだ。

これは愚かでうかつなことだと言わざるを得ない。世代から世代へデータをうまく引き継げていない。だいたいどの分野でも科学者というのは、長期間にわたりデータを蓄積し、その変遷も把握しているものだ。

ところが環境、生態系に関わる科学者たちの多くはそうではない。どうしても間接的で裏付けに乏しい情報に頼らざるを得ない。何をもって正常とみなせるのかを判断できるだけの情報がないのだ。だから、自分たちの目の前の現状を正常だと思い込んでしまう。

しかし、**正常だと思い込んでいることが、実は正常ではないケースも多い。** 基準値が絶えず変わり続けているのに、それでも今が正常だと思うのは、異常に暖かい冬や、異常に雪の多い冬に、「今までもずっとこのくらいのものだった」と思うのと変わらない。北米東部の森林でのシカの数が特別多いと思わないのも、先進諸国での現在のひとりあたりのエネルギー消費量が異常に多いと思わないのも同様の現象だろう。

個人にしろ、科学にしろ、情報が不備で評価の基準が絶えず変わってしまうような状況では、長期的に重要な変化が起きていても誰もそれに気づかない。これは非常に危険である。

シフティング・ベースライン症候群を防ぐには、まず「何をもって正常とみなすべきなのか」を繰り返し自らに問いかける必要がある。 これは正常なのか。あれは正常だったのか。正常だと判断したのだとしたら、なぜそう思ったのかを改めて考える。判断基準の変化に気づいたら、早くそれを止めなくてはいけない。早くしなくては手遅れになってしまう。

収入と人生の満足度はきれいに比例しない

――幸福度を測る指標PERMA

マーティン・セリグマン

ザラーバック・ファミリー財団心理学教授、ペンシルベニア大学のポジティブ心理学センター理事長。著書に『ポジティブ心理学の挑戦』(宇野カオリ監修・訳、ディスカヴァー・トゥエンティワン、2014年)

世界中が同じように豊かで幸福になることは果たして可能なのか――。

研究者たちの予測する未来は、暗いものであることが多い。ディストピア、核戦争、人口爆発、エネルギー危機、人類の種としての劣化、単純なキャッチフレーズに動かされる人の増加など、暗い未来ばかりを予測している印象がある。人類の未来は明るく、うまくいくという予測ではあまり注目を集められないからかもしれない。私自身、人類の未来は絶対に明るいと予測しているわけではない。しかし、どうすれば明るくなるかを筋道立てて考えれば、明るい未来になる可能性は高まると思う。

まず必要なのは、幸福度を評価する定量的な指標を明確に定めることだ。そのうえで、いつまでにその指標をどの程度、改善するか目標を立て、その目標をどう達成するかを考える。すべてを具体的、明確にすれば、どう行動すればいいかもわかりやすいだろう。

何をもって幸福とみなすかは、個人によって、社会によって異なる。その人、社会が自ら選ぶことと言ってもいい。つまり、他人、ほかの社会の人にとっては興味を引かないことかもしれない。幸福度を測る指標は、すべて客観的、定量的でなくてはならない。また、互いに排他的でなくてはいけない。重複した部分、矛盾する部分があってはならないのだ。私は、幸福度の指標が大きく5種類に分けられると考え、その頭文字を取って「PERMA」と呼んでいる。

P　前向きな感情（Positive Emotion）
E　社会への積極的な関与（Engagement）
R　良好な人間関係（Positive Relationship）
M　生きる意味と目的（Meaning and Purpose）
A　目的の達成（Accomplishment）

最近の10年間で、このような方法による幸福度の評価がかなり広く行われるようになってきた。ただ漠然と「人生に満足している」というのではなく、具体的にどの点でどう幸福なのかを詳しく知ることが可能になったのだ。主観的な評価と客観的な評価との組み合わせもできる。

個人、企業、都市、いずれの幸福度も、ＰＥＲＭＡの5種類に分けられる。イギリスでは従来、重要な指標だったＧＤＰに加えて、この5種類の幸福度指標も政策の成功度合いを測るうえで重要視されるようになってきている。

ＰＥＲＭＡは、人生を良い方向に進める条件がどの程度整っているかを示すものだとも言える。人生には、幸福の妨げになるような条件も多数、存在する。たとえば貧困、病気、不況、他人からの敵意、無知などだ。これらとＰＥＲＭＡはどういう関係にあるのだろうか。こういう悪条件がＰＥＲＭＡを高める妨げになるのは確かだ。だがそれが単純に幸福度を下げる要因になるかというとそうでもない。重要なのは、**不況と幸福の相関関係はマイナス1ではなく、せいぜいマイナス0・35くらい**だということだ。

収入の増加と人生に対する満足度の上昇の関係を表すグラフは直線にはならず、はっきりとした曲線になる。これは、収入が増えれば満足度が上がるのは確かだが、安心して暮らせるというレベルを超えてからは収入が増えてもあまり満足度が上がらなくなることを意味する。

科学者も政治家も、悪い条件の緩和にばかり力を入れる傾向にある。だが、それだけでは不十分だ。ＰＥＲＭＡについて考えるのはそのためだ。全世界を幸福にしたいと思うのなら、ＰＥＲＭＡの指標で現在の幸福度を測り、それを明確に向上させるための具体的な行動を取るべきだ。

個人の人生もまったく同じ。個人が幸福になるには、不況を克服して財産を築き、不安や怒りを取り除くだけでは不十分だ。ＰＥＲＭＡの指標を直接、高める努力をしなくてはならない。

ではＰＥＲＭＡの指標を高めるのに具体的にどうすればいいのか。

「エッジ・クエスチョン」が「科学は全世界の幸福度を高めるのにどう貢献できるか」をテーマに選んでくれれば、その方法を学べるだろう。

ゼロサム・ゲームは人を不幸にする

——ポジティブサム・ゲーム

スティーブン・ピンカー

ハーバード大学心理学部ジョンストン・ファミリー教授。著書に『思考する言語——「ことばの意味」から人間性に迫る』(幾島幸子・桜内篤子訳、NHK出版、2009年)

ゼロサム・ゲームとは、一方が得をすれば、それと同じ分だけもう一方が損をする、つまり得と損を足すと常に和が「ゼロ」になるゲームのことを指す(厳密には「ゲームに参加している全員の利得の総和がゼロになる」と言う)。

スポーツの試合は、ゼロサム・ゲームの典型例である。勝つことは大事だが、それがすべてではないなどと言っていると、まったく何も残らない。

ノンゼロサム・ゲームというのもある。それは、一方の得と損を足しても和がゼロにならないゲームである。誰かの得がそのまま誰かの損になるわけではないし、反対に誰かの損がそのまま誰かの得になるわけではない。羊飼いと農家が余った羊毛やミルクと果物を交換する場合などがその例になる。プレゼントを贈り合う、互いの子供の世話をするといったこともノンゼロサム・ゲームの例だ。

ゼロサム・ゲームでは、合理的な参加者は常に自らの利益が最大になることだけを追求する。これは同時に、ゲーム相手の損失が最大になるよう努力するという意味だ。だが、ノンゼロサム・ゲームでは、自分自身だけの得でなく、同時に相手の得も考えて行動するのが合理的という場合がある。これはいわゆる「ウィン・ウィン」の状況で、全員が同時に勝者になり得る。

ゼロサム・ゲーム、ノンゼロサム・ゲーム、ポジティブサム・ゲーム、ネガティブサム・ゲーム、コンスタントサム・ゲーム、バリアブルサム・ゲームといった概念は、ジョン・フォン・ノイマンとオスカー・モルゲンシュテルンが1944年に数学的ゲームの理論を打ち立てた際に紹介された。Google Books Ngram Viewerというツールを使って調べると、この種の用語は、1950年代あたりから使用頻度が一貫して増え続けているのがわかる。また関連する用語でよりわかりやすい「ウィン・ウィン」は、1970年代頃から用例が増え続けている。

他人と関わるとき、自分の意志でゼロサム・ゲームをする、あるいはノンゼロサム・ゲームをすると選べるわけではない。ゲームの種類は、自分がどういう環境にいるかで自動的に決まってしまう。

しかし、自分にどういう選択肢が与えられているかを正しく認識できていないと、実際にはノンゼロサム・ゲームの状況にいるのに、間違ってゼロサム・ゲームの状況にいると思い込んでしまうこともある。また、置かれた状況を変えて、ゼロサム・ゲームをノンゼロサム・ゲームにすることも不可能ではない。

自分の置かれた状況から少しでも良い結果を得るためには、まず自分のしているゲームの種類（ゼロサム・ゲームなのかノンゼロサム・ゲームなのか、あるいはポジティブサム・ゲームなのか、ネガティブサム・ゲームなのか）を正しく知る必要がある。自分の安全を確保できるか、また他人との関係の調和を保てるか、幸福になれるかは、まずそれで大きく変わる。**これはその人が道徳的に良い人がどうかにはまったく関係がない。**

口論はあえて負けたほうが得

身近な例で考えてみよう。職場の同僚、家族、誰でもいいが、毎日のように顔を合わせる人とつまらない口論を長く続けるのは疲れるし、互いにとって大きな損害だ。そこでいつまでも意地を張るのではなく、プライドを捨て、あえて負けること、相手に譲ることを選んだとしたらどうだろう。そのほうが結局は、双方、得をする。

誰かと交渉をするときには、交渉を開始する際の態度や、はじめに相手を肯定するつもりで臨むか否定するつもりで臨むかで、その後の成り行きを大きく変える。

離婚をしようとしている夫婦は、絶対に相手より優位に立ってやろうと躍起になると、闘いを長引かせ、その分、弁護士ばかりを儲けさせ、どちらも結局は大損する。

いわゆる「中間業者」を悪く言う人は少なくない。特に、その社会におけるマイノリティ、ユダヤ人、アルメニア人、華僑、祖国を追われたインド人などが中間業者をしていると、まるで寄生者のように扱われることがある。マジョリティの人たちに損をさせることで経済的に繁栄しているかのように言うのだ。

だが、実際にはそうではない。彼らは全員が同時に得をするポジティブサム・ゲームを作り出す人たちだ。国際貿易は、貿易相手が得をすれば自分たちが損をするというゼロサム・ゲームではない。貿易をする双方が同時に得するゲームだ。それを認識している国は、決して保護主義には走らずに豊かになっていく。

保護主義は長期的には誰もが貧しくなってしまう道だ（そのことは古くから多くの経済学者たちが主張し

ている)。貿易がゼロサム・ゲームではないと認識している国が戦争や大虐殺に向かうことはまずないだろう(最近の政治学者たちもそう言っている)。すでに戦争状態にある国はあくまで勝利を目指して徹底抗戦を続けるよりも、今すぐ武器を置き、平和の配当を相手と分け合うほうが長い目で見ると得だ。

確かに、人間関係のなかには真のゼロサム・ゲームも少なからず存在する。たとえば、配偶者を得るための競争は、生物学的に考えても間違いなくゼロサム・ゲームだろう。また、本来はポジティブサム・ゲームの状況なのにもかかわらず、そのなかで全体の幸福を犠牲にして自分だけ得をしようとする人間が現れることもある。

いずれにしても重要なのは、**自分の置かれた状況がどういうゲームなのかを正確に知り、そのリスク、コストを認識しておくこと**だ。そうすれば、誰かが目先の利益にとらわれて他人に不利益を与えようとしたとしても、それを防止できる(同じようなゲームが繰り返されるとき、周囲を犠牲にして不当に利益を得た人間がいたとしても、ゲームの構造を十分に理解していれば次回は意識的に立場を逆転させて罰することもできる。それが抑止効果になるはずだ)。

ポジティブサム・ゲームは世界の人たちを幸せにする

1950年代から現在までの間に、ゼロサム・ゲーム、ノンゼロサム・ゲームという概念は多くの人たちに知られるようになった(こういう言葉ではなく別の言葉で同じ状況を表現する人もいるが)。それで果たして世界は平和になっただろうか。より幸福になっていると言えるだろうか。まったくなっていないとは言えないだろう。

貿易はより盛んになっているし、人々の間では自分は国際社会の一員であるという意識が強くなっている。一般の人々の会話のなかでゲーム理論に言及される機会も増えた。そして、先進諸国がこの半世紀以上の間に目覚ましい経済発展を遂げ、何種類かの国家による暴力がかつてない速度で減少している状況も決して偶然ではないだろう。大国どうし、裕福な国どうしの戦争はないし、大虐殺、死者が出るような民族暴動なども減っている。

１９９０年代以降は、発展途上国でも同様の良い変化が起き始めた。その理由としてはまず、国の基礎を成すイデオロギーの変化があげられる。以前は、ゼロサム・ゲームの状況で国民の間で常に闘いが続いているのを良しとするイデオロギーだった。それで得をする階級が国を支配していたからだ。ところが、最近では皆で協調し合い、市場拡大を促すポジティブサム・ゲームを良しとするイデオロギーが主流になった（国際的な調査でもそれは確かめられており、文献にもまとめられている）。

ポジティブサム・ゲームに参加することで皆が平和で豊かになるという現象は、実はその理論が認識されるよりもはるか昔から自然界には存在していた。生物学者のジョン・メイナード・スミス、エオルシュ・サトマーリは、ポジティブサム・ゲームが生物の進化の歴史を大きく変えたと主張している。

遺伝子、染色体、細菌、核のある細胞、有性生殖、オルガスム、動物社会などの誕生はすべて、ポジティブサム・ゲームの始まりと考えられる。このゲームでは、個がすべて全体の一部となっている。個がそれぞれ専門化し、自分の活動をすることが双方の利益となり、互いの防護にもつながる。これにより、個が全体を犠牲にして利益を得ることを防げる。

ジャーナリストのロバート・ライトは、著書『ノンゼロ（*Nonzero*）』のなかで、同様のことが人間社会の歴史にも見られると書いている。

人間が「ポジティブサム・ゲーム」という用語を使い、その概念を明確に理解し、意図的にそのゲームをするようになったのは最近だが、その何十億年も前から同じことが自然界では行われてきたのである。

他者と協調すると生存競争に有利になる

——進化の基本要素

ロジャー・ハイフィールド

ニュー・サイエンティスト誌編集者。共著書（マーティン・ノワクとの共著）に『スーパーコオペレーターズ：利他主義、進化、そしてなぜ私たちは成功のために互いを必要とするのか（SuperCooperators: Altruism, Evolution, and Why We Need Each Other to Succeed）』

生存競争という概念は誰でもよく知っている。チャールズ・ダーウィンの画期的な研究成果により、私たちは競争が進化の中核であることを知った。絶え間なく続く生存競争のなかで、環境に最も適応した者だけが生き残り、残りはいずれすべて滅びるとの理解が浸透している。つまり、現在この地球上で地を這い、水のなかを泳ぎ、空を飛んでいる生物たちの祖先は皆、不幸な競争相手より多く繁殖できたのである。

この理論は、今の私たちの人生観にも影響を与えている。誰もが多かれ少なかれ、人生は競争だと考えている。勝者がすべてを手に入れ、お人好しは損をする。そう思っているから、誰もが一番になりたがるし、誰もが利己心に駆られて動いている。何しろ遺伝子が利己的だと言われているのだから、利己的になるのは当然だと思っている。

しかし、実際には、競争だけで生物のすべては説明できない。

気づいている人がどのくらいいるかはわからないが、逆説的だが、**生存のために他者と寄り添い協調することが、生存競争に勝つ方法になる場合もある。**

すでにかなりそれを実践している人も多い。日常生活のごく単純な行動のなかにも、私が思っている以上に協調の要素が含まれている。たとえば、あなたが朝、コーヒーショップに入り、朝食にカプチーノとクロワッサンを注文するとしよう。あなたがそんなちょっとした楽しみを享受するだけでも、おそらく少なくとも半ダースほどの国にいる何人もの人たちが働く必要がある。その軽食が提供できるようになったのは、数多くのアイデアの積み重ねがあったからだ。**アイデアはいくつもの言語を媒介として何世代にもわたり世界中の人たちの間でやりとりされてきた。**

最近では、協調に関する研究も進み、新たな知見も多く得られるようになってきた。ハーバード大学のマーティン・ノワクは、多数の研究者の業績をもとに、協調の基本メカニズムを少なくとも5つ見つけ出した。驚くのは、彼が、人間の協調を、ニュートンが庭で見たリンゴの落下のごとく、数学で明確に説明してみせることだ。それが可能になった意義は大きい。

ただし、人類の全世界的な協調関係は今、危うい状況にある。産業を発展させ、富を増やしてきた結果、人類はその数を大きく増やしてきた。これ自体は協調の成果であると言える。だが人口があまり増え続けると、それを支える地球という星の能力が限界を迎える恐れがある。

私たちが現在、直面している問題の多くは、突き詰めれば、社会全体にとって良いこと望ましいことと、個人にとって良いこと、望ましいこととの間の葛藤だ。たとえば、気候変動、大気汚染、資源の枯渇、貧困、飢餓、人口過剰といった全地球規模の問題の背後にもそうした葛藤がある。

生態学者ギャレット・ハーディンが主張していたとおり、私たちにとって最大の課題、つまり地球の危機を救い、ホモ・サピエンスの種としての寿命を最大化するという課題は、科学技術だけでは達成不可能だ。

私たちはおそらくこの先もしばらくは、ほかの生物との生存競争に勝ち続け、即座に絶滅する恐れはないだろう。だとすれば、創造力を発揮して、全地球の危機を救う策を自分たちで考える以外に選択肢はない。**互いに協調する能力を今以上に強化、向上できるかは、私たち自身の努力にかかっている。**

ノワクの仕事にはより深いメッセージも含まれている。かつて進化の基本要素は、突然変異と自然選択の2つだと考えられていた。前者が遺伝子の多様性を生み出し、後者がその個体が環境に適応するうえで最適と思われる遺伝子を選ぶとされた。

私たちは新たに3つ目の要素として「協調」もつけ加えるべきだろう。**協調により、私たちは自らを進化させることができる。**遺伝子も個体も、言語もすべて良い方向に変わっていくはずだ。

それが叶えば、現代の世界に必要な極めて複雑な社会的行動を皆がうまく取れるよう進化していくだろう。

「分業」と「交換」は常に利益になる

——比較優位の原則

ディラン・エヴァンス

ユニバーシティ・カレッジ・コーク（アイルランド）医学部行動科学講師。著書に『進化心理学入門：グラフィック・ガイド（Introducing Evolutionary Psychology: A Graphic Guide）』

多数ある学問分野のなかで、人間の知力の向上に最も役立つべきものはどれか。その問いの答えは簡単だろう。それは経済学だ。経済学こそ、そういう学問分野であるべきだ。

ところが実際には、経済学ほど、その研究成果が人々から顧みられない分野も少ない。それは顧みない人自身にとっても、世界にとっても大きな損失になっている。ただし、一口に経済学と言ってもその研究成果は多様であり、無数にある理論のなかからどれを選んで活かすか、それを決めるのは非常に難しい。

振り返ると、私自身は「比較優位の原則」を選択してきたのだと思う。これは、**2人の個人、あるいは2つの企業もしくは国のうち、仮にどちらか一方があらゆる面において生産性が高かったとしても、分業、交換をしたほうが結局は両者にとって利益になるとする原則**である。

保護主義が台頭する時代には、自由貿易の価値を改めて訴えることが重要になる。労働力の交換にも、商品の交換とほとんど同じことが言える。なぜ移民は常にいいことなのか。その理由は**比較優位の原則**で説明できる。外国人排斥の風潮が高まったときには、この点をぜひとも訴えるべきだ。

グローバリズムに対し、善意からではあっても、結局、見当違いの反発をしている人は多い。そういう時代にこそ、私たちは、国際貿易がどれほどの利益をもたらすのか強く訴えていく必要がある。世界の融和をさらに進めるため、これからも闘っていかなくてはならない。

創造性は意図的に高められる

——計画的なセレンディピティ

ジェイソン・ツヴァイク

ジャーナリスト、ウォール・ストリート・ジャーナル紙パーソナル・ファイナンス・コラムニスト。著書に『あなたのお金と投資脳の秘密——神経経済学入門』（堀内久仁子訳、日本経済新聞出版社、２０１１年）

創造性は、脆くはかない花のようなものだ。しかし、おそらくセレンディピティが起こりやすい状態を意図的に作れば、創造性を豊かにすることは可能だろう。

今から何十年も前に心理学者、サーノフ・メドニックは、一見するとランダムな概念に結びつきを見つける能力には大きな個人差があることを発見した。たとえば、〝wheel〟〝electric〟〝high〟という3つの単語を提示され、そのすべてと結びつく単語は何かと問うと、ほとんどの人は即座に〝chair〟と答える（訳注：wheel chair で車椅子、electric chair で電気椅子、high chair で子供用の脚の長い椅子という意味になる）。

その後、マーク・ジャン＝ビーマンの認知神経科学研究所では、前触れなしに突然、優れた発想が浮かぶ

「アハ体験」、「ユリイカ体験」と呼ぶべきものが存在する事実を発見した。

その瞬間、興奮に我を忘れ、思わず「わかったぞ！」と叫んでしまうほどの体験を言うが、この現象は脳が唐突に関心の対象を移す際に起きる。突然、目の前にある見慣れた世界とは違ったものが見えるのだ。「わかったぞ！」と叫ぶ直前に、目を閉じる人が多い（しかも無意識に目を閉じる人が多い）理由もこれで説明がつくのではないだろうか。**意図的に環境に多様性をもたせたほうが、創造性は高められる**ということを意味するように少なくとも私には思える。

創造性を高めるには、おそらく2つの方法があるだろう。ひとつは、**普段から、意識してさまざまな種類の物事を学ぶようにする**ということ。もうひとつは、学ぶ場所を意識してさまざまに変えるということだ。

私は毎週必ず、自分にとって馴染みのない分野の科学論文をひとつは読むようにしている。しかも毎週、読む場所を変えている。

私の場合は、これによって、新しい連想が突然、働くことが多い。ただ、そういう工夫とは無関係に、新しい連想が密かに表面に現れるときを待っていることもあり、さらに興味深い。私はその種の連想を意識して表に出そうとは思わない。それはまるで、下手に触ると葉を閉じてしまうオジギソウのようなものだからだ。反対に、放っておくと勝手に葉を広げてくれることもある。

社会学者のロバート・マートンは、**科学の偉大な発見の多くはセレンディピティから生じた**と言っている。私はプロの科学者というわけではない。だから自分をできるだけセレンディピティが起きやすい状態に置き、あとは何か良い発想が浮かぶのを期待するだけだ。そして、新しいアイデアと古いアイデアが結びついた斬新なアイデア、ほかの誰の頭にも浮かんだことのないアイデアが生まれればと願う。そのために私は、自分の好奇心を自由にさせ、どこにでも行きたいところに向かわせる。まるでウィジャ盤（訳注：こっくりさんに似た占い用の文字盤）の上を滑るプランシェット（訳注：文字を指し示す器具）のように。

科学論文はいつもプライベートの時間に読んでいた。新聞の編集者が勤務時間にすべきことだとは思えなかったからだ。ただし、２０１０年、私の仕事で何より良かったのは、高齢の投資家が高齢の詐欺師に騙される事件が増加しているという調査記事を書けたことだ。あとで気づいたのだが、この記事は、ある魚（ホンソメワケベラ）の利他的な行動に関する論文をいくつか続けて読んでいたおかげで内容豊かなものにできたのだ。そのことが私は密かに嬉しかった。

私が真っ当に仕事をしている限り、新聞の愛読者であっても、まさか余暇の時間にカレント・バイオロジー誌、ザ・ジャーナル・オブ・ニューロサイエンス誌、オーガナイゼーショナル・ビヘイビア・アンド・ヒューマン・デシジョン・プロセシズ誌といった科学誌を読み込んでいるとは思わないだろう。

私が多数の科学論文を読むことで、金融の世界を見る新たな視点を得られているとしたら、読者も間接的にではあるが、その分だけ知力を高められる。おそらくそうなっていると私は思う。もし、そうでなかったとしても、単に私が余暇時間を浪費したというだけで済む。

週に何時間かは、表面上、自分の仕事に一切、関係のない文献を読むべきだと私は思う。そしてその文献は、普段の仕事場と何の共通点もない場所で読むべきだ。意識的に自分をセレンディピティが起こりやすい状態に置くのだ。創造性が高まる可能性が十分にあるし、それをして損はまったくないだろう。

人は自分の行動も予測できない

――予測不可能な世界

ルーディ・ラッカー

数学者、コンピュータ科学者、サイバーパンクのパイオニア、小説家。著書に『ジムと映画（Jim and the Flims)』

思いがけない幸運が舞い込んだとき、突然の不幸に襲われたとき、人は直近の過去に何かその原因になることはなかったかと考える。良くない出来事は未然に防ぎ、良いことだけが起きるようにしたい。それが皆の願いだろう。また同じような幸運が訪れるよう、あるいはまた同じような不幸に見舞われないよう、新しい法律が作られることもある。しかし、これは昨年の火事に水をかけるような、昨日の勝ち馬にあとから賭けるようなもので、まったくの無駄だ。

あまり知られていないかもしれないが、この世界に起きるほとんどの出来事は基本的に予測不可能である。これは真実だ。

なぜ予測ができないのか。出来事を予測するのは、過程を飛ばして結果だけを先に見るようなものだからだ。つまり、近道をするようなものだが、実際にはそんな近道はない。過程もすべて予測不可能であり、それを見ずに結果を見ることはできない。

また、自分の行動を予測すると、そのこと自体が結果を変えるので、予測は当たらないという考え方もある。つまり、予測をすることで予測は外れてしまうのだ。

予測不可能な事態が起きるのは、どこかにいる神のような存在が気まぐれを起こすからだ、あるいは極小の量子のレベルでランダムな揺らぎが起きているからだなどと考えてしまう人も多い。しかし、カオス理論やコンピュータ・サイエンスが教えているのは、ランダムでないシステムが、ときに思いがけない結果をもたらすという事実だ。予期せぬ竜巻も、ビデオゲームの驚きの展開も、スロットマシンの突然の大当たりも、ランダムでないシステムそのものだ。ランダムでないプロセスが予測不可能な結果につながっている。

世界は決定論的であると同時に予測不可能でもある。

この物理世界において、明日の天気について詳しく知るには、24時間待つしかない。天気というものにまったくランダムなところがなくてもそうなのだ。宇宙は、とてつもない速さで効率よく明日の天気を計算する。宇宙のモデルを作ったとしても、そこにわずかでも不正確な部分があれば、誤差は時間が経つごとに増幅され、無視できないほどになる。

あなた個人のことを考えてもわかるだろう。世界は元来、コンピュータ・プログラムのように決定論的なものではあるが、それでもあなたは、あなた自身の行動さえ予測できないはずだ。予測の際には、頭のなかで現実のシミュレーションをすることになるが、現実のあなたの動きはそのシミュレーションよりも速い。だからどうしても予測は追いつかない。あなたは自分が思っているほど速くは考えられないため、自分自身を頼りにすることができないのだ。

簡単な法則ひとつで、素早く簡単に、しかも詳しく未来について予測できるようになればいいが、そんなとてもかなわない夢を見てもしかたがない。私たちには未来予測も未来操作もできない。その事実を受け入れれば、私たちは自由になれるし、心の平和を得られる。
私たちは今も変わりゆく世界の一部に生き、カオスの波に乗るサーファーだ。

ランダムなことを予測する方法

――ランダムの3法則

チャールズ・サイフェ

ニューヨーク大学ジャーナリズム論教授、元サイエンス・ジャーナリスト。著書に『プルーフィネス：数学詐欺の暗い技術（Proofiness: The Dark arts of Mathematical Deception）』

私たちの脳は「ランダム」を嫌う。人類という種は、優れた「パターン・ファインダー」となるべく進化を遂げてきた。それは科学が生まれるずっと前からそうだ。私たちは空が鉛色になれば、それを危険な嵐の前兆だと思う。小さい子供の顔が赤らんでいれば、「今夜は大変だろう」と思う。私たちは自分が周囲を観察して得たデータを一定の型に入れようとする。そうすることで、そのデータに意味を与えるのだ。データを利用して世界を理解し、未来の出来事を予測しようとする。

ランダムが理解しにくいのは、物事にパターンを見出そうとする私たちの本能に合わないからだ。ランダムとは、見つけようにも見つけるべきパターンがそこに存在しないということである。結果として、私たちが直感で理解できる限界を超える。

ランダムであれば、それは私たちには正確に予測するのが不可能という意味になるが、そのような考え自体、私たちには受け入れ難い。たとえそれが宇宙の動きの根本を成しているのだとしても、人間の性質上、受け入れられない。だが、**ランダムを理解しない限り、私たちは、頭のなかだけに存在して実際にはどこにもない「完全に予測可能な宇宙」に閉じ込められたままとなり、そこから抜け出せない。**

私がここで言いたいのは、ともかくランダムに関して3つの法則を理解すべきということだ。そうすれば、未来は予測できるものという素朴な宇宙観から逃れられる。**宇宙を自分が見たいように見るのではなく、ありのままに見ることができるようになる**だろう。

ランダムの第1法則：この世界にはランダムなものがある。

私たちは普段からさまざまな工夫をしてランダムなものを直視しないようにしている。たとえば、「宿命」とか「因縁」といった言葉を口にするのはその工夫のひとつだろう。本来、無関係な出来事を結びつけ、そこに何か宇宙の隠された法則があるかのように語るのだ。

私たちは運気というものを信じがちである。幸運も不運も単独で訪れるのではなく、良いときには良いことが、悪いときには悪いことが続くものだと思いがちだ。運が星の位置によって、また月の満ち欠けや天空での惑星の運行によって影響を受けると信じる人もいる。がんなど悪い病気になると、どうしても何か、誰かのせいではないかと思い、「犯人探し」をしてしまう。

だが、**私たちの身に起きる出来事のほとんどは完全には予測できないし、原因も完全には説明できない。**災害はランダムに起きる。善人にも悪人にも同じように降りかかる。星回りの悪い人と良い人が同時に同じ災害に遭うことだってある。

自分は未来をよく予測できると自信を持っている人もいるが、油断をしていると予測を裏切られて驚くことになる。最も確かだと思われた予測さえ、簡単に外れるからだ。たとえば近所に、太り過ぎ、かつ喫煙者で、しかもスピード中毒のバイク乗りがいたとする。自分はその人より確実に長生きするだろうと思っていたのに、そうならなかった事例はよくある。

また問題なのは、本当はランダムな出来事なのに、そう見えない例も多いということだ。優れた科学者ですら、本当に何かの原因があって起きた出来事と、偶然の出来事との区別は非常に難しい場合がある。そのせいで、実際には何の効能もない偽の薬が奇跡の治療薬に見えたり、反対に何の害もない化合物が恐ろしい毒薬に見えたりする。まったく何もないところから、意図的に原子よりも小さい粒子を作り出すのに成功したように見えることさえもあるのだ。

ランダムの第2法則：絶対に予測のできない出来事がある。

ラスベガスのカジノに行き、ルーレットの周りに集まった人たちを眺めていると、おそらくそこには「今日、自分はついている」と思っている人がひとりはいるだろう。立て続けに大当たりを出したために、もうこのまま勝ち続けられると思い込んでしまったのだ。そう思っているから当然、賭けを続ける。

反対に、同じ場に負け続けている人もいるはずだ。不思議なことに、負け続けている人も賭けをやめずに続ける。「こんなに長く負け続けているんだから、そろそろ勝つ頃だ」と思うからだ。間もなくやって来る大当たりを逃すのが怖くて、どうしてもテーブルを離れられない。

しかし実際には、誰かを勝ち続ける状態にするような不思議な力はこの宇宙には存在しない。また、負け続けている人を見て「そろそろ勝たせてあげよう」などと考える思いやりのある神がどこかにいるわけでもない。**宇宙はあなたが勝とうが負けようがまったく気にも留めない。**ルーレットの回転は1回、1回が独立していて互いに何の関係もない。どれほど注意深くルーレットの動きを観察したとしても、ついているように見える人を観察したとしても、次回どこに賭ければ勝てるのかはまったく何もわからないし、それを知る手がかりさえも得られない。

ルーレットは、これまでの自分の歴史など知らないし、以前の動きが今回の動きに影響することもない。テーブルをいくら長く見つめ、何か勝つコツのようなものをつかんだ気がしていても、それは結局、何の役にも立たないだろう。それぞれが独立した偶然の出来事には何のパターンも存在しない。存在しないものは見つけられるはずがない。

ランダムな出来事に対して、人間はほぼ何もできない。論理、理性、科学、何をもってしても、宇宙のランダムなふるまいを完全に予測するのは不可能なのだ。どのような方法を駆使しようとも、どのような理論、論理を使っても、ルーレットやサイコロが次にどういうふうに動くかはわからない。サイコロならば、賭けた目が外れる確率は何をしようと常に6分の5だ。

ランダムの第3法則：ランダムな出来事は単独では予測不能だが、多数をまとめると予測が可能になる。

ランダムな出来事は人間にとって恐ろしいものだ。どれほど高度な理論を駆使しようとも、予測ができない。どれほど必死になって追求したところで、次にどうなるかを事前に知ることはできない。つくづく人間の限界を思い知らされる。だが、何かがランダムだからといって、すなわちそれについては何も理解できないのかというと、そうではない。まったく違う。

ランダムな出来事にはいくつか独自のルールがある。そのルールがあるおかげで、ランダムな出来事はある程度、理解可能、予測可能なものになっている。このルールによれば、**ランダムな出来事は個別にはまったく予測できないが、個々に独立したランダムな出来事を多数まとめると、かなりの程度、予測可能になる。**そして、まとめる数が多くなればなるほど、予測の精度は上がる。

ランダムな出来事が平均するとどういうものになるかは、計算ができる。そして、個々に独立したランダムな出来事が多数繰り返された場合の実際の平均値は、予測される平均値に次第に近づいていくことがわかっている。また「中心極限定理」と呼ばれる定理によれば、個別のランダムな出来事が、最大でどのくらい平均から外れ得るかがわかる。ランダムな出来事は短期的には無秩序で、不思議なものに見えるが、長期的には秩序正しく、理解もしやすいのだ。

ランダムの第3法則が示すのは、ランダムな出来事であっても、それを不変の物理法則で正確に表現できるということだ。たとえば、箱のなかに、ある気体の原子が充満しているとしよう。個々の原子の動きはランダムだが、すべての原子をまとめた場合の動きは簡単ないくつかの数式で表せる。また熱力学の法則も、多数をまとめたランダムな出来事が予測可能だからこそ価値を持つ。ランダムな出来事のふるまいが一定していればこそ、この法則は疑う余地のないものになっている。

逆説的だが、個別には予測不能なランダムな出来事が、最も確実で信頼できる法則の基礎になっていると言える。

――発明と発見

イノベーションの発案者は必ず複数いる

クリフォード・ピックオーバー

ライター、コンピューターズ&グラフィックス誌共同編集者、オデッセイ誌、レオナルド誌、YLEM誌編集委員。著書に『ビジュアル 数学全史』(根上生也・水原文訳、岩波書店、2017年)

「科学では、名誉は最初に何かを思いついた人ではなく、その考えが正しいことを世界に認めさせた人に与えられる」

カナダの医師、ウィリアム・オスラーはそう言っている。

科学、数学の世界での発見について、あとから調べてみると、「発見者はこの人だけれど、もしこの人が発見しなかったとしても、おそらく何カ月後、何年後かに別の人が同じ発見をしていただろう」とわかることが多い。

ニュートンも言っているとおり、科学者は皆、過去の巨人たちの肩に乗っている。そのおかげで少しだけ遠くの地平線まで見通せる。ときには、本質的に同じ装置を何人もがほぼ同時に発明することもあるし、本質的に同じ科学法則を何人もがほぼ同時に発見することもある。しかし、単純な運も含め、いくつもの理由から、歴史にはただひとりだけの名前が刻まれる場合が多い。

1858年頃、ドイツの数学者、アウグスト・メビウスはいわゆる「メビウスの帯」を発見した。ただ、実は同じくドイツの数学者、ヨハン・ベネディクト・リスティングもほぼ同時期に独自に同じ発見をしている。アイザック・ニュートンとゴットフリート・ヴィルヘルム・ライプニッツも、互いに無関係に、ほぼ同じ時期に微積分学を発展させた。イギリスの博物学者チャールズ・ダーウィンは、自然選択による進化の理論を考えたが、ほぼ同時期に同じくイギリスのアルフレッド・ラッセル・ウォレスも同様の理論を考えていた。ハンガリーの数学者ボーヤイ・ヤーノシュと、ロシアの数学者ニコライ・イワノビッチ・ロバチェフスキーも同時期に双曲幾何学を提唱している。

材質科学の歴史には、このような同時発見の例が多数ある。たとえば、1886年、アメリカのチャールズ・マーティン・ホールとフランスのポール・エルーはほぼ同時に、氷晶石を利用したアルミニウムの溶融塩電解法を考案した。化合物からこの方法で安価に純粋のアルミニウムを取り出せるようになったことが、のちの工業に大きな影響を与えた。

機は熟しており、発見は時間の問題だったのだろう。人類にそれを可能にできるだけの知識が蓄積されていたのだ。同時に何人かが同じ発明、発見をするのは偶然にも見えるが、そこに実は何か深い神秘的な意味があると考える人もいる。

オーストリアの生物学者、パウル・カンメラーは「そこで私たちは、世界をモザイクのようなもの、宇宙を万華鏡のようなものと見るに至った。構成要素は絶えず入れ替わり、その並び方も変わり続けてはいるが、同時に全体としてのまとまりも維持しようとする」と記している。

カンメラーは世界で起きる個々の出来事を、海の波頭のようなものだと考えた。波頭はそれぞれに孤立していて、ほかの波頭とは無関係に見える。だが、その**波頭の下には、世界に起きる出来事を互いに結びつ**

け、ひとつにまとめようとする不思議な力が働いているというのだ。この主張には異論も多いが、ともかく彼はそう考えた。

私たちはどうしても、偉大な発明、発見を誰かひとりの個人のものにしたがる。本当は多数の人々の存在があってはじめて成し遂げられたもので、同時に同じことを思いついた人、見つけた人が大勢いることも珍しくないのに、それを認めたがらない。

たとえば、太陽黒点は1611年に何人もが発見をしている。発見者は互いに無関係だ。しかし、今日、名前が挙がるのはほぼガリレオだけだ。

アレクサンダー・グラハム・ベルとイライシャ・グレイは、自身の電話技術の特許を同じ日に出願した。経済学者のロバート・マートンは「天才とはほかにない独自の発想をする人のことではなく、次々に色々な発想のできる人のことだ」と言っている。**ただひとりだけが思いつくこと、ほかの誰も思いつけないことなどは、この世にまずない**と言っていいだろう。

マートンは「科学では必然的にすべての発見が複数の人間によってなされる」とも言う。発見がひとりの人間だけによってなされることは、ほぼあり得ない。また、ときには、元々の発見者よりも、その発見を発展させた人の名前が残ることもある。

誰を発見者、発明者とみなすかという問題はとても難しい。まずそれが問題になるのは特許の世界だ。また、ときには、ある事業のアイデアを最初に思いついたのは誰かということが問題になる場合もある。ほかにも日常生活で誰が発案者かが問題になる場面は少なくない。だから、発案者は必ず複数であると知っておくのは大切であり、それだけで視野が広がる。

イノベーションは複数の人たちの力が合わさって起きる。新しいアイデアは多数の頭のなかに生まれる。学校でもぜひ、そのことを教えるべきだ。

日常生活でも「誰が発案者か」をあまり重要視しすぎるのはおかしいと教えるといい。発明者、発見者が常に複数いると理解していれば、先んじるために誰かを妨害する必要もなくなる。一番乗りでなくても、自分の努力が無駄になるわけではないと知っていれば他人を蹴落とそうなどとは考えないはずだ。

「蒸気船の時代が来たから蒸気船を作る、ただそれだけ」

18世紀の偉大な解剖学者、ウィリアム・ハンターは、弟と頻繁に喧嘩をしていたという。何か新しい発見があるたびに、どちらが発見者なのかで揉めたのだ。だがそのハンターですら、こう言っている。

「研究者は、他人が何かを発見すること、それによって名誉を得ることを理不尽に妨害するべきではない。それらをするのは、結局、研究に対する熱意、愛情が十分でないからだろう。そういう人間はとてもではないが解剖学の世界で注目される存在になれないし、自然科学のどの分野でも同じだろう」

マーク・トウェインは、なぜ発明の多くが複数の人によって同時になされるのかを尋ねられ、こう答えた。「そりゃ蒸気船の時代が来たから蒸気船を作る、ただそれだけですよ」

仮説が複数ある場合、どれを選ぶべきか

——最高の説明の条件

レベッカ・ニューバーガー・ゴールドスタイン

哲学者、小説家。著書に『神の実在に関する36の議論：フィクション作品（36 Arguments for the Existence of God: A Work of Fiction）』

自宅の書斎で仕事をしているとき、突然、玄関のドアの開く音が聞こえる。そして私のほうに向かって来る足音。私は慌てるだろうか。それは、私がその音が何かをどの程度、確信をもって推測できるかどうかによる（私の注意が音に向けられると、その後、推測がごく短時間で行われる）。夫が帰宅したのかもしれない。掃除に来た家政婦かもしれない。それとも強盗が侵入してきたのだろうか。

やがて私の住む古い建物に響いていた物音はやみ、静かになる。一体、何の音だったのか。超自然現象だろうか。さらに詳しい情報が得られると、自分の推測が正しかったのかがいずれわかる。ただし、「超自然現象だろうか」という推測だけは例外である。

なぜ例外なのだろうか。それについては、チャールズ・サンダース・パースが理由を述べている。おそらくパース以前にこの種の推論に注目した人はあまりいなかっただろう。パースはこう述べている。

「事実は、その事実よりも異常な仮説によっては説明できない。仮説が多数ある場合は、最も平凡な仮説を採用すべき」

「最高の説明のための推論はあらゆるところで絶えず行われている。しかし、それは必ずしも、推論が絶えずうまく行われていることを意味しない」

こちらはプリンストン大学の哲学者、ギルバート・ハーマンの言葉だ。

ハーマンは、アメリカの哲学者パースが提唱した「仮説的推論」に代わる推論の方法を提案した。良い説明のために誰もが身につけておくべき新たな推論方法を提案したのだ。問題は「最高の説明」の「最高」の意味である。何をもって最高とするかは人が主観的に判断するものである。にもかかわらず、最高だとみなされると、それが広く常識のように扱われることがある。

この世界には多数の説明があるが、すべてが平等とは言えない。客観的に見て良い説明もあればそうでない説明もある。またもうひとつ重要なことがあるので注意しなくてはならない。「最高の説明」とは多くの場合、ほかの説明にまさる説明という意味だが、それがひとつだけとは限らず、複数の説明が最高の説明となることもあり得る。

ひとつの証拠に対して考えられる説明は多数（無限と言ってもいい）ある。だが、その説明の大半は、パースの定めた基準に照らして排除できる。そして残ったもののなかから、どれが最も良い説明かを判断すればいいだろう。より単純なのはどれか。これまでの常識に大きく反しないのはどれか。魅力的だからといって正しいとは限らない。またその場の思いつきのようなものは、やはり良くないだろう。

どの説明が良いかの判断基準はひとつではなく、また互いに矛盾する基準が併存する場合もある。**説明のための推論は、論理的演繹法や枚挙的帰納法のように明確な規則に則って行うものではない。**たとえば「これまで観察してきた範囲ではすべてaはbだったので、おそらく観察していないときにもaはbであろう」

というような推論がある。だが、最高の説明のための推論は、単なる演繹法、帰納法以上のものであることが多い。

科学は推論によって力を与えられている。**最高の説明のための推論をするからこそ、科学は力を持ち、私たち人間はそのおかげで世界をより広く、深く理解できる。**直に観察できないものの存在を信じられるのも、推論ができるからだ。原子より小さい粒子（ひもかもしれない）から、宇宙論のダークマター、ダークエネルギーまで、見たこともないものの存在を私たちが信じているのは推論のおかげである。

またある人の態度を外側から見て、その人になったらどういう気分になるかをある程度知ることができるのも、推論の力があるからだ。

火に近づけすぎた手を急いで引っ込め、乱暴な言葉を吐きながら、目から涙を流している人を見れば、その人がだいたいどういう気持ちでいるかは誰にでもわかるだろう。その道の権威と呼ばれる人たちから学ぶことができるのは、その人たち自身が自分の言っていることや書いていることを信じているはずだと推測できるからだ（これが最高の説明だとは言えないことも多いが）。

ただし、最高の説明を求めて推論した結果、「世界には本物の人間は自分ひとりしかいない」と信じてしまうこともある。極端に視野を狭くし、自分の直接の経験だけに閉じ籠もるとそうなってしまう。自分の肉体の動きはこれだけ活き活きとしていて、予測も可能なのに、他人の肉体の動きはそうではない。そうなると「自分の肉体だけが本物でほかはすべて偽物」という説明をしてもいいように思える。最高の説明を求めて推測をすると、懐疑的な態度が失われることもある。懐疑的な態度を貫くのは精神的に疲れるので、わかりやすい説明に飛びついてしまう可能性もある。

ひも理論や、初期の量子力学に関しては激しい論争が起きたが、そうした論争のなかで問題になるのは、どの説明が最高なのか、また最高とみなす基準は何かということだ。いくつかの基準が考えられ、そのなかでどれが最も良いかという意見が交わされてきた。一般の人たちの間では、科学的な説明と宗教的な説明との間で争いが起きることも珍しくない。

そうした論争において重要なのは、あくまで合理的な思考に基づいて最高の説明を推測することだ。客観的な基準に沿ってどの説明がより良いかを判断するのである。

その際には、先に触れた「事実は、その事実よりも異常な仮説によっては説明できない。仮説が多数ある場合は、最も平凡な仮説を採用すべき」というパースの言葉には留意すべきだろう。

人間を「無生物」として考える

——擬物化

エマニュエル・ダーマン

コロンビア大学金融工学教授、プリズマ・キャピタル・パートナーズ社プリンシパル、元ゴールドマン・サックス社株式本部計量リスク戦略グループ長。著書に『物理学者、ウォール街を往く。』（森谷博之監訳、船見侑生・長坂陽子訳、東洋経済新報社、2005年）

擬人化とは、無生物や動物に人間のような特性を与えることを意味する。私はその反対に、人間を無生物であるとみなす**擬物化**という言葉を考えた。

これは人間を含めた世界のあらゆるものを科学的に見る態度につながる。ただ、注意しないと簡単に冷たい科学至上主義に陥ってしまう。人間の心理的な状態を特定の物質の状態に単純に結びつけるような態度はあまり好ましいとは言えない。PETの画像がこうだったら、この人の感情はこうだと簡単に決めつけてしまうのは問題だ。**定量的に測定できない人間の特性を無視して、誤った擬物化をしてはいけない。**

物質に関しては、その状態、性質を知るための便利な測定項目が多数ある。長さ、温度、圧力、体積、運動エネルギーなどがそうだ。人間の知的特性を、まるで物質のようにＩＱなどの単一の項目で測定しようとする試みも、擬物化と呼ぶことができるだろう。いわば知性の「長さ」を測ろうとする試みだ。しかし、知性は直線のように単純なものではない。

経済学の効用関数などにも同様のことが言える。人間に好き嫌いがあるのは間違いない。だが、その好き嫌いはそう簡単に定量的に測定できるものなのだろうか。

情報が多過ぎると脳からあふれ出る

――認知的負荷

ニコラス・カー

サイエンス&テクノロジー・ジャーナリスト。著書に『ネット・バカ』（篠儀直子訳、青土社、２０１０年）

あなたはリビングのカウチにくつろいで座り、テレビでドラマ「ジャスティファイド 俺の正義」を見ている。するとふいに、キッチンに用事があるのを思い出す。あなたは立ち上がって歩き出す。カーペットの上を早足で10歩ほど歩いてキッチンに着くのだが、そのときには何をしようと思ったのだか忘れている。あなたはしばし呆然と立ち尽くし、肩をすくめてまたカウチへと戻る。

こういう物忘れは頻繁に起きるので、さほど気に留める人はいない。「うっかり」や「年のせいだ」などと言って済ませてしまう。だがこれは、**私たちの知力には限界があることを示す現象であり、私たちのワーキングメモリの容量がいかに小さいかを示している**。

ワーキングメモリは、今、私たちの意識にある情報（短期記憶）を短い間、蓄えておくところだ。日々過ごすなかで何かを見聞きして得た印象、頭に浮かんだ考えなどが一時的にそこに蓄えられる。

よく知られているように、プリンストン大学の心理学者、ジョージ・ミラーは1950年代に、私たちの脳が一度に蓄えられる短期記憶の数が7つ前後であると主張している。だが、この7つというのは実は多く見積もりすぎかもしれない。研究者のなかには、ワーキングメモリに一度に蓄えられる短期記憶の数はせいぜい3つか4つではないかという人もいる。

ある瞬間に私たちの意識に入り込んでくる情報の量を「**認知的負荷**」と呼ぶ。認知的負荷がワーキングメモリの容量を超えると、私たちの知的能力には問題が生じる。入ってきた情報がすぐに出て行ってしまい、うまく処理できなくなる（用事を思い出してキッチンに行ったのに、結局、忘れてしまう、というような現象が起きる）。長期記憶に移行させる前に情報が消えてしまうのだ。だから情報をしっかりと自分の知識に加えることができない。

記憶がうまくいかなければ、それについて思考をする能力は当然、著しく低下する。ワーキングメモリが過負荷になると、注意力散漫にもなりやすい。いったん注意力を失うと、その流れは止められず、注意力は散漫になる一方だ。神経科学者トルケル・クリンベリは「私たちは、自分が注意を向けていたことしか覚えていられない」と指摘している。

情報が多過ぎると理解度が下がる

発達心理学者や教育研究者は長い間、認知的負荷という考え方を、教育法の開発や評価に利用してきた。生徒に短時間にあまりに多くの情報を与えすぎると、理解度が下がり、学習効果があまり得られないという事実は知られていた。しかし、現代は、デジタル通信ネットワークや関連機器が急速に発達を遂げ、情報の伝達速度が驚異的に向上したおかげで、私たちは皆、かつてないほどの大量の情報にさらされるようになった。この大量の情報を十分に理解できれば、誰にとっても利益になるはずである。

こういう時代には、受け取る情報の増加が記憶や思考にどう影響を与えるのかもよく知っておくべきだろう。自分のワーキングメモリがいかに小さくて脆弱かを知っておけば、認知的負荷が大きくなっても十分にうまく対応していけるに違いない。また、自分に向かって流れてくる情報の量もうまく制御できるようになるはずだ。時には他人からのメッセージをはじめとした大量の情報に埋もれたいと思うこともある。それによって得られる、世界とつながっているという感覚、刺激は楽しく、心躍るものでもある。

ただし忘れてならないのは、「情報の過負荷」という言葉は、単なる比喩ではないということだ。これは実際に脳に生じる物理的状態ととらえたほうがいい。情報は本当にあふれるのだ。**何か複雑でなおかつ重要な知的作業をするとき、あるいは他人との会話などで流れてくる情報を十分に理解し、吟味したいときには、情報の蛇口は開き過ぎないよう注意すべきだろう。**一度に入ってくる情報の量は一定以下に抑えるべきだ。

大量の情報に優先度をつけるには

——キュレーション

ハンス・ウルリッヒ・オブリスト

サーペンタイン・ギャラリー（ロンドンのキュレーター）

キュレーションという言葉は最近では、色々な場面で使われる。巨匠と呼ばれる画家の作品のなかから、展示会に出品するものを選ぶときにも使うし、またコンセプトストアで売る商品を選ぶこともキュレーションと言うことがある。そうなると当然、意味が広がりすぎてかえってわかりにくくなり、混乱を招くという問題が起きる。

しかし現代社会で、キュレーションという言葉の応用範囲が広がってしまうのは仕方がないかもしれない。現代は、大量の情報があふれている時代だからだ。私たちの周りには無数のアイデアがあり、商品がある。見るべき画像や取り入れるべき知識もとてつもなく多い。

21世紀の生活には、大量の情報のうちどれがより重要なのかを判断して提示する仕事が不可欠となる。情報の数を減らし、十分、対応できるようにするのだが、それもキュレーターの役目だ。

かつてキュレーターといえば、博物館や美術館などの場所に入れる物を選ぶ人のことを指していたが、現代のキュレーターの仕事はそれにとどまらない。**複数の異なった文化の接触を促すこと、物事の新しい見せ方を考えること、物事の意外な組み合わせを考え、それまでにない何かを生み出すこと。これらすべてがキュレーターの仕事になる。**

ミシェル・フーコーは、自身の著作物が人々の思索のための道具として使われると嬉しいと発言している。発想の元、世界を理解するためのモデルとして利用してほしいというのだ。

私にとっては、作家、詩人で、思想家でもあるエドゥアール・グリッサンが、そうした「道具」になっている。初期の段階から彼は、**グローバリゼーションが（最初の段階ではなく）ある程度の段階まで進むと、世界が均質化してしまう危険があると同時に、それに対抗するような動きも起きる**と指摘していた。つまり、人々が自分たちの文化のなかに引きこもって外の世界を見ようとしなくなるという。この2つの危険に対抗するべく、グリッサンが提唱したのが「モンディアリテ」という考え方だ。これは、互いの違いを尊重し、視野を広げるようなグローバルな対話を指す。

これに刺激を受け、私は新たな展示の仕方を思いついた。

キュレーターにはさまざまなプレッシャーがかかる。展示はひとつの場所で実施するだけでなく、同じ展示を世界中で実施しなくてはならない。展示物を箱に詰め、ある街から別の街まで運び、また箱を開けて展示物を並べる。その繰り返しになってしまいがちだ。これは、グローバリゼーションによる均質化とも言えそうだが、グリッサンの考え方をヒントに、私は場所に応じた展示というのを工夫するようになった。その土地の環境をよく知り、それに合わせて展示を変化させるのである。土地もまた、展示によって影響を受ける。つまり、展示と土地の間のダイナミックで複雑なフィードバック・ループが生まれるわけだ。

ただ単に、何をどう展示するかを選ぶだけがキュレーションではない。一度決めたらやり方を変えないというのは良くない。そうではなく、環境との関係を見ながら絶えず調整していく必要がある。環境との関係構築が、キュレーションにとって非常に重要になる。単に新しい知識、新しい思想、新しい芸術を多くの人に見せるというだけではない。**分野の境界を越えて、さまざまな人の創造性を刺激するような見せ方を模索することが大切だ。**

キュレーターは時代を先導する存在であるべきだろう。そのため、21世紀のキュレーターにはほかにもすべきことがある。アーティストのティノ・セーガルが指摘するとおり、現代社会は、以前の時代とはまったく違う状況にある。かつては、物資、食糧の不足が人類にとって最大の問題で、それが科学、テクノロジーの革新を促す最も強い要因になっていた。今では生産過剰、資源利用の問題がそれと同じか、より大きな問題となっている。

こういう時代には、物を普段置かれている場所から動かすことの意味が前よりも深くなっていると言える。**選別、プレゼンテーション、対話といった手段を使えば、旧来の持続不可能なやり方に頼らなくても、人類は真の価値を新たに創造し、交換し合える。**

キュレーティングとは、この重要な選別をする行為なのだと私は思う。

オックスフォードの学生の90%が間違えた論理クイズ
――優れた思考法の共通点

リチャード・ニスベット

社会心理学者、ミシガン大学文化と認知プログラム共同ディレクター。著書に『頭のでき』（水谷淳訳、ダイヤモンド社、２０１０年）

問①　老朽化している病院は、いったん壊して新たに建て直すべきである。病院のリフォームには、ゼロから建てるのと同じくらいのコストがかかる。

リフォームを支持する人は、古い病院を建てる際に高いコストがかかったと主張する。せっかく高い費用を払って建てたものを壊してしまうのはもったいないというのである。一方、新病院の建設を支持する人は、新たに建てればリフォームでは不可能な新しい設備の導入ができると主張するだろう。

あなたはどちらが賢明と思うだろうか。リフォームがいいか、新たに建て直すのがいいか。

問②　デイヴィッドはハイスクールの最上級生だ。進学先を決めなくてはいけないのだが、2つの大学のどちらにすべきか迷っていた。どちらも同じくらいの名門で、授業料も自宅からの距離もほぼ同じだ。

デイヴィッドには、両方の大学に友人がいる。大学Aの友人は、学業の面でも人間関係の面でも大学が気に入っていると言う。そして大学Bの友人はどちらの面でも大学が総じて気に入っていないという。

だが、デイヴィッド自身がそれぞれの大学で1日ずつ過ごしてみたところ、友人たちとはまったく異なっ

図表1

「表に母音が書かれていれば、裏には奇数が書かれている」が本当かを確かめたい。どのカードを裏返す？

U	K	3	8

た感想を持った。彼は大学Aで、特別おもしろくもないし、感じも良くない学生に何人か会った。また彼に対して冷たい態度を取った教授も何人かいた。一方の大学Bでは、聡明で感じの良い学生に何人も会えたし、彼に関心を寄せてくれた教授が2人もいた。デイヴィッドはどちらの大学に行くべきだろうか。

問③ **図表1**の4枚のカードに、仮に「表に母音が書かれていれば、裏には奇数が書かれている」というルールがあるとする。そのルールが本当に守られているかを確かめるには、どのカードを裏返してみればいいだろうか。

では、これら3つの問いについて少し考察をしてみよう。

問① 高い費用をかけて建てた病院をただ壊すのはもったいないと考えている人は、経済学者がいう「サンクコストの罠」にはまっていると考えられる。**古い病院を建てるのに使った費用について考えるのは意味がない。もう失われてしまって取り戻せない（英語で〝sunk〟［「沈む」の過去分詞］と言う）費用だからだ。**したがって、現在の行動を決めるのには何の関係もない。エイモス・トベルスキーとダニエル・カーネマンは、サンクコストの罠から逃れるのに、たとえば次のような思考実験が役に立つと言っている。

今夜開催されるＮＢＡの試合のチケットを2枚持っているとしよう。試合の会場は自宅から60キロメートルほど離れたところにある。しかし、あいにく雪が降り始めたうえ、ひいきのチームのスター選手が負傷のため今夜は出場しないとわかった。果たして試合を観に行くべきか、それともチケット代を無駄にしても取りやめにすべきか。

この問いに経済学者流に答えるとすれば、その試合のチケットを自分がまだ持っていなかった場合のことを考える。自分はチケットを持っておらず、友人から電話で「今夜のチケット持っているんだけど、使わないから譲るよ」と言われたとしよう。あなたは何と答えるだろうか。もし「いらないよ。雪も降っているし、目当てのスター選手も出ない」と答えるのだとしたら、たとえすでにチケットを持っていたとしても、その日は観に行くべきではない。

つまり、**自分がすでにチケット代金を払ったか否かは、行くべきかどうかの判断の材料にすべきでない**のだ。チケット代金はもう払ってしまい、あなたがどうしようが戻ってこない。サンクコストの罠を避けるべきというのは、経済学者にとっては常識なのだが、それを一般の人に広めるのは簡単ではない。大学にそれを学べる講座を設けるくらいではまったく十分ではないだろう。だが、ここで例にあげたＮＢＡの試合のような体験を実際にしたときに誰かが教えればよくわかるはずだ。

問② 「デイヴィッドと友人たちとは違う人格なのだし、人それぞれに合うところ合わないところは違うだろう。だから自分の行きたいと思うところに行けばいい」と言う人は多いだろう。そういう人たちには「**大**

数の法則というものがある」と言ってもあまり納得してもらえないかもしれない。

デイヴィッドはどちらの大学でもわずか1日過ごしただけだ。だが、友人たちは何百日と大学で過ごしている。友人たちがよほど変わり者でない限り、デイヴィッドは、自分自身の印象は無視して友人たちの言うことを信用したほうがいい。つまり大学Aを選ぶべきだ。大数の法則を大学の統計学の講座で教えるといいだろう。そういう講座が複数あれば、この法則を考慮する人は増えるはずだ。

問③　この問いの答えは「まずUのカードを、次に8のカードをひっくり返す」となる。それ以外の答えは残念ながら誤りだ。

しかし、心理学者のP・C・ワトソン、P・N・ジョンソン＝レアードによれば、オックスフォード大学の学生を対象に調査をした結果、約90％の学生が不正解だったという。どれをひっくり返すとどうなるかを論理的に考えても正解に至らない人が多いのだ。**PならばQが成り立つからといって、反対のQならばPが必ず成り立つとは限らない**のだが、それを常に忘れずにいられる人は多くない。

論理的思考のできるはずの人が、問③のような質問に正しく答えられる確証はない。哲学の博士号を持っている人であっても、この種の問題に正しく回答できるよう一般の人々を指導するのは困難だ。日常生活でも案外、直面することの多い問題なのだが、正しい答えを見つけられない人がほとんどだ。

役立つ思考法のなかには受け入れやすいものとそうでないものがある。それ自体は良いものであるにもかかわらず、どうしても抵抗があるのか、多くの人がなかなか受け入れない思考法があるのだ。教育に携わる人、誰かの思考力を高めたいと思っている人は、どの思考法が教えやすいのか、受け入れてもらいやすいのか、またどの思考法が教えにくく、受け入れてもらいにくいのか認識しておく必要がある。

人間の思考力は、論理によって高められると長年、信じられてきた。論理的に考えることを教えれば、人間はより知的になり、日常生活でもより良い判断ができるようになると思われていたのである。ところが、その考え方は誤りだった（バートランド・ラッセルは、中世のヨーロッパでは修道士が学んでいたという三段論法は無益であると言ったが、その言葉は間違いなく正しいだろう）。

しかし今や状況は変わり、最近新たに提案されているものも含め、優れた思考法の多くは、教えやすく、受け入れてもらいやすいものになっている。となると、**教育に携わる人にとって何よりも重要なのは、どの思考法が教えやすいか、どう教えると受け入れてもらいやすいのかを考えること**なのかもしれない。

人の行動は地球の反対側の他人にも影響を与え得る
——外部性

ロバート・クルツバン

ペンシルベニア大学の心理学者。ペンシルベニア実験進化心理学研究所ディレクター（PLEEP）。著書に『だれもが偽善者になる本当の理由』（高橋洋訳、柏書房、２０１４年）

私が何かをすると、その行動が意図せず誰かに影響を与える。だが、たとえその誰かが金銭的な損害を被ったとしても、通常、私はそれを金銭で弁償しなくてよい。反対に、誰かが思いがけず金銭的な利益を得たとしても、普通は私にお礼に金銭を渡すようなことはないし、その必要もない。「**外部性**」は、こういう状況に言及する際に使う言葉である。

外部性は至るところに存在しており、私がただ自分の目標に向かって行動するだけで、その行動は他人にさまざまな形で影響する。この影響は、人と人とが複雑に結びついている現代の世界では特に重要である。

外部性には、小さいものも大きいものもあり、また正の外部性もあれば負の外部性もある。

私は以前、サンタバーバラに住んでいた。ビーチには日光浴をする以外に何もする気がないという人たちが大勢いた。しかし、彼らの行動は、（わずかにだが、確実に）通行人に良い影響をもたらしていたと言っていい。彼らの行動によって景観が良くなり、通行人はそれを楽しめるからだ。通行人は、景観を良くしてもらった行動に対して、特に対価を支払う必要もない。

同じビーチには、猛スピードでローラーブレードをする人たちもいる。ただし、彼らが良い景観に見とれると、周囲に悪い影響をもたらすことがある。注意力散漫になり、散歩を楽しむ通行人と衝突する危険があるからだ。

現代においては、外部性の重要度は増す一方だろう。**誰かの行動が地球の反対側の他人に影響を及ぼす可能性すらある**からだ。たとえば、私が商品として売るため、何かの装置を作ったとする。すると私はその過程で、副産物として廃棄物を出す。その廃棄物は少なくとも工場の周囲に住む人たちに悪影響を及ぼすし、おそらく世界中の人たちに悪影響を及ぼす。水や大気を汚染したとしても、それに対して賠償を求められることは少ない。だとすれば、廃棄物の排出を止めようと努力する可能性は低くなるだろう。

私たちは日々、普通に生活するだけでも、他人に何かしらの影響を与える。出勤のために車に乗れば、その分だけ道路は混む。読者のなかに、映画館にいるのに、ついスマートフォンでメールチェックをしてしまう人はいないだろうか。画面の光はどうしても周囲に広がってしまう。私はその光が目に入ると、映画を観る楽しみが半減してしまうのだ。

「外部性」の概念が広まれば、エンドロールでメールをチェックする人が減る

外部性という概念を広めることは大切だ。**この概念について知った人は、行動の意図しない副作用に注意を向けるようになる**からだ。外部性に目を向けない人は、たとえば道路の渋滞を解消するにはもっと道路を増やすしかないと考えてしまうだろう。確かに道路を増やすという方法にも効果はあるに違いない。だが、実はもっと効率的な方法があるかもしれない。

たとえば、ドライバーに自らの負の外部性に対する費用負担を求めるという方法が考えられる。混雑がピークになる時間帯に道路を利用すると余分な料金がかかるようにするのもひとつの案だ。ロンドンやシンガポールで実施されている渋滞税などはまさにその実例だろう。

ラッシュアワーに車で街へ行くと余分な料金がかかるのだとしたら、私はよほど急用があるのでなければ空いている時間まで自宅で待つだろう。

多数の要素が絡み合った複雑なシステムにおいては、少しシステムに介入しただけで思いがけない結果を生む。良い結果が得られることもあれば悪い結果になることもある。良かれと思ってした行為が、とんでもない悪影響を及ぼす恐れもあるのだ。外部性という概念を知っていれば、そういうこともある程度、予期で

きる。

たとえば、ＤＤＴ（訳注：殺虫剤のひとつ）の歴史について考えてみよう。最初にＤＤＴが使用されたのは、蚊の数を減らしてマラリアの蔓延を抑えるのが目的だった。ところが、思いがけないことが２つ起きた。ひとつは、多数の動物（人間も含まれる）が、その毒性によって害を被ったということ。もうひとつは、ＤＤＴに耐えて生き残った蚊ばかりが子孫を残したため、ＤＤＴに耐性を持つ蚊が増えてしまったことだ。

その後、ＤＤＴの利用量が規制され、この２つの悪影響はたしかに減った。しかし、それが本当に良かったのかについては今でもさまざまな議論が行われており、その措置にも重大な副作用があったのではないかとも言われている。ＤＤＴの利用量が減ったために蚊が増えてしまい、マラリアに感染する人が増えたのではないかと言う人もいる。

世界が小さくなるにつれ、外部性の問題は大きくなっていると言える。誰かの行動が意図しない影響（良い影響もあれば悪い影響もある）を及ぼす範囲がかつてないほど広くなっているからだ。何かをするときには、予期されるコストと利益のバランスだけを考えるのでは不十分だ。意図しない影響についても十分に考えなくてはいけない。

意図しない悪影響に関しては、それに対し金銭を支払うよう求めるのもひとつの解決策になるだろう。また、意図しない好影響で金銭が得られるようになれば、良い影響を与える行動を促すかもしれない。

日常生活での外部性への意識が高まってくれるといいと思う。特に意図しない悪影響への意識が高まってほしい。それだけで皆の何気ない行動に関しての判断が変わっていくはずだ。映画のエンドロールが終わるまでメールチェックを我慢する人も増えるに違いない。

あらゆるものは必ず変化する

——無常な世界

ジェームズ・オドネル

古典学者、ジョージタウン大学総長。著書に『ローマ帝国の崩壊（The Ruin of the Roman Empire）』

人間には抽象化、推論、計算の能力、ルールやアルゴリズムを生み出す能力、物事を表にまとめる能力などがあり、それを利用して大きな成果を生み出すこともできる。おそらくそれが人間の最も素晴らしい特徴だと思われる。母なる自然に挑み、世界を支配しようなどと考える種は人間以外にいないだろう。その戦いには常に敗れてしまうだろうが、驚くべき能力を持っていることは確かである。

しかし人間には、せっかく自分で新たな発見をしても、それを否定するという好ましくない能力もある。せっかくの学びの機会を自ら拒否してしまうのだ。本書を読んでもわかるとおり、人間は賢く、また同時に愚かである。素晴らしい発明、発見もするが、自分たちの成功をすっかり忘れて、愚かしい失敗もする。

人間の認知能力には限りがある。そのせいでせっかく良い道具を持っていても、それが必要なときに存在を思い出せない場合がある。**ドライバーを持っているにもかかわらず、歯でネジを緩めるような行動をしてしまう**のだ。工具箱に便利なスパナが入っているのに、まったく使おうとしないこともある。

私は古典学者なので、ここでは人間の知性にとっての便利な「道具」のなかでもおそらく最も古いと思われるものについて話をしたいと思う。それを考えたのは、ソクラテスよりも前の時代の哲学者、ヘラクレイトスだ。ヘラクレイトスは「同じ川に二度、足を踏み入れることはできない」と言った。「万物は流転する」と表現してもいいだろう。

確かに万物は絶えず動き続ける。恐ろしいほどの、信じがたいほどの速さで動き続けるのだ。しかし、その事実を常に忘れずにいるのは簡単ではない。巨大な銀河たちも、物理的にとても不可能に思えるほどの猛スピードで互いに遠ざかっている。私たちの身体は、原子以下の大きさの粒子がとてつもない数集まって作られているが、それぞれがすべて動き回っている。数が多すぎて、動きは私たちの理解を超えている。

ところが、それがわかっていても、自分が部屋でじっと動かずにいて、テレビのチャンネルを変える動作さえ大変なときには、その事実を忘れがちになる。また**平凡な日常を送っていると、明日も今日と同じような日が来るのだろうと思い、万物は流転していると言われても実感はなくなる。**

私たちは、時間、空間に関してどうしても人間のスケールで考える。そのせいで勘違いをしてしまう。コペルニクス以前の天文学者たちは、目に見えている事象を根拠に、恒星はゆっくりと移動し、1年かけてまた元の位置に戻ると信じていた。原子は分割のできない物質の最小構成単位で、それ自体は決して変化しないと言われ、その主張が科学の進歩の象徴のようになっていた時代があった。

ところがその後、原子もさらに分割できるとわかった。エドワード・ギボンは、ローマ帝国が滅亡したことを不思議に思い、困惑していた。実際には、ひとつの帝国がこれほど長く存続すること自体、異常なのだが、彼はそれに気づかなかった。薬の開発に取り組む科学者たちは、闘うべき病気の変化があまりにも速いために戸惑うことがある。ある時点での病気に効果があったとしても、その効果はすぐに消えてしまうからだ。

物事は必ず変化する。ヘラクレイトスも言うとおり、それがこの世界の不変の法則だ。必ず覚えておくべき真理だろう。何か安定している、一貫しているように見えるものがあったとしても、それは誤解だ。**あらゆるものは一時的である。**誰かの驚異的な意志と忍耐力によって長く存続するものはあるが、それも永遠ではない。いくらそのまま変化しないでほしいと願ってもそうはいかない。結局は変化への対応を迫られる。であれば、はじめから流れへの対応を考えるほうが得策だ。

イタリアに行くと身振り手振りが大げさになる

――脳のなかの無数の「自分」

ダグラス・T・ケンリック

アリゾナ州立大学社会心理学教授。著書に『野蛮な進化心理学』(山形浩生・森本正史訳、白揚社、2014年)

自分の頭のなかにはただひとりの「自分」がいる。これを当たり前だと思っている人は多いだろう。ところが、心理学のいくつかの分野における調査により、この考えは幻想にすぎないとわかっている。

頭のなかの「自分」は常に合理的で、自己の利益になるような決断を下しているように思える。いつ電話をしても出てくれず、折り返しても来ない友人、しかも何千ドルも借りておいてまったく返そうとしない友人とは絶交しようと決める自分がいる。また一方で、飲食店に入って他人の勘定まで払おうとする自分がいる。両者は同じ自分ではない。食事の相手が息子なのか、恋人なのか、ビジネス・パートナーなのかによっても勘定の払い方は違うだろう。場合によって違う自分が顔を出す。

今から30年ほど前、認知科学者のコリン・マーティンデールは、個々の人間のなかに何人もの違った自分が同居していると考え、その考えに当時の認知科学の最新の知見とを結びつけて研究を進めた。マーティンデールの理論は、選択的注意、側方抑制、状況依存記憶、認知断絶など、いくつかの基本的要素から成る。

私たちの脳には無数のニューロンがあり、個々が絶えず発火している。これら膨大な脳の動きはバックグラウンドで行われているのだが、仮にそうでなければ、私たちは片方の脚を前に出すという簡単な動作すらできなくなってしまうだろう。

単に街を歩くだけでも、すでに負荷が多すぎるくらいの脳は、同時に大量の情報を受け取っている。周囲には何百、何千という人たちがいて、それぞれ年齢も違えば、言葉遣いも髪の色も肌の色も異なる。服装も歩き方も身ぶりも何もかもが違う。

人だけではない。派手な広告もあるし、歩道には縁石もあって、つまずいて転ばないようにしなくてはいけない。交差点を渡るときには、黄色信号を無視して進入してくる車に気をつける必要がある。しかも、何もかもに注意を向けるわけにはいかないので、注意の対象は厳選しなくてはならない。

神経系が注意の対象を絞り込めるのは、側方抑制という強力な機構があるからだ。側方抑制とは、一部のニューロンが、自分の活動の妨げになりそうなほかのニューロンの活動を抑制する機構だ。これにより、重要な情報を確実に受け取って、進めたい処理を正しく進められる。

この機構があるおかげで、私たちはたとえば、歩いているとき、地面に危険な穴があることに気づける。穴が視野に入ってくると、穴をとらえた網膜細胞は、関連するニューロンの周囲にあるニューロンの活動を抑制させるメッセージを発する。すると、周囲の視野が少し暗くなり、穴が明るく際立って見えてくる。

これは、いわば物の「縁」を際立たせ、認識しやすくするメカニズムだ。これが、より高次の、物の形状を認識するメカニズムと組み合わさることで、私たちはアルファベットの〝b〟〝d〟〝p〟を容易に見分けられる。さらに形状認識メカニズムが複数組み合わされば、単語の識別や、文脈による同じ文の意味の違いの認識といったさらに高度な処理もできる（たとえば、「こんにちは。お元気ですか？」と言われただけで、そのあと口説かれるのか、それともセールストークが始まるのかも判断可能になる）。

状況依存記憶は、入ってきた情報をそのときの状況に結びつけて記憶する機能である。たとえば、近所のコーヒーハウスでエスプレッソのダブルを飲みながら知らない人の名前を覚えた場合、その人とスターバックスで再会したほうが、近所のパブでマティーニを飲んだあとに再会するよりも名前を思い出しやすい。以前、私はイタリアに行ったが、帰ってから何カ月間かは、ワインを飲むたびにイタリア語を話し、身振り手振りが大げさになった。

なぜ人は矛盾した行動を取るのか

マーティンデールは、こうした能力のために、私たちは日頃から頻繁に軽い「解離性障害」のような状態に陥ると主張する。見方を変えれば、**私たちの脳内には無数の「自分」がいるようなものだ**。この状態で何かを成し遂げるには、「操縦席」に座れる「自分」を常にひとりにするしかない。そうでないと、私たちはどのような行動も遂行できない。

マーティンデールがこのような理論を考えたのは、今のように進化心理学が盛んになるよりも前だった。しかし、この理論は、同じくマーティンデールが考えた認知モデルと組み合わせるとさらに大きな意味を持つ。彼の認知モデルでは、機能的モジュラリティという概念が重要になる。研究により、動物も人間も物事を認知するのに驚くほどさまざまな手段、方法を利用することがわかった。

脳のなかに情報処理を担う器官がひとつだけあり、それだけがすべての仕事をしている、というわけではない。**動物でも人間でも多数のシステムが協調することで、環境に適応するうえで生じる多数の問題に対処している。**

頭のなかに多数の「自分」が存在するとしても、その自分ごとに対応する器官があるというわけではない。そうではなく、それぞれに機能が異なっている「自分」が多数存在するのだ。

友人と仲良くすることを担当する自分、自分の身を守る（悪い人間から自分の身を守る）ことを担当する自分。地位を獲得することを担当する自分や、友人を見つけることを担当する自分も存在している（読者のなかには、この種の自分がときにさまざまな問題を生んでしまうのを体験した人もいるだろう）。また、子供が生まれれば、その世話をする自分も生まれてくる。

人間の心が、それぞれに違った機能を持ち、互いに独立した「自分」から成り立っていると考えれば、人間がときに矛盾した行動、不合理な行動を取るのも当然だと思えてくる。

自分の息子に関係する判断を下す際に非常に理性的だった人が、友人や恋人に関する判断に際しては不合理になってしまう。そんなことは十分に起こり得るのだ。

ありのまま世界を見ることはできない

――予測コーディング

アンディ・クラーク

エジンバラ大学哲学教授。著書に『心の拡大：具象化、行動、認知拡張（Supersizing the Mind: Embodiment, Action, and Cognitive Extension）』

脳は予測をする機械であるというのは、本来、コンピュータ認知神経科学と呼ばれる研究分野の考え方だが、同様の考え方は、芸術や人文科学など、ほかの分野においても重要になっている。人間と世界との関わりを理解するうえでは、特に重要と言えるだろう。

「**予測コーディング**」という言葉は現在、多数の分野で使われ、その意味もさまざまに異なっている。だが、私自身は、この言葉を狭い意味で使ったほうがいいと考えている。そのほうがきっと有用性が高まるだろう。

この言葉は本来、入力された感覚信号が何を意味するのか、その解釈に予測を利用することを指す。つまり予測が、認知、思考、そして行動に影響を与えるということだ。

この予測コーディングは、コンピュータ認知神経科学での多数の研究に関わっている（この分野の主要な研究者としては、ダナ・バラード、トビアス・エグナー、ポール・フレッチャー、カール・フリストン、デヴィッド・マンフォード、ラジェス・ラオなどがあげられる）。そして予測コーディングが具体的にどのように認知、そして人間の信条、選択、推論などに影響を与えているかが、多数の数学的理論やモデルを使った研究によって次第に明らかにされている。

基本的な考え方は単純で、**自分の周囲の世界を正しく認識するには、この先受け取るであろう感覚情報を的確に予測する必要がある**ということだ。

脳は過去の経験から、世界の成り立ちについての知識を蓄積している。また、ある状態のあとにどのような状態が続きやすいか、ある出来事のあとにどのような出来事が続きやすいかという知識も蓄えている。そうした知識を利用し、直近の状態や出来事を振り返り、今の状態がこれからどう変わっていくかを予測する。予測が実際に受け取った感覚情報と一致しない場合には、エラー信号が出る。これはその後の予測に影響を与えていく。（不一致が非常に大きい場合には）学習が行われ、それまでの知識に大幅な変更が加えられる場合もある。

過去の理解はこれとは違っていた。かつて世界の認知は「ボトムアップ」のプロセスだと思われていたからだ。世界のモデルは、入ってくる感覚情報をつなぎ合わせてその場で作られ、次々に更新されていく（小さな証拠を積み上げていき、大きな世界像を作り上げていく）とされていた。

だが、予測コーディングの理論では、実際の順序はそれとは逆であり、ボトムアップではなく、「トップダウン」で世界を認知していく。

まず世界像の予測が先にある。次々に予測をして、それを世界の性質、状態について得られた実際の情報と比較していく。先の予測によって、次にどのような予測をするかはある程度決まる。おおまかな予測が次第に詳細な予測になっていくのだが、最初のおおまかな予測がどういうものだったかによって、詳細な予測は制約を受ける。

この逆転には非常に大きな意味がある。

まず、感覚器に対する見方が大きく変わる。感覚器から正確な情報さえ送られてくれば問題はないと思われていたのが、そうではないことになる。予測が適切でなければ、感覚器からの情報がどれほど正確でもあまり意味はない。適切な予測がない場合、ほかに望めるのは、予測の誤りに基づいた修正、学習だけだ。これは、すべての認知には必ず、それまでに得た知識が関与するという意味だ。知識の影響を受けない「ありのままの」認知があり得るという考え方はおそらく正しくない（いや、あり得る、という人は「ありのの」という言葉を違った意味に解釈しているのかもしれない）。

人は未来の予測に合わせて現実を修正する

認知の手順は過去に信じられていたものと大きく異なっているようだ。予測コーディング・モデルでは、私たちはまず、周囲の世界のおおまかな全体像をつかむとされる（ここで重要なのは、その全体像に対し何らかの漠然とした感情を抱くということだ）。全体像の詳細な部分は、時間をかけて情報を得て少しずつ埋めていく。時間には限りがあるが、許される範囲で時間と手間をかけて隙間を埋める。これは、世界に対するおおまかな予測が時間の経過とともに細かくなっていくということでもある。**私たちは、「木を見てから**

森を見る」のではなく、「森を見てから木を見る」のだ。

この理論では、感覚と認知の区別は曖昧になる。どういう感覚情報を得るか（あるいは得たと思うか）は、それまでに得た知識によって大きく変わるからだ。また、私たちの知識は、どういう感覚情報を得たか（あるいは得たと思うか）によって刻々と変化していく。このように考えると、私たちの思考や行動に生じがちな問題について理解しやすくなる。

たとえば、統合失調症の人は幻覚を多く体験し、誤った思い込みが多くなる理由を説明しやすい。「確証バイアス（自分の意見に合う情報ばかりに注目し、意見に合わない情報を無視する傾向）」のような私たちが日常で体験する現象についても説明しやすくなる。

またもうひとつ言えるのは、予測に誤りがあった場合に、予測の修正をするとは限らないということだ。誤りを正すために、予測ではなく、予測される事実のほうを修正するケースがあり得る。私たちが自分の行動を変えるときや、環境を操作するときには、事実を予測に合わせて修正しようとしている場合がある。また、事実を見る視点が予測に合わせて変わるかもしれない。

つまり、**人間が行動を起こすのは、現実を予測に合わせるため**だとも言える。また、人間が周囲の環境の変化を嫌う理由、自分の感情や他人との人間関係をそのままに維持したがる理由もこれでよく説明できるのではないかと思う。

私たちが世界を認知するうえで予測が大きな役割を果たすことを知れば、そこに主としてどういう問題が起きやすいかもすぐにわかる。

私たちは、常にまず予測ありきで世界を見て、世界を体験する。**予測コーディングにより、私たち人間**

は、**効率的に世界像を認識し、しかも比較的楽に、状況に応じた行動が取れる。**

この理論は科学者の単なる研究対象に留めるべきではないだろう。法律、倫理にも応用すべきだし、私たちの日常の体験を理解するのにも役立てるべきだ。

有用ではない感覚情報は隠される

――感覚デスクトップ

ドナルド・ホフマン

カリフォルニア大学アーバイン校の認知科学者。著書に『視覚の文法』（原淳子・望月弘子訳、紀伊國屋書店、２００３年）

私たちの認知は、それ自体、正しいとも誤っているとも言えない。空間、時間、物体についての私たちの認知、たとえばバラの香りや、レモンの酸味についての認知などは、すべて私たちの**感覚デスクトップ**の構成要素である。この感覚デスクトップは、コンピュータのデスクトップと同じような機能を持つ。

パーソナルコンピュータのグラフィカルなデスクトップが生まれてから、すでに30年ほどが経った。今ではすっかり日常生活に溶け込んでいるので、その有用性を意識することはほとんどない。グラフィカルなデスクトップは、コンピュータをどう使えば良いかを人にわかりやすく伝える役目を担っている。

本来、コンピュータはとてつもなく複雑な機械だ。あまりにも複雑で難しいため、その仕組みをまともに学ぼうとする人はあまりいない。しかし、デスクトップ上のアイコンがその複雑さから私たちを守ってくれる。アイコンの色、形、位置を見るだけで、どう操作すればいいかはかなりの程度、わかるからだ。マウスを動かす、クリックするといった簡単な動きだけで、ファイル操作などの複雑な処理ができる。グラフィカルなデスクトップがあるおかげで、私たちは労せずして適切な行動を取れる。

グラフィカルなデスクトップについて考えれば、操作を助けるのと、システムの真の姿を伝えるのとでは大きな違いがあるのがわかるだろう。たとえば、デスクトップ上に赤いアイコンがあったとしても、それは対応するファイルの色が赤いということを意味しない。アイコンの赤は、そのファイルに対し、どういう行動を取るべきなのかをユーザーに伝えている。そのファイルが比較的、重要であること、あるいは少し前にアップデートされたばかりであることなどを知らせるのに赤色を使う場合もある。

グラフィカルなデスクトップは、私たちにどうすべきかは教えてくれるが、たとえ真実であっても有用でない情報は伝えずに隠してしまう。コンピュータの論理ゲートや、磁場についての複雑な情報は、ほとんどのユーザーにとってはまったく有用ではないため、伝えられることはない。

これによってわかるのは、**何が真実かと何が有用かは、必ずしも一致しない**ということだ。この違いは非常に重要である。有用性は、自然選択による進化の駆動力になる。有用性と真実の区別は、私たちの身体、知性、感覚などがどのように作られているかを知るうえでとても大切だ。

たとえば、顔の魅力について考えてみよう。私たちは誰かの顔を見たとき、瞬時にその顔はどのくらい魅力的かを感じ取る。通常は、「非常に魅力的」と「まったく魅力的でない」という両極端の間のどこかに判断は落ち着くだろう。あまりの魅力に心を打たれて詩を書いてしまう人もいる。反対に強い嫌悪感で具合が悪くなる人もいるだろう。魅力に惹かれて遠い距離を越えて会いに行く人もいる。顔の魅力は、恋愛や、子孫を残すことにも影響するだろう。

進化心理学の研究によれば、魅力的だと思う感情は、そのときに取るべき行動を指示するものだという。取るべき行動とは、交配である。**最初に魅力的だと思った感情は、その人との交配によって子孫を残せる確率が高いことを意味しているという**。

アイコンの赤がファイルについて何らかの真実を伝えているものではないのと同様、顔に感じる魅力も、その人の顔についての何らかの真実を伝えているわけではない。アイコンに色がついているからといって、対応するファイルに固有の色があるわけではない。

それと同じで、顔が魅力的に見えるからといって、その顔自体に本質的な魅力があるわけではないのだ。アイコンの色は、本来は色がないファイルの属性を伝えるため、人工的、便宜的につけたものである。私たちが誰かの顔を見たときに感じる魅力もそれと似ていて、その人と交配すべきだと伝えるために便宜的につけ加えられたものだろう。

「感覚体験」のおかげで私たちは正しい行動がとれる

共感覚と呼ばれる現象について知ると、私たちの認知体験がいかに便宜的なものであるかが理解できる。**共感覚とは多くの場合、通常はひとつの感覚体験（たとえば聴覚体験）だけを引き起こす刺激が、同時にもうひとつの感覚体験（たとえば視覚体験、色など）を引き起こすという現象**である。

音と色の共感覚を持つ人は、たとえば、ある特定の音を聴くと必ず同時に、ある色、または簡単な図形を見る。同じ音が常に同じ色や形を生じさせるわけだ。触覚と味覚の共感覚の持ち主は、特定の味のものを食べると、そのたびに手に何かが触ったと感じる。同じ味が必ず、手に同じ触覚を引き起こす。音と色の共感覚者がどの音と色を結びつけるかは人によって違っている。このことから、おそらくこの結びつきは、恣意的なものであると思われる。

音と色の共感覚者が仮に、それまで共感覚を引き起こしていた音の刺激をまったく音として体験しなくなったとしたらどうだろうか。音はなく、ただその音に結びついていた色だけを体験するようになったとしたら。この人は、多くの人が音として体験する刺激を色として体験するわけだ。彼らも一応、ほかの人たちと同じように、刺激があったという情報は得られる。ただ、それが音ではなく、色という形になるだけだ。

こう考えると、**共感覚ではない一般の感覚体験も、実はコンピュータのデスクトップのようなものではないかと気づく。**視覚、聴覚、味覚、触覚といった私たちの感覚体験は、私たちをその時々の状況にふさわしい行動に導くために進化したデスクトップのようなものなのではないか。この「感覚デスクトップ」も、コンピュータのデスクトップと同じく、周囲の世界の真の姿を知らせるものではない。

それでも私たちは、自分の感覚体験を非常に重要なものとして受け止めるべきである。何かを食べようとして、不快な味がしたら、おそらくそれは腐敗していて危険なので食べるべきではない。ガラガラヘビが近づいてくる音がすれば逃げるべきだろう。**私たちのこうした感覚体験は、自然選択によって形作られてきたもので、私たちを、その場にふさわしい行動へと導くようになっている。**

感覚体験は重要なものだが、それを世界の現実そのものだと思ってはいけない。だからデスクトップの比喩で考えるとよくわかる。コンピュータのデスクトップに表示されているアイコンはもちろん重要で、無視はできない。たとえば、私たちは、アイコンを不用意にゴミ箱にドラッグしたりはしない。そんなことをすれば大切なファイルが消えてしまうからだ。しかし、アイコンの色や形、位置は、実際のファイルの属性をそのまま表したものではない。そうしたアイコンの性質は、ファイルをどう扱えばいいかをわかりやすくするために加えられたものだ。

感覚デスクトップを自覚すれば適切に世界を認知できる

感覚デスクトップは生物の種によって異なっている。人間が見れば一瞬で魅了される顔も、マカクザルにとっては何の魅力もない。腐敗した味がして私にはとても食べられない死肉も、ハゲワシにとってはごちそうに感じられるかもしれない。私の味覚体験は、私を私にとって適切な行動に導いてくれる。腐敗した死肉を食べてしまうと私は死ぬかもしれない。一方、ハゲワシの味覚体験は、ハゲワシをハゲワシにとって適切な行動に導く。腐敗した死肉は、ハゲワシにとっては重要な食料だからだ。

自然選択による進化には、異なった感覚デスクトップの間での軍備競争という側面がある。たとえば、擬態は、捕食者や被食者の感覚デスクトップの弱点を利用する機能と言える。もし、捕食者や被食者に突然変異が起き、擬態に騙されないよう感覚デスクトップに変更が加えられれば、それだけ進化上、有利になる。

このような、弱点を突く、それを克服する、というサイクルは進化を引き起こすエンジンだ。**自分にも感覚デスクトップがあると自覚し、またそれにどういう特徴があるかを理解しておけば、自分自身の認知をよ**

り適切に扱えるはずだ。

自分はありのままに世界を見ている、少なくとも世界の一部を自分はありのままに見ているはず、と思っている人は多い。自分は世界の空間や時間、物体をありのままに体験しているはず、自分の体験は、客観的な真実に少なくとも似てはいるはずだと思っている。

感覚デスクトップという概念を知れば、その思い込みはなくなるだろう。感覚体験は自分が素朴に信じていたようなものではないとわかる。私たちの体験している空間、時間、物体は、ホモ・サピエンスという種に特有の感覚デスクトップの作り出したものだ。それは世界の客観的な真実とは何ら関係がない。私たちが自分の置かれた環境下で生き抜けるよう進化した便宜的な機能の産物にすぎないのだ。デスクトップはデスクトップであり、それに対応する現実と同一のものではない。

バニラの香りを嗅ぐと甘みを感じるのはなぜか

——感覚の連携

バリー・C・スミス

ロンドン大学先端研究所哲学部ディレクター、ライター、BBCワールド・サービス「ミステリー・オブ・ザ・ブレイン」の司会者

感覚についての昔からの理解には誤っているところが多い。

たとえば、人間にはいくつの感覚があるか、と誰かに尋ねてみてほしい。ほとんどの人は5つと答えるはずだ。そう答えないのはたいてい、いわゆる「第六感」について話したい人だ。

しかし、なぜ5つなのだろう。三半規管が司る平衡感覚はそこに含まれていない。エレベーターが上下どちらに動いているか、列車が前後どちらに動いているか、あるいは船が左右どちらに傾いているかといったことを察知する感覚はどうか。

ほかには「固有受容感覚」というのがある。これは、目を閉じていても自分の手足がどこにあるかがわかる感覚のことだ。痛い、熱い、冷たいという感覚はどうしたのか。ベルベットなのかシルクなのかを区別できる感覚は触覚の一種と言ってもいいのか。また、見る、聴く、味わう、触れる、嗅ぐといった感覚体験がそれぞれ1種類だけの感覚器官によって生まれているとなぜ言えるのか。

現代の神経科学者は、人間の視覚系には2つの種類があると考えている。一方は、周囲の世界を私たちに見せる役割を果たす。もう一方は私たちの行動を制御する。2種類の視覚系は互いに独立して機能する。そのため、**ある物体の誤った像が目で見えていても、手はその物体に適切な反応ができる**。実際よりも大きく見えている物体にもまったく戸惑わずに触れられる。

それだけではない。実は嗅覚にも2つの種類があるらしい。そう考えていいだけの十分な証拠がすでに見つかっている。ひとつは、鼻腔香気(びくう)だ。これは吸気に伴ってにおいを感じる嗅覚だ。一般に嗅覚と言うとこちらを指す。この嗅覚により私たちは、**周囲に食べ物があることや、捕食者がいること、煙が上がっていることなどを察知する**。

もうひとつは、口腔(こうくう)香気である。これは呼気に伴ってにおいを感じる嗅覚で、喉を通ったばかりの食べ物のにおいを感じ取る。そのおかげで私たちは、**今食べているものをさらに食べるべきか、すぐに吐き出すべきかを判断できる。**

2種類の嗅覚には、それぞれに違った快楽反応が伴う。鼻腔香気によって生じるのは、期待の快楽だ。そして口腔香気によって生じるのは報酬の快楽である。期待と報酬は一致するとは限らない。淹れたてのコーヒーの香りに心惹かれたが、実際にそのコーヒーを飲むと、香りと味が一致しなかったという体験はないだろうか。コーヒーには、こういう失望が必ず少しは伴う。

鼻腔香気による期待と、口腔香気による報酬が完璧に一致する食べ物の例としてはチョコレートがあげられる。チョコレートを食べると期待したとおりの報酬が得られる。それがチョコレートという食べ物の強い魅力のひとつになっているのだろう。

嗅覚を失った人は鬱になりやすい

現代の神経科学の世界で起きているのは、感覚の種類の増加だけではない。ほかにも大きな変化が起きている。かつては感覚をひとつずつ個別に研究するのが普通だった。また多くの研究者が対象としていたのは視覚だった。しかし、状況は急速に変化している。今、私たちは感覚がそれぞれ単独で機能するわけではなく、連携して機能することを知っている。連携は、感覚情報処理の前のほうの段階でも、後ろのほうの段階でも行われる。それによって私たちの周囲の環境に関する感覚体験は豊かなものになっている。

視覚だけ、あるいは聴覚だけの感覚体験というのはまったくないに等しい。視覚、聴覚、嗅覚、触覚、味覚など複数の感覚の組み合わせによって、私たちの感覚体験は作り上げられている。ひとつの感覚情報だけで感覚体験が作られることはまずない。日々、豊かで複雑な世界を体験しながら、私たちは感覚情報の供給元が複数あることをほとんど意識しない。どの情報がどこから来たのかについてはあまり考えないのだ。

目を覚ましている間、私たちは絶えず、においの情報を受け取っているのだが、普段、その情報はほかの情報の背後に隠れているので、注意を向けることはめったにない。**嗅覚を失った人が、その後、鬱になる場合もある。**視覚を失っても鬱になる可能性があるが、嗅覚を失って鬱になった人のほうが、1年後の回復度合いが低い。

これは、慣れ親しんでいる場所にいても、かつてと同じにおいを感じず、知り合いが近くにいても、以前と同じにおいがしないからだ。人にはそれぞれ固有のにおいがあるので、知っている人のにおいがすると安心感を覚える。また、嗅覚を失った人は、同時に味覚も失ったように感じる。テストしてみると、甘味、酸味、塩味、苦味、旨味、金属味などを感じ取っていることがわかる。だが、それだけでは不十分で、口腔香気の情報も加わらなければ、食べたものの味を体験しているとは感じないのだ。

味のほとんどは嗅覚から生まれる

私たちが普段、「味」と呼んでいるものについて深く調べていくと、それだけで、一般の人たちの感覚についての理解がいかに不正確なものかがよくわかる。

味は舌だけで感じ取っているわけではない。「味」はすべて、舌で感じる狭義の味覚と、触覚、そして嗅覚が共同で作りあげる。ソースをクリーミーに感じるのも、麺類などにコシがあると感じるのも、または、パリパリしている、しっとりしているといった食感を楽しめたりするのも触覚のおかげだ。

ポテトチップスが乾燥しているときと、湿気ているときとではかなり味が違うと感じるが、両者の違いはほとんど触覚だけから生まれている。また**「味」のほとんどの部分は、口腔香気、つまり嗅覚によって生じていると言っていい。**嗅覚を失った人が、「食べ物の味がわからない」と言うのはそのためである。

私たちが食べたり飲んだりしているときに、味覚、触覚、嗅覚は協調して「味」を作り出している。また、食品、味の研究者たちが「風味」と呼んでいるものも、こうした複数の感覚が共同で作りあげている。

風味もやはり、味覚、嗅覚、そして口のなかの触覚のもたらす情報が統合されて作られている。どの部分がどの感覚によって作られたかを明確に区別することはできない。これは無数にある多感覚体験のひとつであり、視覚や聴覚からも影響を受ける。ワインの色や、食べ物を噛み砕くときに聞こえる音などは、その食事を最終的にどう感じるかを大きく左右する。

視覚や聴覚だけではない。痛覚や温度の感覚も食事の印象を大きく変える。唐辛子を食べると、三叉(さんさ)神経のせいで熱いと感じる。また、ハッカによって、実際には温度が変化していないにもかかわらず口のなかが冷たくなったように感じることもある。

複数の感覚が統合されるのはごく普通の現象であり、特に珍しくはない。私たちは自分で音を聴いていると思っているときも、実は耳だけを使っているわけではない。たとえば、映画を観ているときには、スクリーン上の俳優の口から声が出ているように聞こえる。実際にはスクリーンの両側にあるスピーカーから聞こえているはずだ。にもかかわらずスクリーン上から声が聞こえているように感じるのは、目で見て声の出どころを判断しているからだ。この現象は腹話術効果と呼ばれている。

物を食べているときに、鼻の奥にある嗅覚受容体で感じ取ったにおいを口のなかの味として感じるのもよく似た現象だ。鼻からやって来たはずの嗅覚情報を口からの情報と感じてしまうのは、食事中には物を噛む、飲み込むといった口のなかの感覚に注意を奪われているからだ。そのせいで、鼻の奥でとらえた食べ物のにおいまでもが口から来たと思い込むのだ。

複数の感覚が協調することで起きる驚くべき現象はほかにもある。たとえば、ある感覚への刺激が別の感覚の助けになるという現象はそのひとつだ。**人が多く騒がしい部屋にいるときでも、話をしている相手の口を見ていると何を言っているのか聞き取りやすくなる**のはその例だろう。

液体を飲むときにバニラの香りがすると、甘味が強く酸味が弱く感じるのもそうだ。バニラの香りを「甘い香り」と言うのはそのせいだろう。甘味というのは味であって香りではないし、純粋なバニラは食べても甘くないのだが、そう感じてしまう。

企業はこの効果をよく知っていて、商品に利用している。たとえば、シャンプーにある種の香りをつけると、髪が柔らかくなったように感じることがある。また飲み物を赤くすると甘く感じ、ライトグリーンにすると酸っぱく感じる。

視覚の効果は強力だが、いつも必ず効果があるわけではない点にも注意が必要だ。三半規管に問題が生じると、世界が回転しているように感じられる。目からの情報によれば、すべては静止していて決して回転などしていないとわかるのに、回転している感覚はなくならない。ただ、その種の問題が生じない限り、脳は視覚からの情報に強く影響を受ける。また固有受容感覚なども、自分の位置の把握に役立つ。

多数の感覚が協調し合っているおかげで私たちはこの世界でうまく生きていける。感覚は単独ではなく、多数が力を合わせることではじめて機能するのだ。

「別世界」を想像できると謙虚になれる

――環世界

デイヴィッド・イーグルマン

神経科学者、ベイラー医科大学知覚行動研究所ディレクター、神経科学と法に関するイニシアティブ。著書に『あなたの知らない脳』（大田直子訳、早川書房、2016年）

1909年、生物学者ヤーコプ・フォン・ユクスキュルは、「環世界説」を提唱した。ユクスキュルがこの言葉で表現したかったのは、たとえ同じ生態系のなかにいても、その環境から受け取る感覚情報は生物ごとに違っているという単純な（しかし見過ごされがちな）事実だった。

たとえば、ダニのなかには視覚や聴覚がないものがいるが、そういう生物にとっては、温度や酪酸（らくさん）のにおいといった情報が非常に重要になる。ブラックゴーストという魚にとっては電場が重要だ。エコーロケーション（自分の発する音波の反響によって周囲の状況を知ること）をするコウモリにとっては、空気圧縮波の情報が欠かせない。

このようにどの生物も、環境に存在する情報のごく一部だけを受け取っている。つまり世界の断片だけをとらえているのだ。その断片が「**環世界**」である。とらえられない部分も含めての世界全体がどういうものかは誰にもわからない。

ただし、個々の生物はおそらく、環世界が世界のすべてだと信じて生きている。**この世界は当然、私たちの感じている環世界よりも広いのに、通常、それを意識しない。**

映画「トゥルーマン・ショー」の主人公、トゥルーマンは、テレビ番組のプロデューサーが作りあげた世界のなかで暮らしている。映画のなかで、あるインタビュアーがプロデューサーに「なぜトゥルーマンは、自分を取り囲む世界の真実にまったく気づきもしないんですか」と尋ねる。プロデューサーはこう答える。

「私たちは皆、自分の目の前に提示された世界をそのまま受け入れているのですよ」

私たちは通常、環世界を現実世界そのものだと信じ、それ以上のことは考えようとしない。

自分の環世界の外にどれほどの世界が広がっているか、環世界がどれほど狭いか、それを知るために自分がもし犬だったらと想像してみよう。あなたの鼻には、約2億の嗅覚受容体がある。湿った鼻腔では、におい分子を引きつけ、捕まえる。においを嗅ぐと、鼻腔の端のスリットが大きく広がり、その分、多くの空気が通り抜ける。垂れた耳が地面につくくらいに姿勢を低くして、あなたは、におい分子を鼻のなかに取り入れる。あなたにとっての世界は、かなりの部分が嗅覚の作りあげた世界である。

ある日の午後、飼い主に連れられての散歩中、あなたは、あることに気づいて立ち止まる。そういえば、人間になったらどういう気分なのだろうと思ったのだ。人間の鼻は自分たち犬に比べれば、かわいそうなほど貧弱なものだ。あんな貧弱な鼻で空気を吸い込んだからって、外の世界の何がわかるというのだろう。においの分子が鼻の穴から入ったとしても、果たしてそれはどこに行くのだろうか。あまり意味がないのではないか。

もちろん、皆、よく知っているとおり、私たち人間は、においの不足に悩んだりはしていない。誰もが自分に提示された現実を真の世界だと信じているからだ。犬のような強力な嗅覚はないが、犬の嗅覚があれば世界は変わるかもしれないなどとはめったに考えない。特に子供は、たとえば**ミツバチには紫外線が見える、ガラガラヘビには赤外線が見えるといったことを学校で習うまで、自分たちの感覚で受け取れない情報が世界にあふれているなどとは一切考えない。**

私たちの感覚でとらえられるものはとても少ない

私の私的な調査ではあるが、電磁スペクトルのうちで、私たちに見える部分が全体の10兆分の1に満たないという事実は一般の人にはほとんど知られていない。

人間が環世界の限界にいかに無頓着かは、色覚多様性の人たちを考えればよくわかる。自分に見えない色を見ている人が大勢いると教わらない限り、そんな色がこの世界に存在するなど想像もしない。同様のことは先天的に盲目の人にも言える。盲目の人にとって見えないという状況は、晴眼者が突如、暗闇あるいは暗い穴に押し込まれたときの感覚とはまったく違う。

これは人間と犬を比較するのに似ている。盲目の人は、自分には視覚が足りないと感じるわけではない。視覚というものを思いつきもしないのだ。視覚のある人たちには、電磁スペクトルのほんの一部だけを見られるのだが、盲目の人たちの環世界にはそれが含まれていないというだけだ。

科学が発達するほど、真の現実世界のうち、私たちの感覚でとらえられていると思える部分の割合が小さくなっていく。私たちの感覚の能力は、自分の生態系のなかで生きていくのには十分なものである。しかし、その感覚が描き出す世界は、真の世界の概観にすらなっていないことは理解すべきだろう。

環世界という言葉、概念が一般の人々の間にも広まれば、おそらくあらゆる人にとって利益になるだろう。この世界には入手のできない情報があり、想像もつかない可能性があることを誰もが意識するようになるからだ。私たちは毎日のように誰かの意見、あるいはその意見に対する批判を耳にする。**環世界という概念が頭にあれば、まず、意見を言う人、批判する人がどの程度、自分が入手できない情報の多さ、見ることのできない世界の広さを意識し、謙虚な姿勢を保っているかを見ようとするだろう。**その謙虚さのない人の言うことはまず聴くに値しない。

無意識のうちに人は高度な思考をしている

――チューリングの理性的な無意識

アリソン・ゴプニック

カリフォルニア大学バークレー校の心理学者。著書に『哲学する赤ちゃん』(青木玲訳、亜紀書房、2010年)

20世紀の科学の大きな成果のひとつは、人間の心の動きのほとんどが本人にも意識されないとわかったことだろう。ただ、一般の人が「無意識」と聞いて思い浮かべるのは、フロイトの言う非理性的な無意識だ。混乱していて、感情的、好色な「イド」である。この無意識は意識の検閲をほとんど受けない。フロイトの学説自体は科学の世界では評価を大きく落としてしまっているのだが、無意識に対するこの見方はまだ広く受け入れられている。

科学、テクノロジーを大きく進歩させた無意識は、「チューリングの理性的な無意識」とでも呼ぶべきものだ。これは映画「インセプション」で描かれているような無意識だ。この映画での無意識の描き方は科学的に見て非常に的確だと言える。

その無意識世界では、ダリの絵画のような風景のなかでネグリジェ姿の女性が拳銃を振りかざす、などという状況は生じない。計算尺を持ったナードたちが何人もいるような世界というほうが現実に近い。少なくともそう描いたほうが、映画を観る人により真実に近い心の姿を見せられるだろう。それで映画の観客動員数が増えるかどうかは疑問だろうが。

ロックやヒュームなど過去の思想家たちは、のちの心理学の発見の多くを予見していたが、彼らが人間の心の基本的な要素と見ていたのは、あくまで意識のなかにあるさまざまな「考え」であった。

近代コンピュータの父とも言われるアラン・チューリングは、人間の心のなかでは、綿密な計算が連続的に行われていると考え、またその計算はすべて無意識ではなく、極めて意識的なものだと考えた。つまり、ブレッチリー・パークでドイツ軍の暗号を解くための計算作業をしていた「コンピュータ」と呼ばれた女性たちのようなものだと考えたわけだ。

チューリングの考えた心は、実際の心に極めて近かった。実際には、チューリングの考えたような動きが無意識で行われていたというだけだった。暗号を解読する「コンピュータ」たちが意識して行っていた綿密な計算を、無意識でひとつひとつ進めることのできる機械、それが心だったわけだ。同じく「意識のない」リレーと真空管で作られたコンピュータも、意識も血肉もある人間の「コンピュータ」と同じように計算をし、正しい答えを得られる。

もうひとつチューリングが偉大だったのは、人間の心、脳は大部分、心や意識のないコンピュータと同じように理解できるものだと見抜いたところだ。ブレッチリー・パークの女性たちは仕事で、意識的に複雑な計算を見事にこなしていた。しかし彼女たちは同時に、無意識に膨大な計算を確実にこなしていた。誰かと言葉を交わすときも、部屋のなかを見渡すときも必ず、脳内では無意識に計算をしなくてはいけないからである。

目の網膜にとらえられた画像は、実は非常に混沌としたものである。そのなかから三次元の物体の存在を見つけ出すのはそう簡単ではない。ナチスの暗号化された電信から潜水艦に関する情報を取り出すのと変わらないほどの難しさだ。だから、どちらの問題も同じ方法で解決するのはごく自然なことだとわかる。

近年では、認知科学者たちは確率論を取り入れるようになり、それによって、演繹的推論だけでなく、帰納的推論のできる無意識について説明すること、あるいはそういう機能を持つコンピュータの設計も可能になった。

確率論を取り入れたシステムは、世界を見るときに、いくつもの可能性を同時に想定する。同時にいくつもの仮説を立て、そのうえで、時々の状況に応じて、仮説ごとにそれがどの程度、正しいか、その確率を推定する。新たな情報が得られるたびに、確率は改定していく。この作業では、一種の「リバース・エンジニアリング」を行う。その時々に得られる証拠を頼りに、合理的な思考によってできる限り真実に近づこうとする。これを人間は絶えず無意識のうちに繰り返しているのだ。

この発見によって、認知科学は大きな進歩を遂げた。しかし、こうした見方はまだ一般の人々には広まっていない。いまだに、性や暴力が大きな位置を占める古い進化生物学の考え方を信じている人が多い。確かにそのほうがおもしろいとも言えるので、無理もないのかもしれない（映画も、そういう見方をもとに作ったほうが客が呼べそうだ）。

「脳」と「日頃の思考」との間の橋渡し

だが、たとえば視覚の研究が進んだことで、実は網膜がとらえる光の情報は混沌としたものでしかなく、それを私たちの視覚系、脳は整理して首尾一貫したものにまとめ、外の世界の様子をおおまかにでもわかるようにしているといったことが解明されている。これがわかったのは、間違いなく、認知科学、神経科学の最も素晴らしい成果だろう。私たちがまったく意識していない間に、視覚系は網膜がとらえたデータをもとに、見えている物体がどういうものなのかを合理的に推測している。それに気づいたのが大きな一歩だった。あとは、脳内でそのための処理が具体的にどのように進められているかを詳しく調べることになった。

理性的な無意識という概念は、長らく理性と無縁と見られていた幼い子供や動物に対する見方を根本的に変えた。また、人間の日常の情報処理に対する見方も変えてしまった。

フロイト派の心理学では、幼い子供の無意識は夢見がちで不合理なものだとみなされていた。ピアジェ心理学においてさえ、幼い子供は基本的に非論理的なものと考えられていた。しかし、近年の調査により、幼い子供たちの発する言葉と、彼ら彼女らの経験していることの間には大きなギャップがあるとわかった。そのつたない言葉とは裏腹に、実は無意識とはいえ、驚くべき精度での学習、帰納的思考、推論をしている。乳児の学習が驚異的に速い理由も、このように理性的な無意識があると考えれば当然だとわかる。**意識のうえでは何も理解していないように見えても、実は無意識に急速に物事を理解している**わけだ。

理性的な無意識は、頭蓋骨のなかにある脳という物体と、私たちの日頃の思考との間の橋渡しという役割を担っていると見ることもできる。私たちの日常の体験は、結局は脳から生じているのだが、ただの物体である脳と体験の間のギャップが大きすぎる。**知識も愛情も美徳も、すべては脳のなかに詰まっている**（脳以外にあるわけはないのだが）という事実に驚きを感じ、信じられないという思いを抱く。理性的な無意識は、意識的な体験にとっても、神経科学にとっても非常に重要なものになっている。

直感的には、私たちは自分の心についてよく知っていると感じる。自分の意識的体験には、その下で起きている出来事が直に反映されていると思っている。しかし、実際には、理性的な無意識と私たちの意識的な体験の間には、大きな隔たりがある。社会心理学、認知心理学の領域では現在、そのことについての追究が最も興味深い研究課題となっている。

たとえば、私たちの意識は、確率についてなかなかうまく理解できない。ところが、無意識のほうは常に確率を考慮した微妙な判断を繰り返している。意識だけを調べていたのでは、知性について知るのは難しい。意識と私たちの経験との結びつきがよくわからないからだ。両者の関係はあまりにも複雑で難解で、予測不可能に見えてしまう。

脳の部位を単純に特定の機能に結びつける「現代の骨相学」とも言うべき考え方は根強く残っているが、神経科学はどうしてもそれを乗り越えて先へ進まなくてはいけなかった。理性的な無意識という存在を仮定することでそれが可能になった。脳のどこが何をしているか、だけではなく、なぜ脳はこのように機能するのかを問えるようになった。

この動きを先導しているのは、視覚の研究者たちである。視覚に関わるニューロンのネットワークがそれぞれいかに合理的に機能して視覚に関わる問題を解決しているのかを、実証的研究によって鮮やかに解き明かしているからだ。

私たちは皆理性的な思考ができる

もちろん、理性的な無意識にも限界はある。たとえば、目の錯覚という現象は、いかに私たちの視覚系が優秀で精巧でも、失敗はあるという証明になる。ただ、「認知のメガネ」とでも呼ぶべき人工的な矯正器具を作り、その限界を超えることは不可能ではないだろう。実際にそういう器具の開発に取り組んでいるところはある。

理性的な無意識の発見によってわかったのは、**理性的な思考は私たちが「科学者」と呼んでいる一部の特権的な専門家たちだけのものではない**ということだ。実は誰もが生まれつき持っている能力だった。視覚系の働きの素晴らしさや子供の無意識の優秀さについて深く知ったからといって、それだけで即、幸せになるわけでも、うまく生きられるわけでもないが、人間の真の賢さを理解する助けにはなるだろう。

赤いシャツを着ると魅力的に見える

——無意識下の情報処理

アダム・オルター

心理学者、ニューヨーク大学スターン・スクール・オブ・ビジネス、マーケティング准教授、心理学部で教鞭を執る

人間の脳はとてつもなく複雑なものである。日常的なごく普通の活動をしているときでも、脳内では、多数の情報処理が並行して行われているが、そのほとんどは意識にのぼらない。この無意識下で処理されている情報は、私たちの思考や感情、行動に微妙な影響を与える。またそれが積み重なり、結果的に人生に大きな影響を与えることもある。ここでは、それがよくわかる例を3つほど紹介する。私がこれからペンギン・プレスから刊行する予定の著書にはもっと多くの例を挙げている。

①色

色は私たちの周囲のどこにも存在している。しかし、特別に鮮やかな場合や、大きく自分の予測と違う場合を除き、私が色の存在を意識することはほとんどない。しかし、人間は見た色にさまざまな影響を受ける。

ロチェスター大学の心理学者、アンドリュー・エリオットとダニエラ・ニエスタの近年の研究では、**男性は赤いシャツを着ると、ほかの色のシャツを着たときに比べ、女性にとって少し魅力的に見える**ことがわ

かった。

同じような効果は女性にも認められる。**女性の場合は写真を赤で縁取ると男性にとってより魅力的に見える。**赤は恋愛に積極的であること、同種のほかの個体よりも優位にいることを示す色だ。男性でも女性でもこの点は同じだ。

ダラム大学の進化人類学者、ラッセル・ヒル、ロバート・バートンの研究では、多数のスポーツで、赤い服を着た競技者が、ほかの色を着た競技者よりも良いパフォーマンスを見せる傾向にあるのがわかっている。「自分は強い」というイメージを相手に知らせる力が赤という色にあるとすれば、そうなるのもうなずける。

しかし、赤が常に良いとは限らない。赤は誤りを知らせるときや、警告するときに使われるケースが多いため、赤を見ると人は緊張しやすい。緊張によって創造性が下がることもある（サイエンス誌2009年2月27日号の記事「青それとも赤？　認知作業のパフォーマンスに与える色の影響を探る（Blue or red? Exploring the Effect of Color on Cognitive Task Performances）」（ラヴィ・メフタ、ルイ・ズー共著）などを参照）。

こうした研究結果は、生物学、人間心理学に照らして正しいと思われる。だが、知って驚く人は多いだろう。

②天候と周囲の気温

晴れた暖かい日に人は幸福な気分になると言っても驚く人はいないに違いない。だが、天候や気温が人に与える影響はそれだけではない。どちらも人の気分に思いがけない影響を与える。

たとえば、雨の日に人は内省的になり、思慮深くなる。それに伴い、記憶力も向上する［Forgas et al., 2009, *J. Exp. Soc. Psychol.*］。フォーガスの研究では、ある店舗の様子を被験者に記憶してもらうと、**晴れの日よりも雨の日のほうが記憶が正確になる**という結果が出た。

株式市場では、晴れの日に株価が上がる傾向にある。一方、気温の低い雨の日には、一時的に取引が不活発になり株価が下がる傾向にあるのもわかっている［e.g.Hirshleifers & Shumway, 2003, *J. Finance*; Saunders, 1993, *Am. Econ. Rev.*］。

さらに驚くのは、天候と自殺や鬱との間に関係が見られることだ。また、天候によって人の怒りっぽさや、さまざまな種類の事故の発生頻度にも強い関係が見られる。すべては、大気の電気的な状態の変化への反応だとも言われている［Charry & Hawkinshire, 1981, *J. Pers. Soc. Psychol.*］。

暖かさと人間の親切さの間の関係は、単なる比喩ではない。近年の研究では、**温かいコーヒーの入ったカップを手に持っているときに知らない人を見ると、第一印象が良くなる**のもわかっている［Williams& Bargh, 2008, *Science*］。その反対のことも起きる。たとえば、周囲の人たちから疎外されたとき、人は本当にその場が寒いと感じるようだ。

③記号と画像

都市の景観には無数の記号や画像があり、それが人の思考や行動に無意識のうちに影響を与えている。私たちの研究によれば、**キリスト教徒を自任する人は、十字架の画像を見るだけでその後、より誠実な行動を**

取ることがわかっている。自分で見たという記憶がなくてもそうなるのだ。ミシガン大学グループ・ダイナミクス研究所の心理学者、マーク・ボールドウィンが1989年に行った実験では、サブリミナルでローマ教皇ヨハネ・パウロ二世の画像を見たキリスト教徒は、その後、自分を普段より徳の低い人間だと感じるとわかった。キリスト教では普通の人間にはほとんど到達不可能と思えるほどの高い水準の徳が求められていることを思い出すからのようだ。

そのほかには、**アップル社のロゴを見ただけで、創造的な思考をする**ようになる［Fitzsimons et al., 2008, *J. Consumer Res.*］、あるいは**白熱電球が光り出すのを見て創造性が増す**という研究結果［Slepian et al., 2010, *J. Exp. Soc. Psychol.*］もある。

アップル社のロゴも、光っている白熱電球のイラストも、創造性に結びつけられる機会は多いので、納得のできる研究結果ではある。比喩表現に使われるほど、その関係が深く心に浸透している表れだ。そこまでになれば、見るだけで思考に影響を与える可能性がある。

同じような連想により、国旗を見るだけで団結心が高まるという効果もある。イスラエル人を対象にした実験では、被験者が左翼でも、右翼でも、サブリミナルでイスラエルの国旗を見たあとは、自分と異なる政治的意見に寛容になる傾向が認められた［Hassin et al., 2007, *Proc. Natl. Acad. Sci. USA*］。アメリカ人を対象に同様の実験をした例もある。**アメリカ人の被験者たちを大きなアメリカ国旗の前に座らせたところ、ムスリムに対する態度が好意的になった**という結果が得られている［Butz et al., 2007, *Pers. Soc. Psychol. Bull.*］。

色、天候、記号や画像のほか、無数の情報が日々、絶えず私たちの思考、感情、行動、決断に驚くほど影響を与えている。何がどう影響するかをよく知っておけば、良い影響は利用し、悪い影響は排除していけるだろう。

「氏と育ち」は対立せず、お互いを補完する
——学習の本能

W・テカムセ・フィッチ

進化生物学者、ウィーン大学認知生物学教授。著書に『言語の進化（The Evolution of Language）』

認知科学に関して特に問題なのは、「氏か育ちか」の二項対立への強い信仰だろう。心理学者、言語学者、社会科学者のほか、一般のメディアも相変わらず、「氏と育ち」を2つの対立する概念としてとらえている。

しかし、この2つは対立するのではなく、互いに補完し合うものである。2つを対立概念と考える人たちに、実は「氏でもあると同時に育ちでもある」、生物のある性質や能力が「生来のものであると同時に教育によって身につけた文化的なものでもある」などと言っても、馬鹿げた話だと一蹴してしまうだろう。

だが、現代の生物学者のほとんどは、生物の行動を理解するには、先天的な認知関連の機能（たとえば、学習や記憶のための機能）と、個体ごとに違う経験との間の相互作用を見る必要があると知っている。これ

は特に人間の行動にはよく当てはまる。人間の場合は、言語や文化が環境への適応のための大きな力になってきたからだ。**先天的な要素と後天的な要素の両方、氏と育ちの両方が重要なのだ。**

「学習の本能」と呼ぶべき本能の存在を知り、その重要性を理解すれば、「氏か育ちか」の二項対立にとらわれなくなるはずである。「学習の本能」という言葉を最初に使ったのは、鳥の鳴き声研究の先駆者のひとり、ピーター・マーラーだ。若鳥はまだ巣立ちの前から、熱心に同じ種の成鳥の鳴き声を聴くという。

数カ月後、成長した若鳥は自ら鳴き始める。手探りではあるが、長い間聴いて記憶に蓄えてきたお手本に似せようと練習をする。練習を重ねることで徐々にうまく鳴けるようになっていく。そしてすっかり大人になる頃には、種固有の鳴き方が完璧にできるようになり、その鳴き声でなわばりを守り、交尾の相手を呼び寄せるようになる。

鳴き方を学習する鳥は、古くから知られる学習の本能の実例である。若鳥が大人の鳴き声を熱心に聴くのも、お手本をまねて鳴こうと練習するのも、すべては本能による行動だ。若鳥は、鳴き方を学習する際、特に親鳥から講義を受けるわけでもないし、実際に鳴いてみて意見を言われるわけでもない。にもかかわらず、若鳥は鳴き方を学習しているのだ。

鳴き方は世代から世代へと受け継がれる。同種の鳥であっても鳴き方には「方言」がある。特に理由はないようだが、地域ごとに少しずつ違っている。若鳥がもし、成鳥の鳴き声を一切聴くことなく成長したとしたら、確かに声は出すものの、その種固有の鳴き方はできない。

重要なのは、こうした学習能力を持つのが、鳴き鳥やオウムなど、一部の鳥に限られるということだ。ほかの種の鳥たち、たとえばカモメやニワトリ、フクロウなどには同じような学習能力はない。学習能力を持たない鳥たちは、耳で聴いて覚えなくても、ひとりでに鳴き始めることが多い。

つまり、この種の鳥たちの鳴き声は、真に本能的なものなのだ。しかし、鳴き鳥の場合、成鳥の鳴き声は、本能（ほかの鳥の鳴き声を聴き、練習をしてまねをする本能）と学習（同種の成鳥と同じ鳴き方を身につける学習）が複雑に補完し合った結果である。

哺乳類の場合、これと同じような学習能力を持っている種はほとんどない。これは興味深いと同時に驚くべきことだろう。現在の研究では、人間を除けば、同様の学習能力を持っているのは、海生哺乳類（クジラ、イルカ、アザラシなど）、コウモリ、ゾウくらいだとされる。**霊長類のなかでは、周囲の音を聴いて、それをまねして出す種は人類のみ**のようだ。

この能力を身につけるうえで重要な意味を持つのは、片言で話をする乳幼児期だと思われる。この時期は話をすることが一種の遊びのようになっていて、また若鳥と同じように本能的に話をしているようでもある。子供たちは遊びながら練習を重ねていく。世話をしてくれる大人の話す言葉を聴き、そのとおりにまねして話すという動作を繰り返してうまくなっていくのだ。

では、人類の言語は本能なのか、それとも学習されたものなのか、どちらだろうか。こういう二項対立は、すでに書いたとおり、根本的に誤っている。世界には6000ほどの言語があるとされるが、どの言語のどの言葉もすべて学習するものである。だが、言語を学ぶ能力自体は、人間が生まれつき持っているものだ。健常な人間の子供であれば皆、持っている能力を、チンパンジーやゴリラの子供はまったく持っていない。**言語を学ぶ能力は先天的なものだ（人間であれば誰もが生まれつき持っている能力）。だが、後天的に学ばないと言語は使えない。**

ダーウィンは著書『人間の由来』(長谷川眞理子訳、講談社、2016年)でこう書いている。

「言語は一つの技術である。酒を醸造することや、食べ物を焼くことと同じような。……もちろん、真の意味で本能とは言えない。あらゆる言語は、学習をしなくては使えないからだ。ただし、言語には、普通の技術とは大きく違っているところがある。それは、人間には生まれつき、話をしようとする性質が備わっているということだ。幼い子供が誰にも促されないのに自分から次々に片言で話をするのを見てもわかる。だが、教わらないのに本能的に酒を醸造する子供や、食べ物を焼き、字を書く子供はいない」

人には学習する本能がある

ところで文化とはいったい何だろうか。文化というと、本能の対立概念だと考える人が多いだろう。ただ、人間の文化にとって、言語が大事な要素であるのは確かである。歴史のなかで蓄積され、その民族や国の固有の特徴となった知識や嗜好、価値観、生活様式を世代から世代へ引き継いでいく際には、言語が最も重要な媒介となる。そして、その言語を学ぶ能力が本能なのだとしたら、どう考えるべきなのだろうか。

最近の10年間で、人間の遺伝子や神経系に関する研究は急速に進んだ。おそらく今後の10年間にはさらに驚くべき進歩があるだろう。60億いる人類の遺伝子はひとりずつ皆、違っている(一卵性双生児という興味深い例外もいるが)。固有の遺伝子の影響は当然、大きいが、それだけで私たちの人となりがすべて決定されるわけではない。

人間という動物の生態について、また遺伝的性質について真剣に知ろうとすれば、昔からある「氏か育ちか」の二項対立は捨て去るしかないとわかるはずだ。**多くの学習の本能（言語、音楽、舞踏、文化などを学ぼうとする本能）が、人間が人間らしくあるためには非常に重要になる。**それを理解すべきだろう。

学習の本能の存在を知れば、「氏か育ちか」という二項対立はもはや的外れであることがよくわかる。動物には学習の本能がある事実を、現代に生きる人すべてが知っておくべきだろう。ヒトゲノムがすべて解析される時代だからこそ、これは大切である。

人間は遺伝子だけでは決まらないし、後天的な経験、学習だけでも決まらない。両者は対立するわけではなく補完し合っているのだと知ることが必要だ。人間の言語や文化は、本能だけでも学習だけでも生じない。まず「学習する本能」がなくてはいけない。

重要なことは「ボトムアップ」で起こる

——不可避な流れ

マイケル・シャーマー

スケプティック誌発行人、クレアモント・グラデュエイト大学非常勤教授。著書に『信じやすい脳：幽霊、神から政治、陰謀論まで——私たちはなぜ何かを信じ、それが真実であるという信念を強化するのか（The Believing Brain: From Ghosts and Gods to Politics and Conspiracies – How We Construct Beliefs and Reinforce Them as Truths）』

人間の認知や思考に関して私がひとつ大切だと思うのは、「トップダウンではなく、ボトムアップで物事を考えるべき」ということだ。**自然や社会のなかで、重要な事柄はほとんどトップダウンではなく、ボトム**

アップで起きるからだ。

たとえば、水は、水素と酸素の自己組織化する性質により、ボトムアップで生じる。生命もボトムアップで生じた。初期の地球環境にエネルギーが注ぎ込まれ、自己組織化する性質を持った有機分子が多数、融合してタンパク鎖ができ、それから生命が生じた。私たちの身体を構成している真核細胞もボトムアップで生じた。より単純な原核細胞が共生し、ゲノムが自然に融合して生じたのだ。

進化もボトムアップで起きる。個々の生物が少しでも長く生存し続けようとし、また遺伝子を次世代へと伝えようとしてきた結果、はじめの単純だった生物から、現在見られるような複雑な生物が多数生まれた。

同様に、経済も自己組織化するボトムアップのプロセスである。大勢の人たちがただ、自分が生き延び、次の世代に遺伝子を引き継ごうと努力しているうちに、自然に現在見られるような多種多様な商品、サービスが生まれている。民主主義もやはりボトムアップで生じた政治制度である。それまでのトップダウンの王政、神政、専制政治に取って代わるために生まれた制度だ。経済も政治制度も、人間が頭で考えて作ったものではなく、人間の行動の結果として自然に生じたものだ。

だが、ほとんどの人は、ボトムアップではなくトップダウンで世界を見ているだろう。それは、人間の脳が世界のなかから「デザイン」を見つけ出すよう進化しているためだ。通常、デザインされたものがあれば、必ずそれのデザイナー(普通は人間)がいる。そしてデザイナーには知性があるはずだ。多くの人は直感的に、自然界に存在するものもデザインされていると思う。

デザインされているということは、ボトムアップではなく、トップダウンで作られているということだ。ボトムアップの推論は人間の直感に反している。生命ですらトップダウンでデザインされたと信じる人が多いのはそのせいだし、経済は人間の意思でコントロールできると思うのも、国はトップダウンで統治すべきと思うのもそのせいだ。

ボトムアップの世界観を多くの人に知ってもらうには、トップダウンのデザインではなくボトムアップで自然に生じたものの実例を多く示すのがいいだろう。

実例のひとつに言語がある。英語という言語が今日のようになったのは、誰かがそのようにデザインしたからではない(今のティーンエージャーは、すべてのセンテンスに〝like〟を入れるような話し方をするが、それも誰かがそう決めたわけではない)。

チョーサーの時代から、英語はボトムアップで変化を続けてきた。ネイティブスピーカーたちが日々、自分たちの独自の生活や文化に合った表現を続けているうちに自然に変わっていったのだ。人類の知識生成は、元はほとんどトップダウンで進められていたが、歴史を経るごとに次第にボトムアップに変わっている。古代の聖職者から、中世の学者、大学教授、そして大学の出版局へと、知の主な担い手は時代ごとに変化している。社会の民主化とともに知の民主化も進み、トップダウンの支配から徐々に解き放たれている。

過去には権力者だけが複数巻から成る百科事典を独占し、それを知識の最終的な拠りどころとして振りかざしていた。しかし、今ではインターネット上に無数の個人が知識を持ち寄って作りあげられた百科事典が存在し、あらゆる人が何かの分野の専門家として知識を提供できる状態になっている。

インターネットは、これ以上はないほどボトムアップのシステムである。無数のコンピュータが集まり、自己組織化したシステムである。コンピュータどうしは、これもまた多数あるサーバーを通してデータを互いにやりとりする。トップダウンの管理も多少は行われているが、基本的にはボトムアップであり、その点はトップダウンの管理が行われている経済制度、政治制度と同じである。

だがデジタルの世界の強み、自由は、全体を管理する責任者が誰もいないというところから生まれている。最近の500年間に、人類はトップダウンのシステムからボトムアップのシステムへの転換を少しずつ進めてきた。この流れは不可避なものだったと考えられる。その理由は簡単だ。**情報も人間も本質的には自由を望むものだからである。**

単純な反射のように見えて実は違う行動

――固定的行動パターン

アイリーン・ペパーバーグ

ハーバード大学研究員、ブランダイス大学非常勤准教授（心理学）。著書に『アレックスと私』（佐柳信男訳、幻冬舎、2010年）

動物の**固定的行動パターン**の存在を最初に指摘したのは、オスカル・ハインロート、コンラート・ローレンツなどの初期の動物行動学者たちだ。彼らはこれを本能的な反応であると考えた。特定の刺激があったときに、ほぼ間違いなく一定の一連の行動を取るので、かなりの確度で行動が予測できる。一定の行動を引き起こさせる要因となる刺激をしばしば「リリーサー」と呼ぶ。固定的行動パターンは、その性質上、認知処理を伴わない行動であると長らく信じられてきた。

しかし、実際はそうではなかった。固定的行動パターンは動物行動学者が考えていたような「固定的」なものではまったくなかったのである。ただ、固定的行動パターンという用語は、歴史的な文献に数多く残されている。反射的に無条件に生じているように見える行動を動物行動学者たちはそう表現していたわけだ。**一見、単純に見える固定的行動パターンだが、これが実際にはどういうものなのかを知ると、人間の行動についての理解が深まるし、人間の行動を変えることにもつながるだろう。**

固定的行動パターンについて書かれた過去の文献を読むと、本能的な反応だと思われていた行動の多くが実は学習されたものであることがわかる。非常に単純な信号に対する反応でさえ、本能ではなく学習されたものが多いのだ。

たとえば、孵化したばかりのセグロカモメのひなは、親鳥のクチバシの赤い点をつついて食べ物をねだる。これは単純な行動とは言えないが、本能的な固定的行動パターンだと考えられていた。鳥類学者、動物行動学者のジャック・P・ハイルマンによれば、この場合、本能だと言えるのは、視界に振動するものがあるとクチバシでつつこうとする傾向だけだという。クチバシの、それも赤い点をつつく能力は非常に短い間に確実に身につく能力ではあるが、それでも先天的なものではなく、経験によって身につけるのだという。

もちろん、ある程度の傾向は生まれつき持っていなくてはいけないが、その種の生物に特有の精度の高い行動を身につけるには、生まれたあとの環境への働きかけ、環境からのフィードバックが必要になる。特に人間の場合、「ある刺激があれば、必ずこう反応する」というような単純な仕組みの行動はまずない。刺激がどのようなものであるかの評価は、常にできる限り行って反応する。

人間にも確かに、本能のように見える固定的行動パターンはある（そして、時にそういう行動を変化させたいと望み、行動を変化させる必要に迫られる）。なぜ、そう見えるのか。人間も、ある刺激に対して一定の反応をする傾向を受け継いでいる。そのため、一見、決まったリリーサーに対して決まった反応をしているだけに見えることがあるのだ。

固定的行動パターンに見えても、実際には学習によって身につけるものだとしたら、完全に身につける前の稚拙な状態も観察が可能だろうか。固定的に見える行動パターンは、私たちの生活のさまざまな面に大きな影響を与えている。人と人との関わりにも、仕事上での意思決定にも影響しているだろう。**固定的行動パターン、特に自分が関わる人の固定的行動パターンを深く理解すれば、おそらく自分の行動パターンについてもそれまでとは違う見方ができる。**人間には認知処理能力があるにもかかわらず、その能力を持った人間の行動が単純な反射に見えるとはどういうことかをよく考える必要がある。

人間の一生は何秒？

――10のべき乗

テレンス・セジュノスキー

計算論的神経科学者、ソーク研究所フランシス・クリック教授。共著書（パトリシア・チャーチランドとの共著）に『コンピュータとしての脳（The Computational Brain）』

科学研究を進めるうえで、私がひとつ重要としているのは、世界を見るスケール、あるいはタイムスケールを必要に応じてさまざまに変えることだ。そのためにまず理解すべきなのは、「10のべき乗」だ。また、対数目盛のグラフを使い、データをさまざまなスケールで視覚化する作業も大切だし、データの単位、個々の単位の意味を十分に理解する必要もある。たとえば、「デシベル（dB）」は音の強さを表す単位で、「リクター・スケール」は、地震のエネルギーの大きさを表す単位だ。

これは現代に生きる人間なら誰もが理解し、できるようになっておくべきだろう。しかし残念ながら、高い教育を受けたはずの人でも、科学者でなければ、たとえば対数目盛を見ると困惑することが多いようだ。そして、マグニチュード6の地震と8の地震の規模がどのくらい違うかの理解もおぼつかない人が少なくない（マグニチュード8だと、マグニチュード6に比べて放出されるエネルギーは１０００倍にもなる）。10のべき乗を基本に考えるスキルは、整数などと同じように小学校で教えるべきだろう。

拡大、縮小に関わる法則は自然界の至るところに見つけられる。大きな動物は、小さい動物よりも脚の骨が太くなる。だが、脚の骨は決して身体の大きさに比例して太くなるわけではなく、身体の大きさに不釣り合いなほど太くなると、ガリレオは１６３８年に指摘している。

大きい動物は重い。重くなればなるほど、脚は頑丈でなくてはならない。そのため、動物が大きくなると、脚は急激に太くなる。脚の骨の太さは、長さの３／２乗で増えていくと予測できる。

ほかに興味深いのは、脳の白質と灰白質の体積の比率に成り立つ法則である。白質は、脳の各領域間をつなぐ長い神経線維が集まった部分、灰白質は、情報処理が行われる部分である。哺乳類の場合、ゾウの体重はトガリネズミの10の5乗倍にもなる。大きい動物ほど脳も大きくなるが、白質の重さは、灰白質の５／４乗になる。これは、脳が大きくなればなるほど、情報をやりとりする役割を担う白質の体積が、情報処理を担う灰白質に比して急激に増えることを意味する。

最近の学生たちを見ていて気になるのは、どうも10のべき乗で物事を推定する力に欠けているのではないかという点だ。私が学生の頃、計算には計算尺を使っていたが、最近の学生が使うのはもちろん電卓である。計算尺を使うと、ある数の対数を足す、あるいは引くという計算を繰り返せば、いくつもの乗算を連続して行える。だが、計算の前には、求める数字がだいたい10の何乗くらいのスケールなのかを推定する必要がある。

電卓を使えば、確かにその推定をしなくても済む。しかし、もし数字を打ち間違えたら、計算結果が下手をすると10桁くらい違ってしまう可能性がある。計算結果をあらかじめ推定しなかったら、それだけの大きな誤りに気づかない恐れがあるのだ。

10のべき乗に日頃から慣れ親しんでおくといい理由はほかにもある。それは、**自分の人生や自分の生きる世界についての理解を助ける**という理由だ。次にいくつかの例を紹介しておこう。

■人間の一生は何秒くらいなのだろうか。答えは、約10^9秒。

「秒」というのは、人間が勝手に決めた恣意的な時間単位である。ただ、私たちの日頃の体験に関わりが深くわかりやすいとは言える。私たちの視覚系は、1秒間にだいたい3枚のスナップショット画像を受け取る。眼球を絶えず素早く動かすことで、これだけの数の画像をとらえられる。

この眼球の動きを「サッケード」と呼ぶ。スポーツ選手の勝敗は、1秒の何分の1かで決まるケースが多い。もし何かの方法で1秒に1ドルずつ稼げれば、億万長者になれるだろう。1秒はそういった意味ではとても短い。

しかし、大勢の人の前に出て何かをしたときには、1秒が1分にも感じられることがある。かと思えば、のんびり過ごせる穏やかな週末は一瞬うちに過ぎ去るように感じられる。

子供の頃は、夏が永遠に続くほど長く感じられたが、大人になると始まったと思ったら終わっている。ウィリアム・ジェームズは、主観的な時間の長さは、新奇な体験の量で決まると考えた。新奇な体験が年を取るほど減っていくのは確かである。人生の長さは対数的になっているのかもしれない。**終わりに近づくほど短く感じられる**のだ。

■ **世界のGDPはだいたいどのくらいか。答えは、10^{14}ドル。**

少し前は10億ドルといえば相当な財産だったが、今では資産何十億という富豪が大勢いる。アメリカ政府は最近、世界景気の刺激のため、銀行に数兆ドルの融資をした。1兆（10^{12}）ドルと言われても、いったいそれがどのくらいの金額なのかはわかりにくい。

ただ、YouTubeにはそれをわかりやすく教えてくれる動画がいくつかある。たとえばある動画では、100ドル紙幣だとどのくらいの束になるかを見せてくれる。1兆ドルで何が買えるかを教える動画もある（9・11テロへの対応のためにアメリカ政府は10年間で1兆ドルを費やしたという話もある）。

世界経済について話をすると、すぐに1兆ドルという単位になる。ここで1兆ドル、ここでも1兆ドルという具合に。つまり1兆ドルが現実的なものということだ。しかし、今のところ、**個人で1兆ドルの資産を持つ富豪はいない。**

■脳内にはどのくらいの数のシナプスがあるか。答えは10^{15}個。

シナプスとは、ニューロンがほかのニューロンと情報をやりとりする場所である。これが脳内の情報処理の単位となる。

皮質シナプスの大きさは通常、1ミクロンにも満たない（10^{-6}メートル）。光学顕微鏡の解像度で見える限界に近い大きさである。世界経済について考えていた頭で、急に脳内のシナプスについて考えようとしてもあまりに違いすぎてなかなかうまくいかないだろう。

だが、もし私が**シナプスひとつにつき1ドルを手に入れられるとしたら、それで現在の世界経済を10年間支えられる。**そう考えると少しわかる。

皮質ニューロンは平均で1秒に1回発火する。これは、脳全体の帯域幅が10^{15}ビット／秒ほどであることを意味する。インターネット・バックボーン（基幹回線）の帯域幅を合計したよりも多い。

■太陽が輝いていられる時間は何秒くらいか。答えは10^{17}秒ほど。

私たちの太陽はすでに何十億年も輝いていて、これから先も何十億年かは輝き続ける。

宇宙は、私たちが生きている間はほとんど今と変わることなく安定しているように見えるだろう。しかし、もっと長いタイムスケールで見ると、宇宙ではとてつもない出来事が繰り返し起きる。

宇宙は空間のスケールも巨大である。私たち人間は空間、時間どちらにおいても、宇宙のなかで占められるのはごくわずかな部分でしかない。しかし、**10のべき乗をよく理解して使いこなせれば、その大きなスケールを頭のなかで考えてみることはできる。**

ゼロから生物を作る試み

――ライフ・コード

ファン・エンリケス

エクセル・ヴェンチャー・マネージメントのマネージング・ディレクター。著書に『フューチャー・キャッチズ・ユー：ゲノミクスなどの力はあなたの人生、仕事、健康、財産をどう変えるか（As the Future Catches You: How Genomics & Other Forces Are Changing Your Life, Work, Health & Wealth）』、共著書（スティーブ・ガランズとの共著）に『ホモ・エボルティス：次の人類に出会おう（Homo Evolutis: Please Meet the Next Human Species）』

現代人にとって、デジタル・コードはすでに馴染み深いものだろう。いわゆるＩＴの世界ではあらゆることがデジタル・コードで表現される。そして間もなく、一般の人たちが普段の会話で「**ライフ・コード**（生命のコード）」について話す時代が来るに違いない。

ライフ・コードの存在、その読み方がわかるまでにはかなりの時間を要した。メンデルは比較的早いうちから著書でライフ・コードに触れていたが、ほとんど注目されなかった。

ダーウィンはその存在に気づいていたが、物議を醸すのを恐れ、何十年もの間、公表を控えた。

今や、一般向けの心理学の本から、企業のＰＲ文書、ジーンズの広告などまで、あらゆるところで見かけるＤＮＡでさえ、１９５３年に発見されてからしばらくは注目されなかった。10年近くの間、ワトソンやクリックについて言及する人がほとんどいない状況が続いたのだ。ライフ・コードとはどういうものかを解き明かしたにもかかわらず、2人は1960年代になるまで、ノーベル賞の候補にすらならなかった。

ライフ・コードに関してまったく無知だった人類は、その存在を知り始めるや、口々にさまざまな意見を述べ始めた。ライフ・コードを読み取る技術、複製する技術も生まれた。オタマジャクシのクローンは実はすでに1952年に作られていた。

ところが、クローン羊「ドリー」の誕生が発表されるまで、この技術に注目する人はほとんどいなかった。ドリー誕生のニュースには好奇心を刺激される人も多かったが、一方で驚き、怖れを抱く人もいた。同様のことは、体外受精と、最初の「試験管ベビー」、ルイーズ・ブラウンに関しても起きている。

この技術を完成させたロバート・エドワーズは2010年にノーベル賞を受けている。それは、試験管ベビー誕生からわずか32年後のことだった。

動物の遺伝子を複製し、同一の遺伝子を持った動物を何万、何十万と作り出す技術は、今では特に驚くようなものでもなくなっている。もはや「生物の複製についてどう考えるべきか」と議論する段階は過ぎている。現在の問題は、**「複製された生物を食べるべきか否か」**である。

多くの出来事を通じて、私たちは、ライフ・コードを読み取り、複製することに関して学んできた。ただ、最先端の研究に関して理解している人はほとんどいないだろう。現在は、読み取る、複製するに続く第3の段階に入っている。ライフ・コードを書き込む、または書き直す技術だ。これは読み取る、複製するよりもはるかに重要で影響の大きい技術だろう。

ライフ・コードに関係する技術は現在、すでにさまざまな産業に関係し、経済に大きな影響を与えている。ひとつ技術が生まれれば、その影響は多数の国、文化におよぶだろう。既存の生物の遺伝子の書き換えをするようになれば、これまでに見たこともない奇妙な生物が多数、進化する。たとえば、数独パズルを解くバクテリアの作製も可能だ。電子回路を作るウイルスも生まれ始めている。何もないところからまったく新しい生物を作る試みも始まっている。

なかでも、J・クレイグ・ヴェンター、ハミルトン・スミスらがエクソン社とともに進めている研究は世界のエネルギー市場を一変させる可能性を秘めている。レトロウイルスを使ったデザイナー遺伝子も、ゼロから生物を作る試みの一環である。**もし細胞の合成が可能になったとしたら、世界を大きく変えるのは間違いない。**

ライフ・コード研究の成果は、たとえば、エネルギー、繊維、化学薬品、IT、ワクチン、医薬、宇宙探査、農業、ファッション、金融、不動産など、多数の分野に影響を与えている。影響範囲はこれからも広がる一方だろう。

2000年、「ライフ・コード（life code）」という言葉をグーグルで検索しても、ヒット件数は559にしかならなかった。2009年ですらヒット件数は5万を下回っていた。だが、徐々に一般の人々の日常の会話に入り込み始めている。

デジタル・コードのおかげで、この何十年かの間にさまざまなことが起きた。DEC、ロータス、HP、IBM、マイクロソフト、アマゾン、グーグル、フェイスブックといった大企業が隆盛を誇ったのもデジタル・コードがあったからだ。だが、**これからの10年にフォーチュン500入りするのは、多くがライフ・コードを理解し、うまく応用した企業になる**だろう。

それはまだ始まりにすぎない。本当の変化は、私たちが人間のライフ・コードの書き換えを始めてから起きるだろう。それは人類という種を変化させることである。

長い間、環境に合わせて変化し、また環境に手を加えて変化させてきた**人類はついに、自分自身を含めた生物種を自らの手で意図的に設計し、作り変えてしまう「ホモ・エボルティス(Homo evolutis)」とでも呼ぶべき存在に変わりつつある。**

制約があると創造性が上がる

——制約充足問題

スティーブン・M・コスリン

スタンフォード大学行動科学高等研究センターのディレクター。著書に『イメージと知性(Image and Mind)』

制約充足問題は、私たちが推論や意思決定の能力を向上させるのに非常に有効である。「制約」とは、ここでは、問題を解く際、あるいは意思決定をする際に考慮すべき条件を意味する。また「制約充足」とは、ある制約を満たす過程を指す。重要なのは、同時に複数の制約を満たす方法は通常、そう多くはないということである。

たとえば、私が新しい家に引っ越しをする。その場合、妻と私は、部屋に家具をどう配置するかを決定しなくてはいけない。ベッドのヘッドボードは、古くなってかなりぐらついていて、壁にもたれかけさせる必要がある。ヘッドボードの配置には制約があるということだ。ほかの家具にもそれぞれに条件があり、そのせいで、置く場所には制約がある。

特に問題なのは2つの小さなエンド・テーブルである。これはそれぞれ、ヘッドボードの脇に置かなくてはいけない。部屋のどこかに椅子をひとつ置く必要があるが、椅子のそばには読書灯も置かなくてはならない。古いソファは、後ろの脚が片方なくなっているので、脚の代わりに本を何冊か重ねて置く必要がある。当然、その本が見えないようにソファは置きたい。

驚くのは、だいたいいつも、ヘッドボードをどの壁にもたれさせるかを決めれば、あとの家具の配置はほとんど自動的に決まることだ。ヘッドボードをひとつの壁にもたれさせれば、ソファを置けるような長い壁はもうひとつしか残っていないのが普通だ。ソファを置いたら、椅子とランプを置く場所は必然的に決まってしまうだろう。

通常、制約が増えるほど、それを同時に満たす方法は少なくなっていく。特に強い制約が数多くあると、満たす方法はさらに少なくなる。私たちの家具の例で言うと、エンド・テーブルの配置に関わる制約は強い制約と言える。強い制約なので、満たす方法は非常に限定される。それに対し、ヘッドボードの配置の制約は、比較的弱い制約なので満たす方法は意外に多い（もたれさせるのは、壁であればどの壁でもいい）。

制約が少な過ぎると混沌としてしまう

制約と制約の間に矛盾があった場合にはどうすればいいのだろうか。たとえば、ガソリンスタンドが近くにないところに住んでいるので、電気自動車が買いたいが、高くてとても買えない場合はどうか。

制約は必ずすべてが同じように重要とは限らない。すべての制約を満たせなくても、最も重要な制約さえ満たせれば、全体としては満足のできる結果になる場合も多い。ガソリンスタンドが遠くて頻繁に給油ができないという意味では、電気自動車を買うのが最善なのだろうが、ハイブリッド車にすれば燃費がとても良くなるので、何とかそれで大丈夫という状況もあり得る。

どうすれば制約を満たせるか、それを考えるときには、今わかっている以外に制約はないかと考えてみると良い結果につながる。

たとえば、購入する車を決める際、（a）予算、そして（b）ガソリンスタンドが遠い、という2つの制約があるとすぐにわかったとする。そこに、自分の目的に合った車の大きさや、保証期間の長さ、デザインなども選ぶ条件に加えるのだ。制約が増えると、妥協できるものもたいてい増える。ある制約（たとえば燃費）はよく満たすのだが、あまり満たせない制約（デザインなど）があるなど。たとえ満たしにくい制約であっても、加えるだけで決断に役立つはずだ。

制約を満たすプロセスはさまざまな場面で必要になる。いくつか例をあげておこう。

- 探偵（シャーロック・ホームズからメンタリストまで）が事件を解決するとき。この場合は、見つかった手がかりが制約となる。その制約をすべて満たせれば、事件を解決できる可能性が高い。
- 結婚相談所。顧客が相手に望む条件が制約となる。どの制約がより重要かを見極めて、どの人が最も紹介するにふさわしいかを判断する。

・新居探し。新居に望む条件がすべて制約となる。広さ、価格、立地、近隣の環境といった条件のうち、どれが重要かを考えて、どの物件が良いかを決める。
・朝の身支度。着ていく服を選ぶ際には、色やデザインなどの条件が制約になる。

なぜ制約を満たすという考え方が重要かといえば、**問題の完璧な解決策は多くの場合、存在しない**からである。だから、今、どのような制約があるかを考えて、そのうちでどれが重要か、あるいは最低いくつの制約を満たせばよいかを判断するという方法を採るわけだ。

ただ、長い時間をかけてよく考えれば、それに比例して制約をよく満たせるわけではない。ひとつひとつの制約について順に考えていって結論を出す人はあまり多くないだろう。たいていの人は、すべての制約について一度に考えている。それも意識的に考えるのではなく、ある程度、考えたらしばらく忘れてしまうのだ。そうして無意識に考えさせる。あまり根を詰めて考えるより、無意識に考えさせるくらいのほうがかえって良い妥協案が浮かびやすい。

さらにもうひとつ重要なのは、**制約の多い状況に置かれると、人間の創造性は向上する可能性がある**という点だ。たとえば、斬新な料理が生まれるのは、使える材料が限られているときが多い。使いたいが手に入らない材料があれば、その代わりになるものを考えざるを得ない。そのおかげで今までになかった発想が浮かぶ。

また、制約条件に変更を加える、あるいは特定の制約条件を排除する、新たな制約条件をつけ加えることでも創造性は高まる。アインシュタインの大きなブレークスルーは、「時間は必ずしも同じ速さで過ぎるとは限らないのでは?」と気づいたために起きた。

制約を増やすと創造性が高まるというのは逆説的だが、実際にそういうことはある。自由な状況は良いが、自由は混沌にもつながる。制約があまりに少ないと、混沌としていて対応を考えるのが難しくなるときもある。

「進化」は試行錯誤の繰り返しによって起きる
――サイクル

ダニエル・C・デネット

哲学者、タフツ大学認知研究センター教授、共同ディレクター。著書に『解明される宗教―進化論的アプローチ』(阿部文彦訳、青土社、2010年)

自然界には、私たちにとって馴染み深い大規模なサイクルがいくつも存在する。昼のあとに夜が、夜のあとに昼が来るのもそのひとつだし、春夏秋冬という季節のサイクルもある。また水の循環というサイクルもある。蒸発した水が雨となり、湖や川を満たす。その水に頼って、地球上のあらゆる生物は生きる。

しかし、あらゆる空間的、時間的スケールのサイクル、原子のレベルから天文学のレベルまでのすべてのスケールのサイクルについてよく理解している人はいない。目に見えないところに存在し、自然界に驚異的な現象を引き起こしているサイクルが多数あるのだが、そのすべてについて知っている人はいないのだ。

ニコラウス・オットーは1861年にガソリン内燃機関（ガソリン・エンジン）を発明し、販売を開始した。そして、ルドルフ・ディーゼルは、1897年に最初のディーゼル・エンジンを作った。この2つの素晴らしい発明は世界を一変させた。

どちらのエンジンもサイクルを利用している。オットーのガソリン・エンジンは4ストローク・サイクルを、ディーゼルのディーゼル・エンジンは2ストローク・サイクルを利用するものだった。いずれの場合も、一定の動作をしたのちにシステムを元の状態に戻し、再度、同様の動作をする仕組みになっている点では同じである。どちらのサイクルも、細かい部分での多数の創意工夫のおかげで成立している。

その創意工夫に役立ったのが、何世紀も前から使われている研究開発のサイクルである。多数の研究開発サイクルによって、問題の解決方法がひとつずつ発見され、またシステムのあらゆる部分に改良が加えられてきた。

1937年にハンス・クレブスによって発見された「クエン酸回路」は、より小規模の洗練されたエンジンだが、これは人間が作ったものではなく、生命の誕生後、何百万という単位の時間をかけて進化した仕組みである。クエン酸回路は、8ストロークの化学反応である。代謝作用により、燃料をエネルギーに変える。細菌からセコイアに至るまで、あらゆる生物に欠かせない。

クエン酸回路のような生化学サイクルは、生物の運動、成長、自己修復、繁殖などの原動力となっている。生物は、多数のサイクルが何重にも入れ子になったような構造をしている。何兆という可動部から成るゼンマイ仕掛けの機械のようだ。可動部はすべてゼンマイを巻き直せば元の状態に戻り、同じ仕事を繰り返す。この仕組みは、何世代にもわたりダーウィン的進化によって改良を重ねられてきた。**偶然の改良が長年**

の間に無数に積み重なり、非常に洗練された仕組みができあがったわけだ。生物の進化に比べればはるかにスケールは小さいが、サイクルを有効に活かすことで発展を遂げてきた。

「サイクル」を活かすための2つの力

サイクルの有効性を発見したことは、人間の先史時代においても特に重要な出来事だったと考えられる。何かを作る際、同じ手順の繰り返しが必要になることも多い。たとえば、木の棒を石で擦っても、それですぐに何かが起きるわけではない。確かに見た目は少し変化するかもしれないが、それだけだ。100回擦ったとしても、さほど大きな変化は見られないはずだ。

ところが、何千回も擦ったあたりで、棒は見事に真っ直ぐな矢軸に変わっているかもしれない。**見てもほとんどわからないほどの変化を多数積み重ねれば、まったく新しいものを生み出せる可能性がある。**サイクルの力はそこにある。

人類がサイクルを有効に活かすためには、これを繰り返せば大きな結果につながると予見できるだけの洞察力と、あらかじめ定めたとおりに同じことを繰り返す自制心が必要になった。もちろんそれは画期的なことだった。

一方、ほかの生物にはその両方がない。知力も意志の力もないのに、本能だけで同じようにサイクルを利用し大きな結果を生んできた。これはもちろん、ダーウィン的な進化の賜物である。自らがダーウィン的進化の産物である人類は、知力と意志によってサイクルを加速できた。その点が新しかった。ダーウィン的進化ではない、文化的な進化だ。ダーウィン的進化においては、サイクルの成果は遺伝子を通じて次世代に伝えられるという方法でしか広まっていかなかった。だが、文化的な進化の産物は、直接血の繋がりのない仲間たちに模倣という手段によって広めることができる。

石を磨いて見事に左右対称な手斧を作った最初の先祖は、おそらく完成までの過程では周囲から愚か者と思われていただろう。その人は何時間も、目に見える成果もないまま、ただ石を擦っていただろう。

ほかの生物の何の意志も介在しないサイクルにも同様のことが言える。実際には少しずつ改良が進んで行っているのだが、あまりにも変化が遅いので周囲の生物にはそれが察知できない。ダーウィン的進化はたとえどれほど速くても、生物に察知できるほどの速度になることはまずない。

本来見る目があるはずの生物学者ですら、変化の遅さに騙されて誤解する。分子細胞生物学者のデニス・ブレイは、『ウェットウェア――単細胞は生きたコンピューターである』（熊谷玲美・田沢恭子・寺町朋子訳、早川書房、2011年）という素晴らしい本を書いているが、そのなかで神経系のサイクルについて次のように述べている。

通常のシグナリング経路では絶えず、タンパク質の修飾、あるいは修飾したタンパク質の復元が行われている。キナーゼとホスファターゼが巣のなかのアリのように休みなく働き、タンパク質にリン酸基をつけ加えたり、リン酸基を外したりする。これは一見、無意味な動きにも見える。しかも、細胞にとっては、ATP分子というコストを伴う仕事である。貴重なエネルギーを費やすわけだ。実際、この種のサイクル反応は、発見された当初は無駄なものとみなされていた。だが、これを無駄とみなすのは厳密には正しくない。タンパク質にリン酸基をつけ加えることは、それ自体は細胞内のごくありふれた反応だが、細胞が行う計算の大部分を支えている。無意味どころか、このサイクル反応は、細胞に貴重な資源を提供している。それは、柔軟で素早い調整が可能な装置である。

ここで「計算」という言葉を選んだのは非常に適切だと思う。細胞内で行われている情報処理のすべてが、まさにこの反応に依存していたからである。外からは魔法のように見える細胞の働きがこの単純な反応に頼っていた。実は生命そのものが同じようなサイクルによって成り立っている。入力された情報に手を加えて出力する、その情報が再入力される、さらに手を加えて出力する、の繰り返しだ。

ニューロンは生化学的なスケールのサイクルによって支えられている。また、より大きなスケールでは、脳の睡眠、覚醒のサイクルも重要なサイクルである。脳波を調べると、脳の活動が静かになる睡眠時と、再び活発になる覚醒時を繰り返しているのが明確にわかる。

コンピュータのプログラマーたちは、長年にわたり、計算をいかに応用すべきかを考え、その新たな利用方法を模索し続けてきた。だが、長年といってもその時間は1世紀にも満たない。その間、彼らは、多数の発明、発見を積み重ねてきたが、作業は基本的には同じサイクルの繰り返しだ。ループのなかにループ、さらにそのなかにループという具合に、ひとつのループのなかに何百万というループが入れ子になっている。**改善、改良の背後にあるのはいつも、試行錯誤の繰り返し**ということだ。

奇跡に見えることが、「サイクル」によって起こる

ダーウィン的進化は、小さな改良が繰り返され、それが蓄積されていく、というタイプの進化である。ただ、重要なのは、**ダーウィン的進化以外にも同じような進化の例は多数ある**という事実だ。

生命の起源について話をしていて困るのは、どこまで遡れば起源にたどり着けるのかわからないことだ。ダーウィン的進化には、生物の繁殖と、自然選択が必要になる。だがインテリジェント・デザイン論を唱える人たちは、その理論では「最初の生命」がどうやって生まれたのかが説明できないと主張する。最初の生命には親はいないので、繁殖によって生じるはずはないからだ。だから、何もないところから、とてつもなく複雑で、しかも非常に見事にデザインされているように見える最初の生命が誕生するのは奇跡に違いない、と彼らは言う。

生命誕生前の世界、繁殖が始まる以前の世界を、何の変哲もない化合物ばかりが散乱しているただの混沌（組み立てると飛行機になる多数の破片が飛び散っているような世界）と考えてしまうと、最初の生命はとても生まれそうにないと思える。生命誕生は、とても起きそうもないほど困難に思えるのだ。

だが、進化にはサイクル、繰り返しが重要だということを理解していれば、そういう思考にはならないはずだ（遺伝子の複製はそれ自体、たしかに複雑で精巧な仕組みだが、それが進化のすべてではない）。それでパズルが即、解けるわけではないが、どう考えれば解けるか、考え方は見えてくるはずだ。

季節のサイクル、水のサイクル、地質のサイクル、そして化合物のサイクルなどが何百万年、何千万年、

何億年と繰り返されていくうちに、徐々に地球の環境が変化していき、そのなかで最初の生命が生まれる条件が整えられていったのだと考えていいだろう。

おそらく、失敗に終わった試みも多数あったと考えられる。もう少しで生命が誕生したはずの「惜しい」出来事も多数あったはずだ。そしてガーシュウィンとデシルバの、あの官能的な歌（「ドゥ・イット・アゲイン（Do It Again）」）のタイトルどおり、**何度も繰り返し挑戦しているうちについに成功**したのだろう。

一見、魔法、奇跡と思えるようなことも、実際にはそうではない。なぜ、それが起きたのか、その理由はおそらくサイクル、繰り返しにある。**同じサイクルが繰り返され、少しの変化が蓄積されたことで、驚くような結果が生じたのだ。**

人間にはあらゆる種の生物を絶滅させる力がある
――キーストーン消費者

ジェニファー・ジャケ
ブリティッシュ・コロンビア大学環境経済学ポストドクター

皆にとっての共有資源がある場合、誰もが気をつけて消費しなくてはならない。抑制なしに皆が好きなように使ってしまうと資源は枯渇してしまう。協調が大事なのだ。

これは、生物学者、ギャレット・ハーディンの言う「共有地の悲劇」だ。共有の資源をすべての人が無遠慮に消費してしまうと、その資源を利用する全員が同じように被害を受ける。また、少数の人間が共有資源を濫用し、その結果、ほかの全員が被害を受ける事態も起こり得る。

生物のなかには「**キーストーン種**（中枢種）」と呼ばれるものがいる。これは動物学者ロバート・ペインの作った用語だ。ペインは1969年に、北太平洋の潮間帯の生態系からヒトデを取り除く実験により、この種の生物の存在を証明した。

ペインは、潮間帯から少しずつ「パープル・スター」と呼ばれるヒトデを排除していった。捕食者であるヒトデがいなくなると、その獲物となるイガイが異常に殖え、生物の多様性が急減することがわかった。ヒトデがいなくなると、イガイはカイメンとの競争に勝つ。カイメンがいなくなると、ウミウシもいなくなる。ヒトデがいなくなると、イソギンチャクも殖える。ヒトデがいるときには、餌になる生物がヒトデに取られるからだ。

ヒトデは、潮間帯のコミュニティを安定させる要石（キーストーン）のような生物と言っていい。ヒトデがいなくなると、コミュニティは崩壊し、その場はイガイだらけになる。**キーストーン種とは、このヒトデのように、生息数はさほど多くないにもかかわらず、生態系に大きな影響を与える生物種を指す。**

人間のコミュニティにとっては、病気や寄生生物が潮間帯におけるヒトデのような役割を果たしていると考えられる。病気が減れば（また同時に食料が増えれば）、人類は地球を占拠するほどに増える。人間の数が大幅に増えれば、当然、地球の環境は大きく変化するだろう。人類は、全員が同じように消費をするわけではない。キーストーン種とは、生態系の性質を決定づけるような生物種のことだが、私は人間の世界にも、**特定の資源の市場の性質を決定づけるような少数の集団、キーストーン人間とでも呼ぶべき集団が存在している**と思う。ごく一部の人たちの過剰な消費が、植物相や動物相を危機に追いやることもあるのだ。

たとえば、キャビア、アツモリソウ、トラのペニス、プルトニウム、ペットになる霊長類、ダイヤモンド、抗生物質、ハチドリ、タツノオトシゴなどの市場には、キーストーン消費者とも言うべき人たちが存在している。カエルの脚の市場は、アメリカ、ヨーロッパ、アジアのごく一部に消費者がいるだけの隙間市場である。しかし、そのせいで、インドネシア、エクアドル、ブラジルなどの国でカエルが激減するほどの影響が出ている。

哺乳類の4種に1種が絶滅の危機

高級レストランで好んでシーフードを食べる人たちの数はそう多いわけではない。それでも、数少ない愛好家の消費が原因で、南極付近のオレンジ・ラフィーやメロといった魚の資源量が激減する事態になっている。裕福になった中国の消費者が大量のフカヒレスープを求めたために、いくつかの種のサメが激減した。

現在、哺乳類の4種に1種（地球上にいる5487種の哺乳類のうちの1141種）は、絶滅の危機に陥っている。16世紀以降に絶滅した哺乳類は少なくとも76種いる。タスマニア・タイガー、オオウミガラス、ステラーカイギュウなど、多くは比較的、小規模の集団の狩りによって絶滅した。**人間には、たとえごく小規模の集団であっても、あらゆる種の生物を絶滅させるほどの影響力がある。**

生物以外の資源についても同様の不均衡が生じている。北米、西欧、日本、オーストラリアに住む人たちは、全世界の人口の15％にすぎないが、その人たちだけで、発展途上世界に住む85％の32倍もの資源（化石燃料や金属）を消費していて、32倍もの汚染物質を出している。都市に住む人たちは、地方在住者よりも多くの資源を消費する。近年の研究によれば、カナダ、ブリティッシュ・コロンビア州バンクーバーの平均的な住民のエコロジカル・フットプリントは、郊外、田園地域の平均的住民の約13倍にもなるという。

先進国の国民、都市生活者、象牙の収集家といったキーストーン消費者たちの特徴は、特定の資源に過度に依存している。たとえば、アメリカの水の80％を利用しているのは、農業である。大規模農場が水のキーストーン消費者になっているわけだ。

だが、なぜか節水のための取り組みのほとんどは、農場ではなく一般家庭の水消費を対象としたものになっている。これは大いに疑問だ。**キーストーン消費者は誰かという視点でものを見ると、誰を対象に努力をすれば最も大きな成果があがるか、どこに投資をすれば最もリターンが大きくなるかがわかってくる。**

キーストーン消費者も、キーストーン種と同じく、その数には不釣り合いなほどの影響力を持つ。生物学者たちは、キーストーン種を優先的に保護すべき存在とみなす。その種がいなくなると、ほかの多数の種も同時にいなくなる恐れがあるからだ。

キーストーン消費者はそれとは逆に、ほかよりも先にその活動を抑制すべき存在とみなされる。キーストーン消費者がその消費を減らせば、資源の急回復につながる可能性が高いからだ。キーストーン種は保護すべきだが、キーストーン消費は抑制すべきである。ほかの種、ほかの人々の生存は、動静に大きく影響される。

情報はただ伝達するだけでは必ず歪む

――誤りの蓄積

ジャロン・ラニアー

ミュージシャン、コンピュータ・サイエンティスト、ヴァーチャル・リアリティのパイオニア。著書に『人間はガジェットではない』(井口耕二訳、早川書房、2010年)

子供のゲームに良い例がある。子供の頃、「伝言ゲーム」をしたことがある人は多いだろう。ほかの子に聞こえないよう、小声で子供から子供へある言葉が伝えられていく。最後になった子は、自分の聞いた言葉を大きな声で皆に知らせる。言葉はだいたい、最初とは似ても似つかない奇妙なものになっており、子供たちはそれを聞いて楽しむ。**ひとりひとりは決してウソはつかず、正確に言葉を伝えようと努力したとしても、途中で次第に変わっていくのを防ぐのは難しい。**

伝言ゲームのおもしろさは、想定と現実の間の落差にある。人間の脳はその落差に面白さを見出すようにできている。最後の子から、まったく予測していない言葉を聞かされるのがおもしろいのだ。変わらないはずと思っていることが、意外にも簡単に変わってしまうという驚きも楽しさを倍加させる。

人間の脳はよく間違える。伝言ゲームは、この間違いを基礎にしたゲームである。**人間の認知はあまり当てにできない**ということは覚えておくべきだろう。情報を元のまま変えずに伝達すべくいかに努力したとしても、時間が経過する間に誤りが混入するのを防ぐのは難しい。

情報を元のまま伝達したい、できるはずという思い込みがかえって誤りの混入を助長する。受け取った情報に疑わしいところがあっても、訂正しないからだ。伝言ゲームの子供も、自分の聞いた伝言が「これはさすがにおかしいな、間違っているんじゃないかな」と思うことはあるだろう。そのときもし、自分の2人前の子が聞いた伝言との比較ができれば、やはり伝言が途中で変わってしまっているのだとわかるかもしれない。ただ、たとえ伝言が変わっていても少しであれば、基本的には元と同じなのだろうと思ってしまう可能性はある。少しの改変があったとしても、自分の聞いた伝言は一応、信用できるとみなしてしまう。

コンピュータを使うとこういう遊びもできる。少しの改変が積み重なると元とはまったく違う奇妙なものができあがるとわかる遊びだ。その遊びとは、機械翻訳サービスを使い、ある文を次々に別の言語に翻訳し、最後に再び元の言語に翻訳するというものだ。

たとえば、英語の〝The edge of knowledge motivates intriguing online discussions（その最新の知見が刺激となり、ネット上では議論が盛り上がっている）〟という文をいくつかの言語に翻訳（英語↓ドイツ語↓ヘブライ語↓簡体字中国語）したのち、英語に戻したら、〝Online discussions in order to stimulate an attractive national knowledge（魅力的な国家の知識を刺激するためのネット上の議論）〟という文に変わってしまった。

これがおかしいのは人間が見ればわかる。伝言ゲームと同じように、元とはまったく違うものに変わってしまっている。私たちは、見れば文が奇妙なものに変わっていることに気づく。だが結局、いくら機械を使っているからといって、こうして翻訳を繰り返して文がまともなまま保たれると思うほうが間違いなのだろう。

ＩＴには、隠された真実を明らかにする力がある。だが、その一方で、ＩＴのせいで、過去にはなかったような幻想が生み出されてしまうケースもある。

たとえば、世界各地に配置されたセンサーをクラウドコンピューティングの技術で相互に接続してデータを収集すれば、気候のパターンに急激な変化が生じているのがわかるかもしれない。しかし、多数の機械の間で伝言ゲームのような状態になるために、情報が少しずつ改変され、途中で原形を留めないほどになってしまう恐れはある。そうなれば、皆が元のデータ自体を信用しなくなるだろう。

金融派生商品は伝言ゲームのようなもの

情報は伝達途上で徐々に改変され、いずれ原形をとどめないものになる。そのことを念頭に置いておかないとさまざまな問題が起きるだろう。たとえば、金融の分野にはその種の問題が起きやすい。近年、金融商品は複雑化する一方だ。多数の層から成る商品は、それに関わるものの値動きに影響は受けるが、必ずしも、完全に連動して動くわけではない。結果的にどういう値動きになるかは、多数の要素が絡み合って決まるので予測ができない。まったく思いがけない結果になることもあり得る。

通常、住宅に関わる金融商品を買うのは、少なくともその住宅を買う人がいると思えるからだろう。しかし、金融商品の複雑化が進み、クラウドコンピューティングが発展するにつれ、たとえ大不況になり、ものが売れなくなったとしてもその影響を直接は受けない金融商品が現れ始めている。あまりにも複雑なために、実体経済からは完全に切り離された金融商品が生まれるのだ。

複雑な金融商品が子供の伝言ゲームと違うのは、伝言ゲームの場合は「横のつながり」で情報が伝達されていくのに対し、金融商品の場合は「縦のつながり」での伝達になる点だ。縦に伝達されていく間に情報は改変されていく。下の層の取引を踏まえて上の層の取引が行われ、それを踏まえてさらに上の層の、という具合になる。

どの層でも、取引によってデータに変化が起きる。上の層では変化したデータを踏まえての取引となる。それを繰り返すために、最も上の層では、データが元とはまったく違うものに変化するわけだ。その金融商品の取引は、予測の予測のまた予測という程度のかなり確度の低い予測をもとに行わなくてはならない。しかも、個々の予測自体、確度が高いとは言えない。

個々の層でデータが改変されるのを知らないと、複雑な金融商品であっても、そのときの経済状況をもとに評価を決めていいと思い込んでしまう。その金融商品を取引する際は、本来、下の層のリスクからすぐ上の層のリスクを見積もり、そのリスクからさらにすぐ上の層のリスクを見積もる作業を繰り返す。だが、層が上に移るたびに、推測のもとになる情報が歪んでいくため、最も上の層では非常に奇妙な情報をもとにリスクの見積もりが行われる。つまり、そのときの経済状況を正面からとらえて得た情報とは大きく違った情報がリスク計算に使われるわけだ。

結局、金融商品を実際に取引する人たちは、直近の取引が成功したかどうかでその商品の評価を決めてしまう。ただ、直近の取引をした人が時々の状況を正確に把握しているかは怪しい。非常に抽象的で曖昧な情報だけをもとに取引をしている可能性が高い。下された評価はその商品の価値と同一視され、価値があるから高い評価がつくというより、評価が高いから価値が高いとみなされるという現象が起きる。参照できる過去の取引をもとに取引が行われ、それによって金銭のやりとりも行われるのだが、その取引はもはや、現実に起きている出来事とは無関係に行われる。その商品の本当の価値を決めるのは、究極的には現実の出来事のはずなのだが、それは無視されてしまう。これはまるで**伝言ゲームをする子供が、自分に直に言葉を伝えてくれた友達だけに尋ねて、聞いた言葉が正確かどうかを確認しようとしているようなもの**だ。

もちろん、インターネットが発達した現代では、一次情報に直に触れることで、伝言ゲームの弊害を避けることも原理的には可能だ。そして、その実例も存在する。火星探査車（ローバー）から送られてくる驚くべき情報に直に触れた人は何百万、何千万という単位でいるだろう。

インターネットが進歩した結果、情報を多く収集したり、情報を発信したりするのは容易になった。誰もがすぐにでも、インターネット上で新たな伝言ゲームを始め、また伝言ゲームに参加できる。自らがブロガーになったり、ほかのブロガーに何かを伝えたりもできる。ＳＮＳで情報を伝達し合い、広告をただ見るだけでなく広告主に意見も言える。政党、政治団体への情報提供もできるだろう。ひとりひとりは入手した情報をできる限り正確に伝達しようとしているはずだ。

だが、**たとえ受け取った情報に疑いを抱いたとしても確認する力には限界がある。**そのせいで、インターネットというシステム全体には無意味で不正確な情報が蔓延している。

情報が原形をとどめぬほどに歪められるのも、一度や二度なら笑えるかもしれない。だが、それが度重なるようでは笑いごとではなくなる。情報はただ伝達するだけでは必ず歪んでいくものだというのを、早く多くの人の共通認識にする必要がある。そして、伝達のたびに誤りが蓄積されるのを防ぐような情報システムを早急に作るべきだ。

なぜ「赤ずきんちゃん」は正確に語り継がれるのか
——文化的アトラクター

ダン・スペルベル
中央ヨーロッパ大学（ブダペスト）哲学・認知科学教授

リチャード・ドーキンスが「ミーム」という言葉を使い始めたのは1976年のことだ。ミームとは、ある文化を構成する情報のことで、脳から脳へと伝達されていき、ダーウィン的な選択を受ける。ミームはその後、多くの人が知る概念になった。ただ、私は「**文化的アトラクター**」という言葉を提唱したいと思う。これは、ミームに取って代わるものというより、ミームを補完するような概念である。

ミームという言葉は広く知られるようになり、ミームの実例も多く紹介されている。ミームは非常に使用頻度の高い言葉になっていると言えるだろう。だが、ミームという概念自体は、本当に元のまま広まっているのだろうか。どうやらそうではないらしい。ミームの研究者だけでも、「ミーム」という言葉の定義はそれぞれに違っているし、さらに重要なのは、この言葉を使っている人の大半がミームとは何かをはっきりとは理解していないということだ。

この言葉は意味が曖昧なままに使われていて、状況に応じて意味は微妙に変化している。もちろん、基本的な意味はほぼいつも同じではあるのだが、コピーしたように同じというわけにはいかない。つまり、言葉としての「ミーム」とは違い、「ミーム」という概念は、ミームの良い実例とは言えないかもしれない。

なぜこういう現象が起きるのか。それは、**文化というものが実に複雑で、とらえどころのないものだから**だろう。文化にはさまざまな要素が含まれる。思想、規範、物語、料理、舞踏、儀式、道具、習慣、そうしたものすべてが文化の要素である。

どの要素も次々に新たなものが生み出されていく。文化の要素にはそれぞれ、空間、時間を超えて元の姿を保とうとする力を持っている。多少の違いはあったとしても、いつでもどこでもアイリッシュ・シチューはアイリッシュ・シチューだし、赤ずきんちゃんは赤ずきんちゃん、サンバはサンバだ。

なぜ、文化の要素にこれほどの安定性があるのか。その理由は、個人間で正確に伝達が行われているからと考えるのが最もわかりやすいだろう。たとえば赤ずきんちゃんの物語は、人から人へと正確に伝達されてきたと考えるのだ。**正確さが一定以上に常に保たれてきたおかげで、何世紀もの間の口伝でもあまり改変を受けずに元の形を維持できたと仮定する。**そうでなければ、次々に違う話に作り変えられたかもしれないし、あるいは砂漠に水が染み込むように失われてしまったかもしれない。

マクロで安定性が保たれているのは、ミクロの忠実度が高いおかげだと考えて間違いないのではないか。実はそうとも限らない。実際の伝達の過程を詳しく観察すると、伝達の具体的な手段の種類（印刷、インターネットでのデータ伝送など）に関係なく、同時に2つのことが起きるとわかる。

ひとつはできる限り原形を維持しようとする動き、もうひとつは、伝達者の能力や関心に合わせて改変をしようとする動きだ。1回の改変は小幅かもしれないが、多数の伝達が繰り返されれば、改変が蓄積されて、いつか安定が保たれているとは言えないほどの大幅な改変になってしまうだろう。ではミクロの忠実度が高くないのだとしたら、マクロの安定性が高い理由はどう説明できるだろうか。

文化の要素（意味が曖昧になるのを厭わなければ、それをミームと呼んでもいい）の安定性が保たれるのが、伝達のたびに忠実に複製されるせいではないとすれば、その理由はどこにあるのだろうか。伝達のたびにほぼ毎回のように改変が行われるのに、マクロでは安定しているのはなぜなのか。酔っぱらいが歩くようにあらゆる方向に進んでも、元々の進行方向から大きく外れずに、一定の範囲内に留まろうとする。それは「文化的アトラクター」とでも呼ぶべきものがあり、それに引き寄せられるからではないだろうか。

広く知られている赤ずきんちゃんの物語はハッピーエンドになっている。これを、赤ずきんちゃんがオオカミに食べられて終わり……というふうに変えると確かに印象に残って物語は記憶に残りやすくなるかもしれない。しかし、**ハッピーエンドは文化的アトラクターとして非常に強力だ**。たとえ、「赤ずきんちゃんはオオカミに食べられてしまいました。終わり」という物語だけを聞いた人でも、そのまま人に話さない可能性は高い（ここで選択が行われる）。たとえ人に話して聞かせるとしても、ハッピーエンドの物語に改変するほうが多いだろう（文化的アトラクターの力が働く）。

赤ずきんちゃんの物語は、毎回の伝達が正確に行われたからではなく、たとえ改変が行われたとしても、文化的アトラクターの力によって元に戻されてきたとも考えられる。

そもそもなぜ文化的アトラクターなどというものがあるのだろうか。私たちが他人から受け取った情報や他人の行動を解釈する際、あるいはそれをさらに別の人に伝達する際には、どうしても一定の方向への偏りが生じる。私たちの心や身体、環境にはそうした偏りを生じさせる要因があるからだ。**文化的アトラクターとは、多くの人が共有している偏り**だと考えられる。簡単な例はすぐに挙げられる。

文化的アトラクターの例としては、まず「きりのいい数字」がある。きりのいい数字は覚えやすいし、数量の大きさをわかりやすく表現するシンボルにもなる。私たちが、結婚20周年や、雑誌の100号、CDの売上100万枚を祝うのはそのせいだろう。

きりのいい数字は、物の値段を決めるときにも強い文化的アトラクターになっている。値札に記す数字には、きりのいい数字より少し下、たとえば、9ドル99セント、9990ドルなどをしばしば使う。このように、桁を減らして実際より安く見せようとしているのだ。

技術や技能が正確に受け継がれる条件とは

ある技術、技能が広まるうえで、強力な文化的アトラクターとなるのは効率である。旧石器時代の狩人たちは、年長者から弓矢の作り方、使い方を学んだはずだ。その際、彼らの目的は年長者のまねをすることではなかっただろう。目的はあくまで自分自身が年長者と同じくらいの弓矢の使い手となることだった。

技術や技能の伝統が（長い歴史を経る間に徐々に変化するにしても）あまり改変を受けずに長く受け継がれるのは、実は、それよりも効率的な方法があまり存在しないせいだと考えられる。伝達の仕方、され方が忠実だったというよりは、ほかに代わりになる良いものが見つからなかったので結果的にそのまま伝わったと考えるのが妥当だろう。

理論上、人間は超自然的存在を無限に生み出せるはずである。しかし、人類学者パスカル・ボイヤーの指摘するとおり、実際に人間が生み出し、宗教の要素となっている超自然的存在には、幽霊、神、祖先の霊、ドラゴンなど、ごく限られた種類しかない。また、こうした存在には共通する特徴が2つある。

特徴1　必ず、「現実の生き物であれば当然こうであるはず」と私たちが直感的に信じている前提から外れた要素がある。永遠の命を持つ、複数の生き物の特徴を同時に持つ、この世に起きるすべてを知っているなど。

特徴2　「〜はこうであってほしい、こうであるはず」という、人の素朴な期待には必ず応える。つまり超自然的であるにもかかわらず、予測可能な存在である。

なぜそうなのだろうか。それは、直感に反する部分が少なく（ボイヤーはそういう言い方をしている）、同時に適度に神秘的であること（これは私が自分で考えた言い方だ）は、文化的アトラクターになるからだ。過去にはもっと直感に反した、あるいはとてつもなく神秘的な超自然的存在も多数考え出されたのだろうが、そのどれもがすぐに忘れられるか、文化的アトラクターの力によって改変されるかしたと思われる。

では「ミーム」というミーム（誤解され、矮小化されたものも含め）は、果たしてどのような文化的アトラクターの影響を受けているのだろうか。ミームは、現代社会の文化のなかでも非常に大きな成功を収め、広く知れ渡った要素のひとつだ。なぜそうなったのか。それは、多くの人が忠実にほかの人に伝達した結果ではないだろう。そうではなく、この**ミームという言葉、概念をめぐって数多くの会話がなされた事実が重要だった**と考えられる（そのことは強い文化的アトラクターとなる）。

マスメディア、インターネットの発達した時代にあちらこちらで取りあげられた事実も大きいし、多くの人の世界観にある程度、合致していた状況も広まった要因になっただろう。ミームという言葉、概念は多くの人の関心を引いたが、おそらく、それが本来は何を意味し、どこから生じたのかをほとんどの人が理解していないと思われる。「ミーム」という言葉には、元々、ドーキンスが明確に定めた科学的な意味があったのだが、一般に流布する過程で意味合いが変化し、どこか謎めいた魅力的な言葉になった。

これが私の考えである。

最後に、ひとつの問い（時とともに答えの出る問いかもしれない）を投げかけて、この文章を締めくくりたいと思う。

「文化的アトラクター」という言葉、概念は果たして、文化的アトラクターの力によって「ミーム」になっていくだろうか。

複雑な状況を単純化する理論 ——スケール解析

ジュリオ・ボッカレッティ

物理学者、大気科学者、海洋学者、マッキンゼー・アンド・カンパニーのエキスパート・アソシエイト・プリンシパル

「宇宙を線形のものとそうでないものに分けようとするのは、宇宙をバナナとバナナ以外に分けようとする

のに似ている」とよく言われる。宇宙に存在するもののほとんどはバナナではない。

現実世界の事象のほとんどは非線形である。非線形とは、出力の変化が入力の変化に比例しないということだ。線形とは、たとえば、入力が2倍になれば出力も2倍になる状態だが、宇宙全体では、それはむしろまれな現象だ。

非線形は必ずしも複雑ではない。それは線形であれば必ず単純というわけではないのと同じだ。現実のシステムのほとんどには非線形の部分があり、そのせいで複雑な動きをする場合がある。水道の蛇口から出た水は、流れるときに渦を巻く。それは誰もが日常で見慣れている。その見慣れたものに、実は意外な複雑さが隠れている。

一方、天候のように、誰にでも複雑であるのが明らかにわかる事象もある。非線形の複雑な事象は私たちの周囲のいたるところにある。非線形の事象の特徴は、変化が予測できないこと、いわゆる「ティッピング・ポイント」があること、挙動が突然変化すること、ヒステリシスがあることなどだ。

非線形の事象は複雑なうえに、管理が難しいのが困ったところだ。いかに高速処理が可能なコンピュータを駆使したとしても管理は容易ではない。線形な事象と違い、一般化ができないためだ。私たちには、世界を線形なものとしてとらえがちな傾向がある。それは、道で鍵をなくしたときに、街灯の光が当たっているところだけを捜すのに似ている。見えるのは光が当たっているところだけなので、そこを捜すのは当然だ。物事を理解するには、どうしてもある程度の単純化が必要になる。だが、単純化をして複雑さを減らしても、完全な理解ができるわけではなく、問題の重要部分は理解できないまま残ってしまう。

スケール解析は、線形と非線形、あるいは単純と複雑とをつなぐ架け橋としてある程度信頼できるもののひとつである。これは物理システムの次元解析と言ってもいい。複雑な非線形の現象も、スケール解析によって、少し単純になり理解しやすくなる。その際、特に重要な点が2つある。

ひとつは、当該の事象に特に関係が深いのはどういう「量」か、ということだ（これは意外に簡単にはわからない）。もうひとつは、その「量」が実際にどのくらい大きいのか、どのくらいの単位なのか、ということである。

2つ目は特に重要だ。単純だが、すべての基本となるポイントでもある。物理的な事象をどうとらえるかは、量をどういう単位で計測するかで変わってくるからだ。話が抽象的でわかりにくいかもしれない。スケール解析とは、少し噛み砕くと、**「その時と状況において特に重要な部分だけにあえて注目すること」**だと言える。

スケール解析は、量とその単位をただ知ることではない。たとえば、あるシステムの動きが正確にどういう法則に従っているのかがわからないときなどには、スケール解析は特に力を発揮する。G・I・テイラーは、科学を志す者が一度は耳にするような伝説を数多く遺した偉大な物理学者だが、スケール解析も見事に応用してみせている。

その応用方法は一見、非常に単純だった。1950年代の時点では、核爆弾の爆発力についての情報は極秘事項として外に漏れないよう厳重に守られていた。だが、アメリカ政府はあるとき、機密扱いだったはずの核爆発の写真を不注意にも何枚か流出させてしまった。

爆弾についての詳細は非常に複雑なので写真を見ただけで簡単にわかるわけではないが、基本的な部分はいくつかのパラメーターだけで決まっている事実をテイラーは知っていた。彼は、スケール解析によって、爆風の半径、爆発からの経過時間、爆発によって放出されるエネルギーの量、周囲の大気の濃度などを写真で見ただけで推測できると考えた。ひとつの定数さえ知ることができれば、そのすべてが一度にわかると考えたのである。実際、テイラーは極めて正確に推測してみせ、世界の人々を驚嘆させた。

スケール解析はマネジメントツールとして使われた

テイラーほどの洞察力の持ち主がそうはいないのは確かだ。スケール解析を応用したからといって、これほど素晴らしい結果が得られるケースは多くない。だが、それでもスケール解析の応用範囲が驚くほど広く、構造工学から乱流理論までさまざまな分野で過去に多数の素晴らしい研究成果をもたらしているのも事実である。

スケール解析の応用範囲が広いというのは、具体的にどういうことだろうか。複雑な事象について理解する際には、まず、それがどの程度のスケールの、どのくらいの次元の事象なのかを知ると、非常に助けになる。それは誰もが知っておくと役に立つだろう。

たとえば、経営計画を立てるとき、財務分析をするときなどには、そのために必要なデータを集め、スケール解析をすれば役に立つはずである。テイラーイズムが隆盛を極めたとき、スケール解析がマネージメントのためのツールとして広く使われたのは決して偶然ではない。

テイラーイズムのテイラーは先述のG・I・テイラーではなく、F・W・テイラーのことで、「科学的管理法の父」と呼ばれている人物だ。近代的な科学的管理法と、それに派生する理論を提唱して歴史に名を遺した。
スケール解析をしても、得られるのはあくまで近似値でしかなく、それを正確に現実を表したものと受け止めると問題が生じる。時間があれば、あとで詳しい調査をする必要があるだろう。たとえば、量と量の関係を推測するのに使用した単位はよく見直すべきだ。在庫回転率、利益幅、負債株式比率、労働・資本生産性といった量のパラメーターは、ある企業の経営状況について多くの情報を与えてくれる。市場についての細かい知識もなく、株式などが日々どのように取引されているのかという情報がなくても、その企業についてかなりのことがわかる。

簡単なスケール解析であれば、実は日常生活に関わるほぼすべての量について行える。何かに投資をしたときに、そのリターンがどのくらいの時間で得られるかを予測できるし、自分が日々の生活でどのくらいのエネルギーを費やしているか推測するといったことも可能だ。スケール解析の能力は、重要な計算能力のひとつと言えるだろう。

この能力があれば、私たちの周囲のさまざまな事象の相対的なスケールを類推できる。それによって、事象の意味や変化の傾向、度合いなどを推し量れるだろう。その普遍性、一貫性は、アビ・ヴァールブルクの「ムネモシュネ・アトラス」に匹敵するほどで、物事を分類する統一的な体系にもなり得る。**一見、互いにかけ離れた複数の事象の間に意外な関係があるとわかれば、目の前の問題を違った角度から見る助けにもなる。**調査、研究を従来とは違った、思いがけない方法で進めるきっかけになるかもしれない。

複雑なシステムを単純にするので、当然、情報の欠落は起きる。スケール解析もやはり、ひとつの道具にすぎないので、それがどの程度、物事の本質を知るのに役立つかは、使う人次第になる。

スケール解析だけで答えが得られるわけでも、スケール解析が深い分析の代わりになるわけでもない。しかし、現実を見る便利なレンズのひとつにはなる。**目の前の物事のスケールがどの程度なのかを知るだけでも、それすら知らないのとは大きく違う。**

混沌とした網膜画像が整理される仕組み
――ニュートラルネットワークと隠れ層

フランク・ウィルチェック

マサチューセッツ工科大学の物理学者、2004年ノーベル物理学賞受賞。著書に『物質のすべては光――現代物理学が明かす、力と質量の起源』(吉田三知世訳、早川書房、2012年)

ピアノを習い始めたばかりの頃の私は、一音一音に全神経を集中させるようにして鍵盤を叩かなくてはならなかった。しかし、練習を積むうちに、複数の音をひとまとめに扱えるようになった。フレーズやコードが弾けるようになったのだ。はじめの頃よりも、はるかに低い集中力で、はるかに良い音楽を奏でられるようになった。

その間、私の脳内では何かすごいことが起きていたに違いない。

そういう経験はもちろん、ほとんど誰にもあるだろう。新しい言語を学ぶとき、新しいゲームを覚えるとき、新しい環境に馴染んでいくときなどにも、同様の事態が起きているはずである。どの体験にもおそらく

図表2

ニューロンが入力装置や出力装置でなく
ほかのニューロンとだけコミュニケーションする
——「隠れ層」のしくみ

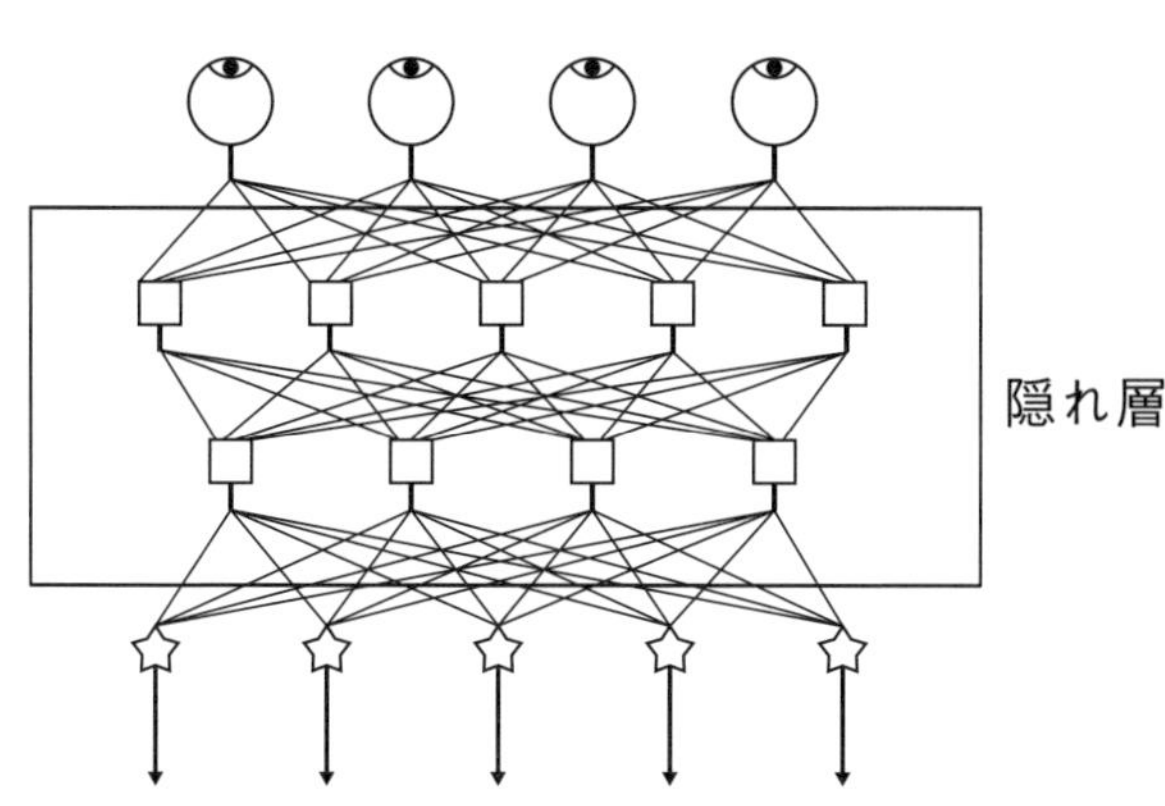

似たメカニズムが関わっているのだろう。どの場合も、脳内にいわゆる「**隠れ層**」を新たに作りあげているのだと思う。

隠れ層という概念は、ニューラルネットワークの研究から生まれた。**図表2**を見てもらいたいが、この図表について十分に説明をしようとすれば、何千という言葉を費やさなくてはならない。この図表では、情報は上から下へと流れる。

感覚ニューロン（上に描かれた眼球のなかにある感覚ニューロン）は、外界から取り入れた情報を、内部で扱いやすい形式に変換する（生物のニューロン向けには、電気パルスの列に変換し、人工的なニューラルネットワーク向けには、コンピュータのニューロンに扱いやすい数値データに変換する）。変換した情報はほかのニューロンへと配布される。図表では下の層に描かれたニューロンたちだ。

そして、図表では下の星で表されているエフェクター・ニューロンが、出力装置に信号を送る（生物のニューロンにとっての出力装置は通常、筋肉である。人工のニューロンにとっての出力装置は通常はコンピュータの端末だ)。中間にあるニューロンは外側の世界から直接、情報を取り入れるわけではないし、また直接、外側の世界に働きかけるわけでもない。こうした中間のニューロンは、ほかのニューロンとだけコミュニケーションを取る。**この中間のニューロンの集合を隠れ層と呼ぶ。**

最初期の人工のニューラルネットワークには、この隠れ層が欠けていた。そのため、出力と入力との関係は比較的、単純だった。この種の入力と出力だけの「二層パーセプトロン」には、重大な制約があった。たとえば、白い背景にいくつか黒い円が描いてある絵を何枚か連続で見て、円の数を計算するパーセプトロンはどうしても作れない。ニューラルネットワークの能力を大幅に向上させるためには、ひとつ、あるいは2つの隠れ層が必要になるとわかったのは、研究が始まってから何十年も経った1980年代だった。たとえば現在では、大型ハドロン衝突型加速器での高エネルギー衝突によって生じる素粒子の爆発パターンを知るのに、多層のニューラルネットワークが使用される。人間が同じことをするよりもはるかに速く、はるかに信頼性が高い。

デイヴィッド・ヒューベル、トルステン・ウィーセルの2人は、視覚野のニューロンの働きを解明した功績により、1981年にノーベル賞を受けた。2人は、視野のなかから意味のありそうな形や動き、色、明るさなどを検出する際(たとえば、視野のなかに、明るさや色が急激に変化しているところがあれば、そこが何かの物体と周囲との境界線である可能性が高い)、そして個々の物体における全体のなかでの意味(背景となっている物体との関係)を把握する際に、複数の隠れ層が連続して機能していることを証明した。

私たちの目の網膜には常に光の粒子が当たっている。光の粒子は、あらゆる方向から、さまざまな光源から網膜に向かって来る。届いた時点ではまったく整理されておらず、ただの混沌である。しかも、網膜は平面であり、二次元の世界にしかならない。**その二次元の混沌の世界を、私たちの脳は、秩序だった三次元の世界に一時も休むことなく変換し続けているわけだ。**

その作業のために、私たちは意識的に努力する必要はない。本当は日々、奇跡のような現象が起き続けているのだが、それを私たちは当たり前だと思い、特に驚いたりはしない。だが、技術者がこれと同じ動きを人工的な機械にさせようとすると、非常に難しいことがわかり、自分たちの力のなさを思い知らされる。

機械はまだ今のところごく原始的なレベルにとどまっている。人間に比べるとはるかに単純なことしかできない。ヒューベルとウィーセルは、自然が作りあげた機械の仕組みを明らかにしたのだ。この仕組みで大きな役割を果たすのが隠れ層というわけである。

新たな言葉を作ると問題の所在が明らかになる

近年、「創発」という概念がもてはやされるようになったが、この概念自体は曖昧で抽象的だ。隠れ層はまさに、この概念を具体的な形にしたようなものと言える。隠れ層のニューロンはそれぞれ「テンプレート」を持っている。隠れ層のニューロンが活性化し、次の層に信号を送るのは、前の層から受け取った情報のパターンがそのテンプレートに一致したときだけである（ただし、完全に一致している必要はなく、だいたい一致していればある程度の違いは許容される）。この仕組みが発見されたことで、創発という概念は従来とは違った新しいものに生まれ変わったと言えるかもしれない。

隠れ層について考える際に重要なのは、ネットワークで行われることと、ネットワークの性能とを明確に区別することだ。また、ネットワークができあがったあとに起きることと、最初にネットワークが構築されるときに起きることも区別する必要がある。

たとえば、ピアノを習得してしまってからピアノを弾く（乗れるようになってから自転車に乗ったり、泳げるようになってから泳ぐというのでもいい）のは容易である。だが、それと、最初にピアノを習得するのとは大きく違う。習得は容易ではなく、かなりの困難が伴う。神経回路に新たな隠れ層がどのようにして作られるのかは、まだよくわかっておらず、その解明は科学にとって大きな課題になっている。もう最大の課題と言ってしまってもいいのではないかと私は思っている。

元はニューラルネットワーク研究の分野から生まれた隠れ層の概念だが、最近では、この言葉が幅広く使われるようになってきている。たとえば、私の専門である物理学の分野でも、新しい言葉が生まれると、それが意外なほどの影響力を持ち、広く応用されることがある。マレー・ゲルマンは「クォーク」という言葉を考え出したが、これは本来、実在しない仮定の素粒子につけられた名前だった。存在しないのに名前があるという矛盾した状況になったわけだ。存在が確認されたあとにも、物理学者には、それについてさらに詳しく研究し、正確で一貫性のある何らかの法則や理論を打ち立てるという仕事が課せられた。しかし、まず名前をつけた、言葉を作ったというのは重要だ。**言葉を作ることで、問題の存在が明らかになる。**問題の存在を認識するのは、解決への大きな一歩だ。

私が考えた「エニオン」という言葉にも似たようなことが言える。エニオンは、二次元にのみ存在する理論上の粒子につけた名前である。この言葉の背後に、きっと一貫性のある法則や理論が隠れているだろうと私は確信していた。ただ、のちの研究の目覚ましい発展、実際に得られた研究成果は私の予測をはるかに超えていた。このように、新しい名前が生まれると、思考の隠れ層に新たな結節点（ノード）が生じる。

隠れ層という概念は、知能の働きを知るうえで非常に重要なものだと私は考えている。それは人間だけに限らず、動物、異星人までも含め、過去、現在、未来、あらゆる時のあらゆる場所の知能に共通して言える。知能は、何らかの形で隠れ層を作り、それを利用している。その隠れ層について私たちが理解できるのも、まさにその隠れ層のおかげだ。隠れ層ほど重要な概念はほかにないかもしれない。あらゆる人が自身の隠れ層に隠れ層の概念を組み込むべきだろう。

科学理論を使って妥当な判断をする方法

——科学理論

リサ・ランドール

ハーバード大学の物理学者。著書に『ワープする宇宙』（向山信治監訳、塩原通緒訳、NHK出版、2007年）

「科学」とはいったい何だろうか。それは重要な問いだ。ひとつ言えるのは、科学とは世界のある側面について体系的に理解しようとする試みだということである。すでにわかっている事実に基づいて何らかの予測をするのも科学の一部だ。現在何がどこまでわかっているかの正確な把握、すでにわかっている物事の分類も大切だ。

科学は、現代に生きる私たちの思考に大きな影響を与えている。科学の世界で重要とされる言葉はいくつかある。「原因と結果」もそうだし、「予測」や「実験」もそうだ。確率や統計について述べる際に使う「平均」、「中央値」、「標準偏差」といった言葉もある。特に確率の考え方は、科学によって世界やそのなかでの事象のふるまいについて正しく理解、解釈するうえで非常に重要になる。

「ある理論が有効なものであるか否か」というのは科学の世界では特に重要だし、科学の世界の外でもそれは重要になるだろう。理論が有効な場合、それに基づけば、計測可能、実証可能な何かについて確たることが言え、明確な判断ができる。その理論の正しさは、計測可能な量によって示さなくてはいけない。

ただし、一応は有効な理論であっても、それが究極の真実を言い当てているとは限らない。とはいえ、必要十分なだけ真実に近いとは言える。その時点で可能な限りの検証に耐えるのであれば役には立つ。その理論で説明しきれない事象があれば、理論を否定する人もいるし、それは妥当だ。だが**限定された範囲であっても、すでに検証され妥当性が証明されているのであれば、ある程度は正しい理論とみなしてもいい**だろう。

好例はニュートンの運動の法則である。この法則は、投げたボールの動きを説明するなどの用途であれば、まったく問題なく使える。現在では、相対性理論や量子力学など、それ以上のことを説明できる理論も知られている。だが投げたボールの軌道を説明している限り、ニュートンの法則に問題は見当たらない。ニュートンの法則は有効な理論の一部であり、その理論は量子力学、相対性理論などに包含される。ニュートンの法則自体、現在もある限定された範囲内では有効だし、妥当である。これは地図を見るのにも似た話だ。

地図を見るときには、そのときの用途によって適切な縮尺を選ぶ必要がある。国を横断するような長距離を旅する場合、同じ州のなかで移動をする場合、近所のコンビニエンスストアに行く場合、それぞれにふさわしい地図の縮尺は違っている。

科学理論のなかには特定の状況において非常に役立つものがある。少し状況が変わると同じ理論でも妥当性がなくなる場合もあるし、厳密な検証をすると実は完全に正しくはないという状況もあり得る。そこが問題だ。ただ、科学の世界では、すでにわかったとされることでもさらに詳しく研究、検証をするし、そのための信頼すべき手法もある。そうしてまた新たな答えを得ていく。従来の理論の限界も見極めようとする。

科学理論を利用するときは、その理論がどの程度までの検証に耐えられるのか、またどのあたりが限界なのかをよく知っておくべきだろう。特に確率が関わる理論の場合には、それに基づく予測がどの程度当たるかを知っておく。そうすれば、おそらく**より妥当な判断ができるし、世界を少し良い場所にできる**だろう。

異民族間の結婚は子孫の認知能力を高める

——内集団の拡大

マーセル・キンズボーン

ニュースクール大学の神経学者、認知神経科学者。共著書（ポーラ・カプランとの共著）に『子供の学習と注意力の問題（Children's Learning and attention Problems）』

情報も、人間も、絶えず増えながら拡散していく。これが今の時代に全世界的に起きている大きな社会現象である。

残念ではあるが、文化は次第に均質化されていくし、同時に異文化の神秘性は徐々に失われていく。文化の違う人どうしの結婚も増えている。同国内での異民族間結婚も、国際結婚も増加している。**この傾向は、おそらく人間の認知能力を高める効果をもたらす**だろう。

この認知能力の向上には2つの理由があると思われる。ひとつは、「内集団の拡大」である。もうひとつは、いわゆる「雑種強勢」の効果である。

内集団と外集団が対立すると、二重基準（ダブルスタンダード）が生じやすく、それは社会に極めて悪い影響をもたらす可能性が高い。しかし、**もし社会を構成する人がすべてひとつの内集団に入っていると皆が思えれば、理論上、この問題はなくなるはず**である。

これは今のところ単なる理想論であって実現の可能性は低い。しかし、観念上の内集団を少しでも広げれれば、それだけ多くの人たちが互いに協調し合える。利他的な行動がそれだけ広まるわけだ。

大きな自然災害が起きたときに、外国人に対して優しく親切に接する人が増える現象を見れば、それが決して不可能ではないとわかる。相手を自分と同じ集団内の仲間だと思えばこそ、協力的な態度を取れる。現在、国際的な養子縁組が増加している傾向は、従来あった偏見や差別がなくなりつつあること、人々の間にあった壁が低くなりつつあることを示している。

内集団が大きくなるのは、遺伝子の面から見ても良い。生物には雑種強勢という現象が見られる。これは、遺伝的に遠い両親が交配したほうが優れた子孫が生まれやすいという現象だ。**異質な遺伝子プールを混ぜ合わせると、身体的にも、また知能の発達という面でも優位になる事実が実験によって確かめられている。**

異質な人どうしが結婚すると、子孫の認知能力が高くなりやすいという。20世紀の初頭以降、何十年にもわたり人類のIQで測られる知能が向上し続けているという有名な「フリン効果」にも、異質な人どうしの結婚が大きく貢献している可能性がある。

大きな変化は必ず、思いがけない影響をもたらす。影響のなかには良いものも、悪いものもあるだろう。また両方が入り混じった影響もあるはずである。内集団の拡大も例外ではない。社会にも、認知能力にも良い効果をもたらすと同時に、何か悪い影響がもたらされる可能性は高い。

未知の悪影響が良い影響と同程度にあるかもしれないし、もしかすると悪影響のほうが大きいかもしれないが、それはまだわからない。ただ、グローバリゼーションに伴い、全世界で内集団の拡大が進み、国際結婚も増えるということのメリットをすでに実感している人は多いだろう。

人間の最も素晴らしい能力と最も恐ろしい能力

——偶発的な超個体

ジョナサン・ハイト

バージニア大学の社会心理学者。著書に『しあわせ仮説』(藤澤隆史・藤澤玲子訳、新曜社、2011年)

人間は言ってみれば、「利他的なキリン」のような動物で、自然界では変わり者に属する。個体が集団のために奉仕できる（できないこともあるが）という点では、アリなどに似ているとも考えられる。私たちは団結することで「超個体」になれる。

だが、アリなどの真社会性昆虫と違うのは、**私たち人間は明らかに親族でない人に対しても利他的な行動を取る**という点だ。また、同じ人に対して常に利他的にふるまうわけではなく、状況に応じて一時的にだけ利他的になるのが特異である（これは特に、戦争、スポーツ、ビジネスなどで、集団間で争う場合によく見られる特徴だ）。

G・C・ウィリアムズの名著『適応と自然選択（*Adaptation and Natural Selection*）』が刊行された1966年、社会科学者だけでなく生物学者たちも、一見、利他的と思われる行動の背後に潜む利己性について研究を始めた。利他的なように見えても、実はそれは見せかけだけで、利己的な目的が隠れているケースが人間でもそのほかの動物でも多いのだ。結局は、血縁淘汰と結びついていたり（自分と遺伝的に近いものを助けるようになっている）、純粋に利他的ではなく互恵的だったりもする（程度の差はあるが、自分にも見返りがあるから助けている。見返りのなかには、他者からの自分の評価の向上なども含まれる）。

ただ、最近では「生命は階層構造を成しており、各層が自己複製をする」という考え方が次第に広く受け入れられるようになっている。これは、バート・ヘルドブラーとE・O・ウィルソンが近著『超個体（*The Superorganism*）』にも書いたとおり、すべての層がそれぞれに自然選択にさらされるということでもある。

仮に、ただひとつの層であっても、いわゆる「フリーライダー」の問題が解決できた種があったとする。その種では、すべての個体が自らの幸不幸を種全体の生死に結びつけられる。そのとき超個体が生まれる。

そのような「大転換」は、生命の歴史のなかでそう何度も起きてはいない。しかし、もし起きると、その超個体は、大変な成功を収める（真核細胞、多細胞生物、アリのコロニーなどの誕生は、そうした超個体誕生の実例と言える）。

ヘルドブラーとウィルソンは昆虫の社会について研究している。その成果を見ると、人間の社会には、昆虫とは違った、いわば「偶発的な超個体」が生まれるケースがあるのがわかる。これは何らかの困難、脅威に直面した際、それに立ち向かうために臨時に誕生する超個体である。その構成員たちは、進んで自らを犠牲にして集団のために奉仕する。困難や脅威をもたらすのは、多くの場合、ほかの超個体である。

これは人間の最も素晴らしい能力であると同時に、最も恐ろしい能力でもある。人間の社会で多くの組織がアリやハチのような構造になっていて、その種の組織が成功しやすいのは、人間にこういう性質があるからだ。１９５０年代から増えた明確な階層構造を持つ企業もそうだし、構造的により柔軟と思われているドットコム企業も本質は変わっていない。

軍隊の基礎訓練の目的はまさに、この種の超個体を作ることだ。超個体の成員になれると、人はそれを報酬と感じる。多くの人がフラタニティ（訳注：主に大学卒業生から成る社交団体）や消防隊やロックバンドに入りたがるのはそのせいだ。それはファシストにとっての理想でもある。

「偶発的な超個体」という言葉、概念を知れば、過去40年ほど主流だった還元主義的な生物学を乗り越えることができ、人間という生物の性質、人間の利他性、潜在能力についてより正確に理解できるだろう。

私たちがなぜ、一時的にせよ、自分よりも大きなものに身を委ねたくなってしまうのか、その理由がよくわかるはずだ。

平均値を取っても意味がない

――パレート分布

クレイ・シャーキー

社会的・技術的ネットワーク・トポロジー研究者、ニューヨーク大学インタラクティブ・テレコミュニケーションズ・プログラム大学院非常勤教授。著書に『認識超過：接続の時代の創造性と寛容性(Cognitive Surplus: Creativity and Generosity in a Connected age)』

同じようなパターンは至るところに見られる。たとえば、人口のわずか1％が、すべての富の35％を握っている、ツイッターではトップ2％のユーザーが全ツイートの60％を書いている、など。医療保険では、最も費用がかかる5分の1の患者に、全体の5分の4の医療費が使われているという話もある。

この種の話題は大変な驚きというニュアンスでよく語られる。本来あるべき姿から外れていると言いたいのだろう。物事の分布は偏りがないのが当たり前で、大きな偏りがあるのは異常だという観念が多くの人にある。しかし、実際にはその観念は誤っている。分布は現に偏っているし、偏っているのが当たり前だ。

イタリアの経済学者ヴィルフレド・パレートは、今から1世紀ほど前に市場経済について研究し、世界中のどの国でも、わずかな数の大金持ちが富の大半を握っているという現象を発見した。これは「**パレート分布**」と呼ばれるが、ほかにも80／20ルール、ジップの法則、べき分布、勝者ひとり勝ちの法則など、いくつもの名前で呼ばれる。どれも基本的にはすべて同じ意味だ。とにかく、**そのシステムのなかで最も裕福な人たち、最も忙しい人たち、最も多くの人とつながっている人たちが、平均的な人々をはるかに超え、富や活**

動、人とのつながりの大半を独占しているのだ。

また、この現象は再帰的でもある。上位の20%だけを取り出してみると、そのなかにもやはりパレート分布が見られるという。上位の20%のなかのさらに20%が、全体の多くを独占しているという構図は変わらない。そして、最上位の要素が、第2位の要素よりもはるかに多くを占めているという構図も見られる（たとえば、英語で最も使用頻度の高い単語は〝the〟だが、その使用頻度は第2位の〝of〟の2倍ほどにもなる）。

このパターンがあまりにも多く見られるため、パレートは「予測可能な不均衡」と呼んだ。ただ、パレートがそう言ってからすでに1世紀が経つにもかかわらず、いまだに多くの人はこの不均衡に馴染めずにいる。至るところにあるにもかかわらず、発見するたびに驚いているのだ。

そうなってしまう理由としては、ガウス分布、いわゆる「ベルカーブ（釣鐘曲線）」を学校で習うのが大きいと考えられる。大規模なシステムにはすべてそれが適用できるとつい考えてしまう。たとえば、身長などはベルカーブ分布になる。ベルカーブ分布では、平均とメジアン（中央値）がほぼ同じになる。ランダムに選ばれたアメリカ人女性１００人の平均身長はだいたい１６２・５センチメートルになるが、１００人中50番目の女性の身長もほぼ１６２・５センチメートルになる。

パレート分布はそれとはまったく違う。再帰的に80／20の分布が見られるというのは、平均と中央値が大きく異なるということでもある。この分布の場合は、ほとんどの人が平均を下回る。「ビル・ゲイツがバーに入ってくると、それだけで、平均では客の全員が億万長者になる」という古いジョークがあるが、まさにその状況になっているわけだ。

パレート分布はいたるところで見つかる。特に、複雑なシステムにはごく普通に見られる。英語で最も使用頻度の高い2つの単語〝the〟と〝of〟は、2つ合わせると、英語で使用されるすべての単語の実に10%を占める。株式市場では、最も値動きが大きい日の変動幅が、2番目に値動きの大きい日の2倍ほどになる。そして10番目に値動きの大きい日に比べると10倍にもなる。写真共有サービスFlickrでは、写真のなかの人物にタグをつけられるが、つけられるタグの数はパレート分布になるとわかっている。

パレート分布はほかに、地震や小惑星の規模、友人の数などにも見られる。科学の世界では、パレート分布がむしろ当たり前なので、普通のグラフ用紙では急カーブになるパレート分布が直線になる特殊なグラフ用紙も使われる。科学の世界では当たり前のものになってすでに1世紀が経つにもかかわらず、パレート分布は一般の人々にはまだ異常とみなされることが多い。そのせいで世界の実像を正確に知ることが難しくなっている。家計所得の平均値を示されると、それが中央値に近いと思ってしまう人は多いだろう。その固定観念は捨てるべきだ。

パレート分布にどう対処すればよいか

同じようなことは通信ツールの使用頻度などにも言える。ヘビーユーザーの使い方と一般の人の使い方には差がありすぎて平均を取ってもあまり意味はない。また、極端に外向的な人の人付き合いは、ごく普通の人とかけ離れているので、両者の平均を取るのも意味はない。私たちは、将来の地震や金融危機について予測する際、それがどれほど大きくても、過去最大のものと同程度にとどまるだろうと思いがちだ。しかし、そういう考え方は今すぐやめるべきだ。いつかはわからないが、**長い時間が経過するうちには、いずれ過去**

最大のものの2倍の大きさの地震、危機が起き得ると考えなくてはいけない。ただし、パレート分布は人間の手に負えないもの、何をしても変えられないものだと考えるのも間違いだ。実際、政府、社会の介入により、上から下までの落差を幾分、緩やかにできる場合もある。たとえば、税制の変化よって、上位1%の人の収入は増減する。株式市場の値動きの幅も、医療費の変動幅も政府の努力で抑えることはできる。

だが、それがパレート分布だという意識がない限り、たとえ何らかの介入をしたとしても、適切な介入になる可能性は低い。パレート分布の存在に即座に気づけるようにならなければ、対処する方法を考えるのは難しいだろう。ガウス分布が当然という頭でパレート分布に立ち向かっても、なかなかうまくはいかない。

パレートが「予測可能な不均衡」と呼んでから100年にもなるのだから、そろそろ私たちは、パレート分布を予測できるようになる必要がある。

枠組みから除外されたものは何かと問いかける

——問題に向き合う姿勢

ウィリアム・カルヴィン

理論神経生物学者、ワシントン大学医学部名誉教授。著書に『グローバル・フィーバー』(千葉啓恵訳、一灯舎、2010年)

「比較と対照」を自動的に行う段階になると、論文の質はもちろん、ほとんどの認知機能が向上すると言える。比較はどのように行うのか。たとえば、ロックンロールが織りなすメロディは、甲板が横に揺れているボートでツイストを踊るというよりも、船首が上下に不規則に揺れるボートでツイストを踊るようなものというのが比較だ。

比較には、検討するアイデアの規模を明らかにするという重要な役割がある。関連する記憶を探し、健全な猜疑心を働かせるのに欠かせない。比較をしなかったら、誰かが問題にはめ込んだ枠組みにとらわれることになりかねない。問題が提唱されたら、普通、提唱者が何を問題の起源としているかを知る必要がある。

枠の外側にあるものは軽視されがち

それに、比較と対照を味方につけていても、認知の枠組みにも目を向ける必要性が出てくるかもしれない。枠の外側に追い出されたものがあると、軽率な人はそれらを重要でないものとみなし、誤った推測を導き出す恐れがあるからだ。

たとえば、「２０４９年には平均気温の上昇が2度に達するはずだ」という問題提起を目にすると、私はどうしても「急激な異変が起きてその数値に来年達しなかったらの話だが」と釘を刺したくなる。

地球温暖化に伴う気温の平均上昇温度は、気候科学の研究者が今現在算出できる気候変動の要素で、彼らの問題提起はこの数値に端を発する。この問題提起からとても重要な知見（たとえば、二酸化炭素の排出量が大幅に減少したとしても、2度の上昇に達するのは19年遅くなるだけであるなど）が生まれるのは事実だが、１９７６年以降に観測された急激な異変がすべて置き去りにされている。１９８２年に世界の干ばつ面積は2倍になり、1997年には2倍から3倍へ急増し、2005年に再び2倍になった。これは、斜面というより階段のような変化だ。

急激に気候が変わるメカニズムを徹底的に理解したとしても（たとえば、風の向きが変わって海洋の水蒸気がどこか別の場所へ運ばれると、大洪水や干ばつが起こりうるが、アマゾンの熱帯雨林の焼却も大きな要因のひとつだと理解したとしても）、カオス理論のバタフライ効果によると、大きな変化がいつ起こるか、どのくらいの規模で起こるかを予測するのはやはり不可能だという。

つまり、気候は心臓発作と同じで予測できないのだ。いつ起こるかもわからなければ、小さい規模で起こるのか、大惨事を招くほどのものなのかもわからない。ただし、そうした事態を防ぐためにできることはたいていある。気候の場合は、排出された二酸化炭素を除去すればいい。

二酸化炭素量の削減もまた、気候問題の現状という枠組みから除外される典型である。単に排出量を削減するのは、馬が逃げたあとに納屋の扉を施錠するようなものだ。どちらもそれをすることに価値はあるが、それをしたところで元の状態には戻らない。

政治家は一般に、納屋の扉の施錠を好む。アクションを起こした体裁が手軽に整うからだ。二酸化炭素の排出量を減らしても、蓄積量は増え続けるので、悪化するスピードを遅らせるだけにしかならない（年間の削減量と蓄積量の混同が人々の誤解を生んでいる）。とはいえ、**二酸化炭素を除去すれば、実際に温度は下がり、海洋の酸性化は逆転する。そればかりか、海面を上昇させる熱膨張も逆転する。**

先日、昆虫の社会的なふるまいのモデルについて、ある生物学者がこんな不満を口にするのを耳にした。

「難しいことについては一切触れられていない。算出されるのは簡単なことばかりだ」

科学者は、すでに結果の出し方がわかっていることに優先して取り組む。だが、そうして定量的な結果を得ても、定性的な説明を完璧に満たす代わりにはならない。計算で明らかにできないから（例：突発的な異変）、単なる推測にすぎないから（例：除去）などの理由から何かが除外されていても、そのことをわざわざ言い添える科学者はほとんどいない。その分野の専門家でない人々が科学者の一言一句にすがっている状況で、「（この分野の専門家なら）誰もが知っている」という態度は通用しない。

だからこそ、**問題にあてがわれた枠組みを見つけて、そこから除外されたものは何かと問いかけてほしい。**気候の急激な異変や二酸化炭素の除去のように、何よりも重要な考察が除外されているかもしれない。

「何が問題なのか説明できない問題」をどう解くか

――「厄介な問題」

ジェイ・ローゼン

ニューヨーク大学ジャーナリズム学科教授。著書に『ジャーナリストは何のためにいるのか（What Are Journalists For?）』

ニューヨーク市に住んだことがある人なら、頭を悩ませたことがあるに違いない問題がひとつある。夕方4時から5時にかけて、なぜかタクシーが捕まらない。この理由は謎でもなんでもなく、需要がピークの時間帯に、タクシー運転手のシフト交代が多いからだ。

1台のタクシーを24時間2人で動かすとなると、午後5時で交代するのが妥当なため、多くのタクシーがいっせいにクイーンズ地区にある車庫に向かう。今やこれはニューヨーク市タクシー&リムジン協会が抱える問題のひとつであり、解決が困難な問題と呼んでもいいかもしれないが、「厄介な問題」ではない。何しろ、今述べたように簡単に説明ができる。それだけでもう、「厄介」というカテゴリーには入らない。「厄介な問題」という言葉は、一部の社会科学者のあいだで使われている専門用語だ。とはいえ、厄介な問題とはどういうものかを理解し、通常の(「単純な」と呼んでもいい)問題との見分け方を知っておくことは、私たちにとっても非常に有意義だろう。

厄介な問題には、何が問題かをうまく説明できないという特徴がある。はっきりと定義することや、その終わりや始まりを明言できない。問題の見方の「正解」というものが存在せず、明確な公式もない。どう枠にはめるかで、解決策になりそうなことが変わってしまう。「問題は、別の問題があるという兆候でしかない」との言葉はどんなときでも成立し、そう言っておけば間違いにはならない。

厄介な問題には利害関係者が大勢いる。その全員が、それぞれ独自の枠組みで問題をとらえ、自分だけが正しいと信じている。問題は何かと尋ねれば、全員から違う答えが返ってくるだろう。ほかの問題が多数関係しているため、それらと分けることは実質不可能に近い。

それればかりではない。厄介な問題は同じものがふたつとないため、ならうべき前例はある意味存在せず、他人の解決策は役に立たない。なのに、「間違う権利」は誰にもない。厄介な問題に取り組めば、十分な正当性と関係者による支援があったところで、最初の試みはほぼ必ず失敗するだろう。しかし、失敗すれば酷評され、もう一度解決を試みる者として適任ではないとみなされる。

問題は形を変えて現れ続ける。完全に解決されることは絶対にない。そのうち、我慢がきかなくなるか、時間や資金がなくなる。厄介な問題の場合、問題を理解してから解決しようと思っても無理だ。それよりも、解決を試みながら問題のさらなる側面を明らかにしていくほうがいい（これが厄介な問題の解決を「得意」とする人の成功の秘訣だ）。

厄介な問題と通常の問題を区別する

厄介な問題と呼べる問題に心当たりはあるだろうか？　もちろん、誰もがある。今の時代にいちばんふさわしい例は、気候変動だろう。これ以上にさまざまな問題が関係するものがほかにあるだろうか？　「気候変動は、別の（おそらくは私たちの生き方全体に）問題があるという兆候でしかない」との言葉はどんなときでも成立し、誰が口にしても間違いになることはないだろう。**このような問題が過去に解決された例は一度たりともなく、利害関係者は、地球上にいるすべての人、すべての国、すべての企業となる。**

ＧＭ（ゼネラルモーターズ）が倒産の危機に陥って何万という人が失業したのは、間違いなく大きな問題だ。アメリカ大統領がすぐさまその問題に関心を持ったのは当然だと言える。

しかし、これは厄介な問題ではなかった。バラク・オバマのアドバイザーは、限定的ではあるが複数の解決策を提示できた。よって、オバマ大統領が政治的なリスクを負ってでもＧＭの倒産を回避させると決断したなら、アドバイザーからの提案を実行すればいいのだとある程度の確信を持てた。実行して効果がなければ、もっと大胆な政策に挑めばいい。

ところが、医療制度改革はまったくそのようにはいかなかった。アメリカにおいて、医療コストの上昇は厄介な問題の典型だ。とらえ方の「正解」はなく、議論の余地がある解決策しか生まれない。利害関係者が複数いて、問題の定義の仕方は立場によって違う。保険未加入者の数は減ったものの医療コストが上昇した場合は進歩と呼んでいいのか、それすらもわからない。

本当に厄介だ！

とはいえ、通常の問題と違って厄介な問題を扱うときに、そうとわかるに越したことはない。「厄介」に属する問題だと分類できるようになれば、「普通の」解決の仕方ではうまくいかないと気づけるようになるのではないか。厄介な問題の場合は、問題を定義し、解決できる可能性のある策を検討して最適なものを選び、専門家を雇って実行に移すことができない。普通のやり方に従いたいといくら望んだところで、うまくいかない。組織から要請があっても、習慣からそうしたくても、上司から命じられても、厄介な問題はどこ吹く風だ。

大統領候補の討論会で厄介な問題と通常の問題を区別すれば、討論の中身はずいぶんと違ったものになるだろう。個人的には良いほうに変わると思っている。厄介な問題に対し、通常の問題とは違う扱いをするジャーナリストのほうが、ジャーナリストとして賢明だと言えるのではないか。**厄介な問題とそうではない問題を区別できるようになった組織は、最終的には命令と統制の限界に気づくはずだ。**

厄介な問題には、クリエイティブな人、実利を重んじる人、柔軟な考え方や対応ができる人、他者と協力して物事にあたる人が求められる。そういう人たちは、アイデアを出すことにはそれほど必死にならない。出したアイデアはいずれ変わると知っているからだ。また、始めるべき場所は決まっていないこともわかっているので、適当なところから始めて様子を見る。解決したあとのほうが問題をより深く理解できることを、事実として受け入れているのだ。

立派な解決策が手に入るとは期待せず、挑戦を続けながら十分だと思えるものを探す。**解決できるだけの知識があると驕ることなく、立場の異なる利害関係者に対して延々と自らのアイデアを試し続ける。**

このような人たちに心当たりはあるだろうか？　もしあるなら、アメリカの医療コスト問題に関心を向けさせたいと思うのだが。

人が作ったシステムが自然のシステムを侵食する

——人新世

ダニエル・ゴールマン

心理学者。著書に『ＥＱ』（土屋京子訳、講談社、１９９６年）

あなたが使っているシャンプーのＰＤＦを知っているだろうか？　ここで言うＰＤＦは、生態系で「部分的に減少した部分」という意味だ。たとえば、ボルネオで皆伐されたジャングルの木から抽出されたパーム油が含まれていれば、そのシャンプーのＰＤＦ値は高くなる。

では、ＤＡＬＹについてはどうか？　これは、**公衆衛生の分野で生まれた「障害調整生命年」という測定**

単位で、たとえば所定の工業化学薬品に長年さらされて病に罹り、それによって障害を余儀なくされた年数を表す。よって、シャンプーに含まれていることが多い発がん性物質の1,4－ジオキサン、内分泌かく乱物質のBHA（ブチルヒドロキシアニソール）という2つの物質が原材料に含まれていれば、あなたのお気に入りのシャンプーのDALYは高くなる。

PDFやDALYは、人新世（アントロポセン）というとらえ方で用いられる数ある尺度のひとつだ。人新世というとらえ方は、人間の作り出したシステムが地球の生命維持システムに及ぼす影響を考察する。

人工の世界と自然界の関係のこのような受け止め方は、地質学から生まれた。人新世というレンズがもっと幅広い分野で取り入れられれば、人類が直面している生態系地位の消滅という危機に対する解決策を探すうえで、有益な情報が見つかるかもしれない。

農耕から始まって産業革命へと突き進んだ結果、地球の完新世時代は終わり、地質学者が「人新世」と呼ぶ時代に入った。**人類が作り出したシステムが、生命を支える自然のシステムに侵食する時代になったのだ。**この新たなレンズを通してみると、エネルギー網、交通、産業、商業を通じて生まれる日々の活動が、炭素、リン、水の循環といった生物地球化学のシステムを容赦なく悪化させているとわかる。

とりわけ不安を感じるのが、1950年代以降、人類の活動によって悪化するスピードが爆発的に加速し、数十年のうちに臨界点に達すると示唆するデータだ。それにより、さまざまなシステムが元に戻せない状態になる。

たとえば、大気中の二酸化炭素濃度の上昇は、その約半分がこの30年で起きた。炭素の循環は、地球の生命維持システムのなかでいちばん取り返しがつかない状態に近づいている。炭素の循環に関するこのような

「不都合な真実」は、人類の緩やかな自殺行為の代名詞とされてきたが、これはもっと大きな全体像のなかのごく一部にすぎない。地球には8つの生命維持システムがあり、そのすべてが人類の日常的な習慣によって攻撃されているのだ。

人間の神経系警告システムは大昔から進化していない

人新世で考えると、商業やエネルギーのようなシステムに必ずしも自然破壊の問題がつきまとうとは限らない。そうしたシステムが、起業家精神をもって革新的な成長を遂げることで、人類が自分で生命を維持できるように変わるかもしれない。人新世における問題の核心は、私たちの神経構造にある。

人新世時代の脅威に立ち向かう私たちの脳は、前の地質年代である完新世を生き残るための進化によって形成された。その年代では、茂みから聞こえる唸り声やカサカサという音が危険の合図となっていて、それを聞いたらクモやヘビを反射的に拒絶できるように進化した。神経系の警告システムは、いまだ大昔の危険に照準を合わせたままだ。

脅威に対するこうした誤調律も問題だが、私たちに備わった知覚には盲点がある。人新世時代の危険は、感覚器官でとらえるには大きすぎたり小さすぎたりするため、神経系に直接登録できないのだ。そのため、仮に**体内組織に有害な工業化学薬品が一生分蓄積されても、身体にそれだけ負荷がかかっていると気づかない。**

確かに、二酸化炭素の蓄積量やＢＨＡの血中濃度を測定する方法ならある。しかし、大多数の人にとって、そうした数値が感情に影響を及ぼすことはほぼない。扁桃体は肩をすくめて終わりだ。

人新世の悪影響の糧となるものに対抗する術を見つける作業は、科学研究の優先順位として高くなるべきではないか。地球科学では当然この問題を研究しているが、問題の根幹である人間の行動は扱っていない。提示できることがいちばん多いはずの分野が、人新世での思考法の発展にいちばん貢献していない。

この問題については、経済、神経科学、社会科学、心理学、認知科学、そしてこれらを融合した研究が解決のカギを握っている。今あげた分野が人新世の理論と実践に焦点を当てれば、人類の救済に貢献できる可能性は十分にある。それにはまず、これまで議題にもほとんどのぼってこなかったこの難題に、本腰を入れて取り組まねばならない。

神経経済学はいつになったら、神経系の盲点を埋める方法はおろか、世界的なメルトダウンに関するニュースに脳が無関心でいることについての研究を始めるのか？　認知神経科学は、人間が行う集団的な意思決定はレミングの消滅への行進とは違うという見通しを、いつの日か提示してくれるのだろうか？　コンピュータ科学、行動科学、脳科学のいずれかの分野で、情報を補綴（ほてい）する何かが考案され、私たちの進む方向が反転するのだろうか？

「人新世」は、オゾン層の破壊に関する研究でノーベル賞を受賞した、オランダの大気化学者ポール・クルッツェンが2000年に生み出した言葉だ。ミームとしてはまだ、科学の分野で地質学と環境科学を牽引するくらいのものでしかなく、科学の外では当然ほとんど知られていない。

これを書いている今、グーグルで「anthropocene（人新世）」と検索すると、7万8700件の結果が表示される（ほとんどが地質学に関する記事だ）。一方、かつては難解な医療用語だったがいまやミームとして世間に周知された「placebo（プラセボ）」を検索すると、表示される件数は1800万を上回る（近年耳にするようになった「vuvuzela（ブブゼラ）」ですら、365万件が表示される）。

人間は危機が差し迫らないと行動を起こさない

――ホモ・ディラトゥス

アラン・アンダーソン

ニュー・サイエンティスト誌シニア・コンサルタント、元編集長兼出版部長。著書に『氷のその先：新北極圏における生命、死、地政学（After the Ice: Life, Death, and Geopolitics in the New Arctic）』

人類は、「ホモ・ディラトゥス」に学名を改めたほうがいいかもしれない。これは「先延ばしにする類人猿」という意味だ。

私たちは進化の過程のどこかで、突然の危機に対処することや、非常時に行動を起こすことができる脳の回路を取得した。着実に減少してゆっくりと脅威になるものは、突然の危機とは程遠い。**近い将来の問題には対処するが、遠い未来の不確実なことには対処しないようにできている種は、「今行動する必要がどこにある？　未来はまだまだ続くというのに」を行動原則とする。**これは人類をうまくとらえた表現なので、科学を活用して政策を変えたい人は、認知の武器のひとつとして頭にとどめておいたほうがいい。

人類のそうした傾向は、気候変動への取り組みを際限なく先延ばしにしているという事実からもよくわかる。京都、コペンハーゲン、カンクンと気候変動に関する合意が作成されたが、ためらう時間が長くなり、その間に非常災害が何も起こらなければ、ためらっていても問題ないように思えてくる。

規則は災害が起きてから作られる

こうした傾向が現れるのは、気候変動に対してだけではない。客船に乗客全員が乗れる救命ボートが設置されるようになったのは、タイタニック号が沈んだあとだ。海洋汚染に関する国際的な条約が発効されたのも、アモコ・カディス号が座礁して大量の原油が流出したあとであり、二重船体構造のタンカーの使用に切り替わり始めたのも、エクソン・ヴァルディーズ号の原油流出事故がきっかけだった。石油業界ではほかにも、2010年にメキシコ湾で原油流出事故が起きたときに、ホモ・ディラトゥス思考と言える「災害が起きてから規則を作る」姿勢が見て取れる。

人類の歴史を振り返ると、同じような話がいくらでも出てくる。権力者やかつて業界を支配していた企業の多くは、変化を余儀なくされる危機が起きないまま、運に陰りが見えて転落した。ゆっくりと着実に起きる変化では、行動は生まれない。生まれるのは馴れ合いだけだ。今、英国の田舎道を歩いても、ヴィクトリア朝の詩人を歓喜させたような鳥のさえずりは断片的にしか聞こえないが、それだけでは知らないうちに大事なものを失ったと実感することはない。**私たちの目を覚まさせるのは、目の前にある危機だけだ。**

私たちのとる態度があまりにも不可解なことから、「気候変動の心理」は重要な調査対象のひとつとなり、研究者たちは懸命に、私たちの思考を明確な「今」から引き離して先のことに向かわせるために必要なメッセージを模索している。

悲しいことに、ホモ・ディラトゥスの頭蓋骨は、世間にあふれるごまかしで埋め尽くされている。**気候変動に関しては、人々の意識が釘付けになるほど大きな危機が訪れるまで、順応に専念したほうがいいのかもしれない。**いずれ最初に起こるのは、北極の氷が夏にすべて消えるという現象だろう。アメリカの約半分もの大きさをしたきらめく巨大な氷の塊は、今は夏の間地球の頂点を覆っている。だが数十年のうちに、それが消える可能性がある。

何百万平方キロメートルもの白い氷が灰暗い水に変わったら、危機感を覚えるだろうか？ それでも覚えなければ、アメリカ全土、アフリカ大陸、東南アジア、オーストラリアの大半で、つらい干ばつが長く続くことになるだろう。

そうなったらいよいよ、ホモ・ディラトゥスのいい面が顔を出すかもしれない。危機によって私たちのなかにいるブルース・ウィリスが引きずり出され、運がよければ思いもよらない方法が見つかって、リールが巻ききられる前に世界を正せるのではないか。

そうして正すことができたら、私たちはきっとまた横になってくつろぐに違いない。

人は60秒も集中できない

——科学的思考の重要性

サム・ハリス

神経科学者。著書に『信仰の終焉（The End of Faith）』

皆さんにやってもらいたいことがある。このページを眺めること、呼吸する感覚、もしくは椅子にもたれかかって身体を休めている感触など何でもいいので、60秒間だけそれに集中し、ほかのことを一切考えないでほしい。

たったひとつのことへの集中というと、簡単そうに思えるかもしれない。しかし、実際にやってみると、とうていできないとわかる。集中しないと我が子の命に関わると言われても、いや、喉にナイフを突きつけられた感触があったとしても、まったく集中できない。数秒もしないうちに、意識は思考の流れのなかを再びさまよう。このように、非現実のなかに意識が飛び込んでしまうのは問題だ。実際、人間社会で生み出されるほかの問題はすべて、意識がさまようことに端を発している。

思考の大切さを否定するつもりはない。言語的な思考は、私たちにとって不可欠なものであり、計画策定、系統立てられた学習、善悪の判断をはじめ、私たちを人間たらしめる多くの能力の基本となる。ありとあらゆる人間関係、文化を守るための団体の本質となるのが思考だ。しかし、思考の流れに当たり前に身を投じていると、はかなく消え去る思考を思考として認識し損ねる。このことが、私たち人間が被る苦難や混乱のいちばんの原因となっている。

実際のところ、自分の思考と自分自身の関係は、逆説の域に達するほど奇妙なものだ。ひとり言をつぶやきながら歩いている人を道で見かけると、精神的に病んでいると普通は思う。だが、人は皆、絶えずひとり言を言っている。ただ単に、口を閉じておくという分別があるにすぎない。

今現在の自分の人生を、とりとめのない思考のベールの向こうに垣間見ることはほぼ不可能に近い。私たちは、今何が起きたのか、何が起ころうとしたのか、何が起こるべきだったのか、起こりうる可能性があったものは何か、といったことを自分で自分に言い聞かせている。将来に対する希望や不安を、絶え間なく頭のなかでつぶやいているのだ。

その態度は、存在しているのは自分だけでなく、誰か話し相手がいると仮定しているように思える。永遠に我慢するという特性を備えた想像上の友人と会話をしているかのようだ。いったい、私たちは誰と話しているのか？

ほとんどの人は、自分の思考を繰り出しているのも、自分の経験を実際に味わったのも自分だと思いながら生きているが、科学の観点からすると、それは誤ったとらえ方となる。迷宮に閉じ込められたミノタウロスのように、分離した自己やエゴが脳内に潜んでいることはない。大脳皮質や神経細胞の通り道に、人間性に関係することが優先して保存される場所は存在しない。

ダニエル・デネットの言葉を借りるなら、「物語的重力の中心」が不変であることはありえない。しかし、主観的に言えば、ほとんどの人に、ほとんどの間、そういうものがあるように思える。

世界で起きている対立の元凶

人には瞑想にふけるという伝統がある（ヒンドゥー教、仏教、キリスト教、イスラム教、ユダヤ教など）。このことからも、程度の差や精度の優劣はあれど、人は認知の幻想にとらわれて生きていると言える。ただし、選択肢となる幻想はほぼ必ず、宗教的な教義というレンズを通したものとなる。キリスト教徒は週末に主の祈りを唱え続け、心が澄みわたって穏やかになるのを実感し、この精神状態がキリスト教の教えの裏づけとなるものだと判断する。ヒンドゥー教徒は、クリシュナ神に捧げる歌を歌って夜を過ごし、突如として平凡に感じていた自己が解放された気分になり、自分の選んだ神が慈悲を示してくれたと思う。スーフィー（イスラム神秘主義者）は、一心不乱に何時間も回り、思考のベールに一時的に穴を開け、アッラー神と直接つながることができたと信じる。

こうした現象が普遍的に起きていることから、どの宗教の主張にも反証が成り立つ。また、**瞑想にふける人は一般に、自己を超越した体験を、自分の信仰が関係する神学理論、神話、哲学的な概念とは切り離せないものとして語る。**

となれば、**科学者や無神論者は当然、彼らの報告を、混乱した思考の産物として、あるいは、普通とは大きくかけ離れた精神状態から生まれたもの（科学者が抱く畏敬の念、美的価値に見出した喜び、芸術家が得たインスピレーションなどと同様のもの）として受け止めようとする。**

宗教が人工的なものであることは明白だ。古くから続く宗教的な体験に価値があるとしても、その事実は変わらない。**思考を実際に理解し、さらにはこの世界で最も危険かつ永続的な対立の元凶となるものをどうにかするには、人間としての経験のすべてを科学の文脈で考え始める必要がある。**

だがそれにはまず、人は絶えず何かを考えているということを自覚しなければならない。

自己モデルは存在するか

――現象的に透明な表象

トーマス・メッツィンガー

哲学者、ヨハネス・グーテンベルク大学マインツ校教授、フランクフルト大学フランクフルト先進研究所非常勤特別研究員、著書に『エゴ・トンネル』(原塑、鹿野祐介訳、岩波書店、２０１５年)

自己モデルとは、いくつかの情報処理システムが有する内面の表象全般を意味する。表象が意識的なもので、かつ表象として実感できない場合、その表象は現象的に透明である。

透明な表象は、甘ったるい現実主義という現象的意識をもたらす。自分が今にも直接的に知覚しようとしている何かは実在するはずだという、強くて、抗いがたい感覚が生まれるのだ。

表象は現象的意識をもたらすという概念を、最初に述べた自己モデルの概念に当てはめるとどうなるか。

透明な自己モデルは必然的に、**「自分自身全体で今にも直接的に知覚しようとしているのは自己である」という現実的な意識経験を生み出す。**

この概念は重要だ。なぜなら、特定の分野の情報処理システムで、「自己である」という確固とした現象的意識の出現がいかに避けられないものであるかを教えてくれるからだ。ただし、**自己と呼べるようなものになった、あるいはそういうものを有したことがあるシステムはひとつも存在しない。**

こうしたことから、私たち人間もそういうシステムにすぎないのかもしれないという説は、経験に基づく妥当な説だと言える。

——シナカル思考

相関関係は根拠ではない

スーザン・ブラックモア

心理学者。著書に『意識〈1冊でわかるシリーズ〉』(筒井晴香、信原幸弘、西堤優訳、岩波書店、2010年)。

「相関関係[訳注:一方が変化すれば他方も変化する関係]は根拠ではない(Correlation Is Not A Cause)」は、頭文字をとったシナク(CINAC)という略語があるほど科学者の間でよく使われるフレーズだが、世間で広く使われるには至っていない。このシンプルなフレーズを頭のなかで思い出す人が増えれば、批判的に物事を考える力が高まり、科学的な理解が深まるのだが。

シナクが人々に浸透しない理由のひとつに、その概念を自分のものにすることが驚くほど難しいという点があげられる。私がその難しさに気づいたのは、看護師や理学療法士といった人々に実験計画法を教えているときだった。

彼らはたいてい、私のお気に入りの例は理解できる。どういう例かというと、まずは駅のホームを思い浮かべる。ホームにやって来る人がどんどん増えていき、ホームが人でいっぱいになるとあら不思議！ そこに電車がやって来る。さて、人々が電車をホームにやって来させた（AがBを招く）のだろうか？ それとも、電車が人々をホームにやって来させた（BがAを招く）のか？ どちらも違う。時刻表が、人と電車の両方をホームにやって来させた（CがAとBの両方を招く）のだ。

私はすぐに、この見解は何度教わっても忘れてしまいやすいと気づき、新たな対策として、講義のたびに違う例を出題して彼らに考えさせることにした。

たとえば、「それでは」と切り出して、「仮の話ですが、トマトケチャップを食べる量が多い子供のほうがテストの成績が悪いという事実が明らかになったとしましょう。どんな原因が考えられますか？」と続ける。

そうすると、一部からそんな事実はないとの声があがる（そのときは、これは思考実験であると改めて説明する）。

「でも、ケチャップが有害なら、警告が表示されているはずですが」（お願いだから、今だけそれが事実だと思って話を進めてもらえないものか）

そうこうするうちに、彼らは想像力を使い始める。

「神経の働きを遅くする何かがケチャップに含まれている」

「ケチャップを食べたら、宿題をするよりテレビを観たくなる」

「ケチャップを食べる量が増えればフライドポテトを食べる量も増えるので、太って何もしたくなくなる」

まさに期待どおりの回答だ。おそらく間違っているが、どれも「AがBを招く」の素晴らしい例だ。どんどん続けよう。

そのあとは、「頭の悪い人の味蕾が特殊で、ケチャップの味をあまり感じない」、「テストの成績が悪かったら、母親からケチャップを食べさせられる」と続き、最終的に、「貧しい家庭はジャンクフードを食べる頻度が高く、子供の学校の成績がふるわない」という意見にたどり着く。

「シナカル」に考えると議論が高度になる

翌週は、「占星術師や霊能者によく相談する人のほうが長生きするという事実が発見されたとします」というまったく違う例を出題する。

「そんなはずありません。占星術なんてナンセンスです」（やれやれ。お願いだから、今だけ事実だと思って話を進めてくれ）

それはさておき、さまざまな意見が出る。

「占星術師には超常的なエネルギーがあり、占った人にそのエネルギーを放射する」

「未来がわかるのだから、死を防ぐことができるのでは」

「自分のホロスコープがわかると、幸せな気持ちになって身体も健康になる」

そうそう、どれも素晴らしい意見だ。どんどん続けて。

「年配になるほど、霊媒師を訪れる人が増える」

「健康でいるとスピリチュアルに傾倒するようになり、その道の専門家を探し始める」

いい具合だ。実験可能なアイデアが次々に出てくる。

そして最終的に、「女性のほうが霊媒師を訪れる人が多く、女性のほうが男性より長生きでもある」という意見にたどり着く。

この思考実験のポイントは、根拠ではない新たな相関関係に対して想像力を解放させることにある。科学に関する新たな話題を耳にしたときに、それをシナカル（都合のいいことに、シニカルに響きが似ている）に受け止めれば、自然と「ふむ。AがBを招くのでないとすれば、BはAを招くのだろうか。それともAとBの両方を招くほかの要因があるのだろうか。いや、そうは見えなくても、AとBは実は同じだという可能性もあるのではないか。本当のところはどうなのか。もっとほかに可能性はないか。自分で試すことはできないものか。自分で事実を見つけられないものか」と考える。

このような考え方ができるようになれば、どんな科学的な話も批判的にとらえられる。これが科学者の思考だ。

健康が脅かされる話や超自然的な力を訴える話は世間の注目を集めるかもしれないが、相関関係は根拠ではないという概念を理解していれば、科学的な解決を早急に求められている課題について、より高度なレベルでの議論が可能になる。

たとえば、世界的な気温の上昇と、大気中の二酸化炭素量の増加は相関関係にあるとわかっているが、それはなぜなのか？　**シナカルに考えるというのは、どの要素が何を招くのか、その両方を招く別の要素があ**

るのかといった問いを自分で立てることであり、それが社会的行為と地球上の生命の未来に多大な影響を及ぼす。

意識と脳の活動の関係

科学が直面している最大の謎は意識の本質だ、という意見がある。人は独立した自己として、独自の意識と自由意志を備えているように思えるが、脳の働きに対する理解が深まるにつれ、意識が何かをする余地はどんどん減っているという。

この謎の解明に向けてよくとられる方法が、「意識と相関する神経活動」探しだ。たとえば、運動皮質と前頭葉脳の一部の活動に、何かをするという意識的な決断と相関性があることがわかっている。しかし、はたして意識的な決断が脳の活動を招くのか？　脳の活動が決断を招くのか？　それとも、ほかの何かが脳の活動と決断の両方を招くのか？　4つめの可能性は、**脳の活動と意識的な体験は実は同じ**であるというものだ。たとえば、光は電磁放射によって生じるのではなく電磁放射そのものだった、または、熱は流体中の分子の動きそのものだったと判明したように、脳と意識の関係にも同じ理屈が成り立つのだろうか。

現時点では、意識が脳の活動になりうるとほのめかすものは何もないが、そう判明される日がくると私は思っている。私たちが自分の意識の本質に対して抱く幻想のいくつかが払拭されたら、それは深い謎でもなんでもなく、意識的な体験は単純に脳内で起きているとようやく納得できるのではないか。そうなれば、意識と相関する神経活動は存在しないという結論に至る。それが正しいかどうかはさておき、シナクという概念を覚えておき、相関関係から根拠へとゆっくりと考えを進めていくことが、この謎がようやく解けるカギになりそうだ。

因果関係は「情報の流れ」として理解する

——情報の流れ

デイヴィッド・ダーリンプル
マサチューセッツ工科大学メディアラボ研究員

原因と結果という概念は、関係する2つの出来事の間の情報の流れとして理解するとわかりやすい。最初に起きた出来事から、次の出来事へと情報が流れるというとらえ方をするのだ。

「AはBを招く」と言うと具体的に思えるが、実際はとても曖昧だ。私ならもっと詳細に、「Aが起こったという情報から計算すると、Bが起こると絶対の自信※を持って言える」とする。この言い方なら、Aが起きた場合にほかの要素のせいでBの発生が妨げられる可能性は除外されるが、Aが起きなくてもほかの要素によってBが起こる可能性はあるとわかる。

もっと縮めたいなら、前者から後者を推測もしくは算出できる場合に、「ひとまとまりの情報が別の情報を具体化する」と言ってもいい。ここで指す「情報」は、特定の出来事の発生といった類いの情報だけではない。シンボリック変数（ウェブの現状を鑑みると、検索エンジンから得られる結果は入力したクエリーで具体化されると言える）、数値変数（精密な温度計が表示する数値は、センサーに感知された温度によって具体化される）をはじめ、行動変数（コンピュータの反応は、メモリに搭載されたビットによって具体化される）にも適用できる。

とはいえ、私たちが生み出す前提というものについて、もう少し詳しく見ていこう。鋭い読者はおそらく、先にあげた例のひとつで、ウェブの現状全体が定数の一種としてとらえられていると気づいたのではないか。

そんなバカなことがあるものか！　数学の世界では、前提という言葉は「事前に起きること」とも呼ばれていて、広く普及している統計学派のひとつでは、情報が関係するプロセスで最も重要な要素とみなされている。私たちが本当に知りたいのは、事前にいくつかの出来事がすでに起きている場合に、そこにひとつの情報を加えること（A）で、別の情報に関する確率の想定が変わること（B）があるかどうかだ。もちろん、変わるかどうかは条件しだいで、たとえばBに関する絶対知が条件に含まれていれば、変わることはありえない。

事前に起きることを定めた場合、たいていは、Aについての情報がBに関する想定を変える可能性があれば、この2つには因果関係のようなものがあると考えていい。ただし、その関係性ははっきりしていない。いわゆる「**相関関係は因果関係を含意しない**」の原理が働くのだ。なぜそうなるかというと、概念としての因果関係の特質は、あとに起こる出来事に関する情報を得るよりも先に、前に起こる出来事に関する情報を得るという傾向に基づいているからだ（こちらの概念が、人間の意識、熱力学第2法則、時間の本質に対して示唆するものをすべて見ていくと興味深いが、残念ながらこのエッセイのテーマにそれらは含まれていない)。

すべての出来事についての情報を常に時系列に則して入手すれば、相関関係には確実に因果関係が含意する。だが現実世界において、過去の出来事のすべてを知ることはできないし、出来事についての情報を得る順序も必ずしも時系列順とはいかない。そうなれば、出来事間に見受けられる相関関係の因果が逆になったり(Aについての情報によってBに関する予測が変わるのだから、起きたのはBが先でも、BはAの原因である)、もっと複雑な状況(例:Aについての情報によって、Bに関する予測が変わるだけでなくCという出来事についての情報も手に入る。CはAかBどちらかより先に起きた出来事で、AとBの両方を招いた)が生まれたりしかねない。

情報の流れは対称だ。Aについての情報がBに関する予測を変えるのなら、Bについての情報もまた、Aに関する予測を変える。しかし、過去を変えることも未来を知ることもできない私たちにとって、このような制約は、一時的に文脈を説明して出来事を時系列順に並べ替えない限り意味をなさない。

情報の流れは常に過去から未来へと向かうが、人の思考のなかでは、その向きが逆になることもある。「AはBを招く」の曖昧さを解消するという問題は、そもそも科学が解消すべき問題だ。

ありとあらゆる情報の流れを視覚化し、自分が想定した事前に起きる出来事を把握する術を身につけた人は、科学的手法を最大限に活用し(科学的手法に限った話ではない)、それを自分の認知の武器として自在に操れるようになるだろう。

※（原注）この世界では、断言の形をとるものがあまりにも多いので、断言の基準はたいてい甘くなる。たとえば「絶対の自信」の場合、間違っている可能性はゼロではなく、3000兆分の1くらいはあるかもしれない。もっともこの確率は、この文章を読み終えたときに隕石が飛来して人類が消滅するくらいのものだが。

時間の中で考えるか、外で考えるか

――時間と思考

リー・スモーリン

物理学者、ペリメーター理論物理学研究所教職員。著書に『迷走する物理学』（松浦俊輔訳、武田ランダムハウスジャパン、2007年）

非常に古くから蔓延している思考習慣がひとつある。それは、私たちが思い悩むどんな疑問も、その真の答えは「時間を超越した真理」という永遠の領域にあると思い描くことだ。こうなると、探求する目的は、時間を超越した領域にすでに存在する答えや解決策の「発見」となる。

プラトンは、数学的対象は時間を超越した広大な空間に存在すると提唱した。物理学者はよくこれを引き合いに出し、万物の最終理論がすでにそこに存在するかのように話す。これが時間を超越した思考だ。

新たに発見された現象を説明するための純粋に新奇なアイデアや、説明を具体化できる数学的な構造の考案を科学者が自らの務めとして受け止めている場合、彼らは時間の実在を前提として、時間の中で考えよう

とする。一方、時間の外で考えると、どのアイデアも自分が思いつく前にすでに「存在している」と思い込んでしまう。時間の中で考えていれば、そのような前提は生まれない。

時間の中と外での考え方の違いは、人間の思考や行動のさまざまな領域で見て取れる。テクノロジーや社会についての解決が必要な問題に直面したときに、時間の外で考えようとすれば、以前から存在する最高類概念によって、可能なアプローチは絶対的なものとしてすでに決まっていると思い込む。一方、テクノロジー、社会、科学に起こった進歩は、純粋に新しいアイデアや戦略、これまでにない社会組織の形態を考案したから起きたのだと納得していると、時間の中で考えようとする。

真理は時間を超越し、宇宙の外にあるという考え方は、プラトン哲学の本質を表す。これについては奴隷の少年の喩え話で説明されていて、発見は単なる想起にすぎないという。

この考え方はプラトニズムと呼ばれる数理哲学に反映されている。この哲学では、存在の仕方には2種類ある。**ありふれた物理的なものは宇宙に存在して時間とともに変化するが、数学的対象は時間を超越した領域に存在するというとらえ方と、生、死、変化、腐敗といった時間にどっぷり浸かった世俗的な領域が、完璧な永遠の真理に天から覆われているというとらえ方**だ。後者のような世界の分け方は、古代の科学とキリスト教という宗教によって形成された。

物理学の役割は時間を超越した数学的対象の発見であり、その対象は世界の歴史と同じ構造だと考えれば、宇宙の真理は宇宙の外にあると思い描くことになる。このような考え方があまりにも当たり前になりすぎていて、そこに潜む論理的矛盾に気づかない。宇宙が存在のすべてなら、同じ構造のものがその外にどうやって存在できるというのか？

これとは対照的に、時間の実在を確かなものとしてとらえれば、世界と完璧に同じ構造を持つ数学的対象は存在しえない。どんな数学的対象とも共有されない実在世界の一属性には、常になんらかの瞬間があるからだ。いかにもチャールズ・サンダース・パースが最初に提唱したように、特定の法則群が適用できてほかの法則は適用できない理由を合理的に理解しようとするなら、物理法則が世界の歴史を通じて進化したという仮説が必要になるのだ。

ダーウィンの進化生物学は時間の中で考えられた

時間を超越して考えることとは、一般に、想像上の領域、つまりは真理がある宇宙の外の存在を示唆する。これは宗教的な考え方である。というのは、「解釈と正当性を突き詰めれば、自分がその一部として経験する世界の外にある何かに言及することになる」という意味になるからだ。

宇宙の外には何もない、抽象概念や数学的対象すら存在しないと主張すれば、現象の原因を私たちの宇宙の中だけで見つけるしかなくなる。つまり、時間の中で考えるという行為は、私たちが観察して存在を確かめられる現象というひとつの宇宙の中で考えることでもあるのだ。

現代の宇宙論研究者や物理学者で、永久インフレーション理論や時間を超越した量子宇宙論を支持する人は、時間の外で考えようとする。一方、進化論やサイクリック宇宙論を支持する人は、時間の中で考えようとする。時間の中で考えると、時空の特異点で時間が途切れるという心配がつきまとう。だが時間を超越して考えれば、世界の歴史全体が一度に生じることが実在だと信じているので、この問題は無視できる。

ダーウィンの進化生物学は、時間の中で考える典型だ。何しろその根幹には、時間の中で発展する自然のプロセスが、真に新奇な構造の創造につながるという認識がある。法則に適用できる構造が生まれれば、新奇な法則だって誕生するかもしれない。進化のダイナミクスには、生存可能な動物、ＤＮＡ配列、タンパク質、生物の法則といった抽象的で広大な空間は必要ない。

生物たちの外適応は予測が非常に難しく、生物によって違いも大きいので、分析してＤＮＡ配列に変換することはとてもできない。よって、進化のダイナミクスについては、理論生物学者のスチュアート・カウフマンが提案するように、時間の中における生物圏で次に何が起こりうるのか、すなわち、隣接可能性の調査としてとらえたほうがいい。

これと同じことは、テクノロジー、経済、社会の進化にも当てはまる。経済市場について時間を超越して考えていると、過去とは無関係に独特の均衡を保つ傾向があるという観念が欠如する。これは、**時間の外で考えることの危険性の表れ**だ。

一方、時間の中で考えると、ブライアン・アーサーをはじめとするエコノミストたちが実際の市場を理解するうえで必要だと主張する経路依存のような知見を得られる。

時間の中の思考は相対主義ではない。ある種の合理主義だ。進化や人間の思考によって生み出された場合にのみ存在する対象について考えると、真理は定められた時間の中に実在しうるものとなる。時間の中で考えると、人間には真に新奇な構造や問題の解決策を考案する能力があると気づかされる。

また、**私たちが暮らす社会や働いている組織について時間を超越して考えると、社会や組織による搾取を何の疑いもなく受け入れて、絶対的な根拠があるかのごとく、人は統治システムのレバーを操ろうとする。**

一方、組織について時間の中で考えると、組織を特徴づけるものはすべて過去の産物で、そのすべてに交渉の余地があり、新たな方法を考案することで改善できると気づかされる。

不確実なものに囲まれても、穏やかでいられる力

——ネガティブ・ケイパビリティ

リチャード・フォアマン

劇作家、演出家、オントロジカル・ヒステリック劇団創設者

過ちを犯しても、エラーがあっても、フライングをしても、すべて受け入れてほしい。どれもが創造性の源だ。何をもとにこんなことを言っているかというと、キーツが（書簡に）残した「**ネガティブ・ケイパビリティ**」という概念だ（私は劇作家であって科学者ではない）。これは、不確実なこと、謎、疑念に囲まれていても、「事実や根拠を躍起になって（しかも決まって焦って）求める」ことなく、冷静かつ穏やかでいられる能力を指す。

ネガティブ・ケイパビリティという概念は役に立つ。知性、心理、精神、政治など、ありとあらゆる種類の病を癒すという底知れない力があるのだ。

私はエマーソンの「芸術は、創作者を作品へと向かわせる道である」という意見にネガティブ・ケイパビ

リティを反映させて、「芸術（これはあらゆる知的活動を含むのか？）は、創作者を作品へと向かわせる道である（とするのが最善なのだろうが、本当にそうなのか？）」と考える（言葉を補う）ようにしている。

何とでこぼこして曲がりくねった道なのか（ニューヨーク市は、石畳の通りをのっぺりとしたアスファルトに舗装しようとしている。邪心まみれの役人と視野の狭い「科学者」は、車を速く走らせることと、ソーホーに悪趣味な高級店を増やすことしか頭にない）。

おや、このエッセイはきっと、誰よりも短いに違いない。今回の寄稿は、私には荷が重すぎただろうか。それとも、これまで見過ごされてきた大事な概念を気づかせるものとなっただろうか。

大切なものは常に「表面下」にある

――「深さ」が持つ特別な意味

トール・ノーレットランダーシュ

科学ジャーナリスト、コンサルタント、講師。著書に『気前の良い人類』（山下文訳、アーティストハウスパブリッシャーズ、2004年）

深さは、表面からすぐには見えない。深さは表面の下にある。湖の表面の下にある水、土壌の豊かな生命、シンプルな文言の背後にある目を見張る論法、それが深さだ。

物理の世界における深さは実にはっきりしている。重力はものを積み重ねるので、すべてがいちばん上に来ることはない。頂上の下にはさまざまなものがあり、何があるか知りたければ掘り出せばいい。

深さという言葉は、４半世紀前に複雑系科学が盛んになったことに伴い、特別な意味を持つようになった。複雑系に分類される特徴とはどういうものか？　結晶のように秩序正しいものは、複雑ではなく単純だ。一方、ゴミの山のような乱雑なものは説明するのが難しい。たくさんの情報を含んでいるからだ。情報は、説明の難しさを表す尺度のひとつとなる。無秩序なものの情報性は高く、秩序あるもののそれは低い。そして、生物、思想、会話など、人生で興味深いものはすべてその中間にある。情報が多すぎることもなければ、少なすぎることもない。

よって、何が興味深いものとなり、何が複雑となるかを決めるのは、そこに含まれている情報ではない。むしろ関係するのは、その対象が生まれるにあたってなんらかの形で関わった、そこにはない情報のほうだ。**何に興味があるかを特定したいときは、対象そのものより対象の過去のほうが大切になる。**

人々の興味を引きつけるのは、情報の表面ではなく深さだ。深さが私たちの眼前に出てくるには、さまざまな要素が必要になる。大事なのは、今そこにあるものではなく過去にあったものだ。それを教えてくれるのが深さである。

複雑系科学において、深さの概念はさまざまな形で表現されてきた。何かを引き起こす際に関係する物理的な情報量（熱力学の深さ）のときもあれば、ひとつの結果を導き出す計算量（論理的な深さ）のときもある。どちらにも、最終的に生まれるものより、その背後の過程のほうが大事だという考え方が表れている。

会話での言葉には、深さがある

この考え方は、人間のコミュニケーションにも適用できる。

結婚式で発する「誓います（「I do」）」という言葉は、結婚相手との間に生まれた膨大な量の会話、ともに過ごした時間、喜びを表す（それらが表れてほしいと願って発言される）。ほかにもさまざまなことがその言葉に反映される。「誓います」に含まれる情報は多くないが（「I do」は実際1ビットしかない）、この言葉には深さがある。

会話でのほとんどの言葉には、なんらかの深さがある。耳に入ってくる以上の何かがある。その言葉を発する前に、話し手の頭のなかで何かが起きている。

相手が発した言葉の意味を理解しようとするとき、人はその言葉を「掘り下げる」。言葉の奥深くや背後にある深さに手を伸ばす。発せられてはいないが意味したものは何か、すなわち、はっきりと述べられる前の段階で、そこに含めないと判断され除外された情報は何かと探るのだ。

2＋2＝4。これは単純な計算だ。この4という結果には、2＋2という問題以上の情報は含まれない（その理由は基本的に、問題が3＋1になっても結果はやはり4になるからである）。計算は、情報を除外するための手段としては最適だ。計算すれば、あらゆる細部を無視して要約や抽象概念、結果を手にできる。

では、深さのある「誓います」と、非常に表面的な「誓います」は、どうやって区別すればいいのか？

この言葉を発した男性は、自分が言っていることについて実際に考えていたのか？「4」という結果は、意義のある計算の結果だったのか？　水面の下には本当に水があるのか？　深さはそこにあるのか？

私たちが行う意思の疎通は、そのほとんどがこの区別に関係する。

「今の相手の発言は、口先だけのものなのか、それとも本気で言ったのか？」

「こちらに向けられている好意は心の奥底からのものなのか？」

「その結果は真摯な分析によるものなのか、それとも単なる目算なのか？」

「行間に何かあるのか？」

そして、深さの有無がすべてとなるのが、シグナル（信号）を発するシグナリングという行為だ。生物学ではこの数十年の間に、動物はどのようにして、自ら発するシグナルには深さがあると周囲に証明しているかを研究する動きが見受けられるようになった。

性選択のハンディキャップ原理は、自分が出すシグナルには深さがあると証明する手段について説明するものだ。たとえば、雄の孔雀の立派な長い羽は、派手な羽という自分に不利なハンディキャップがあっても捕食者から逃れられるという証明となる。よって、**尾の大きな羽を誇示すれば、目立つ尾があっても生き延びられるほど強いのだと、雌の孔雀に知らしめることができる。**

私たち人間が価値のある何かを持っていると知らしめる方法としては、エコノミストが「高価なシグナル」と呼ぶものがある。

1899年、社会学者のソースティン・ヴェブレンが「衒示的消費」という現象について論じた。これは、たくさんお金を持っていると証明するためにムダ遣いをするという行為を指す。

要は、ムダ遣いはお金持ちにしかできないから、とんでもなくバカげたお金の使い方がお金持ちの証明になるというのだ。ただ使うのではなく、人目を引く形で使う。そうすれば、周囲にお金持ちだと知らしめることになる。ムダ遣いは、大量のお金という深さを示すための高価なシグナルの一種なのだ。**ハンディキャップ、お金がかかるシグナル、相手をじっと見つめるアイコンタクト、大げさな身振りといったものはどれも単純に見えるが、実は深さがあると証明するためのもの**と言っていいだろう。

これは抽象的な表現についても当てはまる。抽象表現を使うに至った過程で大量の情報が消化されても、人は、それらを表に出さずに短い言葉で伝えたいと考える。このようにして生まれた抽象表現には深さがある。そういう表現は大歓迎だ。

一方、深さのない抽象表現もある。こちらはうわっ面だけで、他人を感心させたいがためだけに使われる。このような表現は何の役にも立たず、誰もが忌み嫌う。

知的な人生とは、うわっ面だけの抽象表現と深さのある抽象表現を区別できることがすべてと言っても過言ではない。頭から飛び込むときは、その前に深さがあるかどうかを把握することを忘れないでほしい。

——気質の次元

「三つ子の魂百まで」は正しいか?

ヘレン・フィッシャー

インディアナ大学キンジー研究所特別研究員。著書に『「運命の人」は脳内ホルモンで決まる!』(吉田利子訳、講談社、2009年)

「私は大きく、さまざまなものを含有する」とウォルト・ホイットマンは書いた。

私は、同じ人間を2人見たことがない。私は一卵性双生児のひとりとして生まれたが、双子であっても同じではない。個々人のパーソナリティははっきりと違っていて、個々で異なる一連の思考や感情がひとりひとりの行動のすべてに作用する。とはいえ、パーソナリティにはパターンがある。人の考え方や行動の仕方には複数の様式があり、心理学者はそれを**気質の次元**と呼ぶ。この概念を、認知能力を向上させる新たな武器として紹介したい。

パーソナリティは、「性格」と「気質」という根本的に異なる2つの特性で構成される。性格を形成するのは経験だ。幼少時に何をして遊んだか、家族が何に興味や価値を置いているか、自分が暮らす地域の人々が愛情や憎しみをどのように表現するのか、親戚や友人が何を礼儀正しいとみなし何を危険とみなすのか、身近にいる人がどのように神を崇め、どんな歌を歌い、どのようなときに笑い、どのようにして生計を立て、どのようにくつろぐのか。こうした**無数にある文化的な要素が、唯一無二の性格を形づくる**。

そして、パーソナリティの残りの部分を引き受けるのが気質だ。生物として備わっている感情、思考、行動の一貫したパターンに貢献するすべての傾向がここに含まれる。スペインの哲学者、ホセ・オルテガ・イ・ガセットの言葉を借りるなら、「私は私であり、プラス私を取り巻く環境である」というわけだ。この「私は私」の部分に相当するのが気質で、気質は自分が何者であるかの土台となる。

気質は4種類に分けられる

パーソナリティに見受けられる違いの40~60%は、気質の特性に起因する。気質の特性は遺伝的なものだ。人生を通じてほとんど変わらず、特定の遺伝子の経路、もしくはホルモン系や神経伝達物質系、あるいはその両方と関係している。しかも、気質の特性は、集まっていくつかのコンステレーション(まとまり)となる。いずれのまとまりも脳内で相互に作用するが、明白に異なる4つの広大な器官系のどれかと結びついている。

その4つとは、ドーパミン系、セロトニン系、テストステロン系、エストロゲン/オキシトシン系だ。気質の特性としてのコンステレーションが、異なる気質の次元を構成しているのだ。

たとえば、ドーパミン系の特定のアレル(対立遺伝子)は、探索行動、興奮、経験や冒険の追求、退屈への耐性、抑制の欠落に関係する。熱意もドーパミン系の変化に関係するほか、自分を省みる気持ちの欠落、エネルギーやモチベーションの増加、物理的および知的探求、認知の柔軟性、好奇心、アイデアの創造、言語的な独創性、非言語的な独創性の向上が関係する。

セロトニン系に関係する特性には、社交性が高い、不安を感じにくい、外向性を表すスコアが高い、「親しい友人がいない」ことを表すスコアが低いという傾向のほか、前向きな気分になりやすい、信仰心が篤い、調和を大事にする、秩序ある行動をとろうとする、誠実であろうとする、物事を具体的に考える、自制心が強い、注意深い、新奇探究心が低い、図や数字を使った創造力が高いという側面が含まれる。

一方、細部に目が行き届く、高い集中力を発揮する、関心の対象が狭いといった特性は、出生前のテストステロン発現と関係している。ただし、テストステロンの活動は、感情の抑制、感情（とりわけ激情）の氾濫、社会的な優位性や攻撃性、社会的感受性の低さ、空間や数字に対する鋭敏な感覚とも関わりがある。

そして、最後となるエストロゲンと関連するオキシトシン系が関係する特性には、流暢性をはじめとする言語的なスキルの高さ、共感しやすさ、面倒見のよさ、社会への愛着をはじめとする社会性に関係する能力を活用したいという意欲、文脈に即して考える力、想像力、精神的な柔軟性などがある。

これら4つの気質の次元が配合されて、私たちはできているというわけだ。ただし、パーソナリティはひとりひとり異なる。人は影響を受けやすいとはいえ白紙の状態ではないので、環境がパーソナリティを刻み込むということはない。好奇心旺盛な子供は大人になっても好奇心が強い傾向がある。ただし、大人になるにつれて関心の対象は変わる。

頑固な人はいくつになっても意地を張り、秩序ある行動をとる人はいくつになっても時間に正確で、人当たりのいい人は、男女を問わずいつまでも素直だ。「性格にない」行動をとることはできるが、それをするのは疲れる。人は生物学的に、特定のパターンで思考し、行動する傾向がある。そのパターンが気質の次元だ。

気質の次元という概念を認知の武器として備えておくと、なぜ役に立つのか？　人は集団で生活する生き物だからだ。自分（と自分以外の人）がどういう人間なのかをより深く理解できるようになる力は、友人や親戚から世界のリーダーに至るまで、その相手を理解する、喜ばせる、丸め込む、叱責する、褒美を与える、愛するといった行動をするうえで貴重だ。それに、実生活でも役に立つ。

仕事を例にあげよう。目新しいものを追い求める気質が前面に出る人はおそらく、ルーティンやスケジュールの厳守を求められる仕事では、その能力を最大限に発揮できない可能性が高い。生物学的に用心深い人は、リスクの高い職に就いても落ち着かないだろう。決断に時間をかけないうえに打たれ強いテストステロンレベルが高いタイプは、すぐに決断できない人と一緒に働くには不向きだ。思いやりがあって面倒見のよいエストロゲンレベルが高いタイプは、非情になることを求められる仕事はうまくこなせないだろう。

経営者は、会社の役員会に4つのタイプすべての人材を含めてはどうか。大学は、生い立ちや経歴ではなく、気質が似ている学生どうしを寮の同室にしてはどうか。ビジネスやスポーツのチーム、政治グループ、教師と生徒がいる学校の教室は、「考え方がよく似ている人」ばかりを集めるか、個々の認知能力の多様性に富んだ人たちを集めるかのどちらかにしたほうが、集団としての機能性が向上すると思われる。もちろん、我が子や愛する人、同僚、友人とのコミュニケーションもとりやすくなる。

人間は、DNAという糸の操り人形ではない。その証拠に、生物学的にアルコールの影響を受けやすい人は、たいてい自ら飲酒を控える。人の生態に対する理解が深まるほど、それを形成する文化のありがたみもよくわかるだろう。

「正常」と「異常」の間に明確な線引きはない
──5つのパーソナリティ特性

ジェフリー・ミラー
進化心理学者、ニューメキシコ大学心理学部准教授。著書に『消費資本主義！』（片岡宏仁訳、勁草書房、2017年）

人は、正常な行動と異常な行動を明確に線引きしたがる。その境界線があれば、自分は正常だと思っている人は安心できる。だが、その線は明確ではない。心理学、精神医学、行動遺伝学では、人間のパーソナリティ特性に収まる「正常な変動」と「異常な」精神疾患との間に明確な線引きはないとされている。精神異常に対する私たちの本能的なとらえ方、すなわち、認知科学で呼ぶところの直観精神医学は完全に間違っているのだ。

精神異常について理解するには、人間のパーソナリティを理解する必要がある。パーソナリティ特性については、5つの主な特性の変動によって十分に描写できるという科学的な総意がある。**この5つは「ビッグ・ファイブ」と呼ばれ、開放性、誠実性、社交性、協調性、感情の安定性で構成される。**どの特性も釣鐘曲線を描くのが普通で、統計的に互いに独立している。遺伝的に受け継ぐ可能性があり、一生を通じてほとんど変わらず、無意識にこれらを判断基準として親しく付き合う相手を選ぶ。また、チンパンジーなど人間以外の種にもビッグ・ファイブがあることがわかっている。この特性を通じて、学校や職場でのふるまい、結婚生活、子育て、犯罪、お金、政治にまつわるさまざまな行動を予見できる。

精神疾患とは、パーソナリティ特性が高過ぎたり低過ぎたりする状態のこと

精神疾患は、ビッグ・ファイブの特性が周囲に適応できないほど極端になったものと関係しているケースが多い。過度な誠実性は強迫神経症につながり、反対に誠実性が低いと、薬物依存をはじめとする「衝動制御」障害につながる。感情の安定性が低いと、うつ、不安症、双極性障害、境界性パーソナリティ障害、演技性パーソナリティ障害が見受けられる。外向性が低い場合は、回避性パーソナリティ障害やスキゾイドパーソナリティ障害の兆候が高まり、協調性が低い場合は、精神病質や妄想症といったパーソナリティ障害が出やすい。開放性が高いと、その先には統合失調症が待っている。

双子に関する調査から、パーソナリティ特性と精神障害のつながりは、行動レベルだけでなく遺伝子レベルでも存在することが明らかにされている。また、パーソナリティ特性がなんらかの形で極端な人の子供は、その極端さが関係する精神疾患を抱える可能性がとても高いという。

これはつまり、「異常」というのは、現代社会で成功や満足をもたらすパーソナリティが少々極端になったもの、別の言い方をするなら、受け入れがたいと感じるほどになったものでしかないことを意味する。もっと嫌な言い方をするなら、誰しもある程度は異常なのだ。

人は皆、さまざまな精神異常を抱えている。そのほとんどは小さなものだが、なかには重大なものもある。重大というのは、うつや統合失調症といった典型的な精神疾患に限らず、愚鈍、分別のなさ、ふしだ

ら、軽率、心神喪失などさまざまな形が含まれる。ポジティブ心理学という新たな心理学の研究分野で認められているように、**人は皆、健全な精神状態とは程遠く、大なり小なり異常な部分がいろいろある**のだ。にもかかわらず、従来の精神医学は人の直感と同じで、10人にひとりに見受けられる精神状態を障害と呼ぶことに反発している。

パーソナリティと精神異常が連続体であるという事実は、精神の健康状態に関する方針や治療において重要な意味を持つ。2013年に精神医学の基準を提示するDSM（精神障害の診断と統計マニュアル）の第5版が刊行されたが、その見直し方について激しい論争が起こり、いまだ議論は収束していない。アメリカの精神科医らが主導した問題をひとつあげると、アメリカの健康保険制度では、精神疾患であると個別に診断を下されない限り、薬や治療に保険が適用されない。アメリカ食品医薬品局も、個別の精神疾患にしか精神科の薬の処方を承認しない。

こうした保険や薬の承認の事情から、精神疾患の定義は不自然に極端なもの、排他的なものへと追いやられ、単純化した症状のチェックリストで判断されるものとなった。保険会社も支払う金額を抑えたいので、人々によく見受けられる、引っ込み思案、怠惰、神経過敏、現状肯定主義といったパーソナリティを、治療に値する病気に分類しないようにと要求する。だが、保険制度の原理は科学には適用されない。DSM第5版がアメリカの保険会社や食品医薬品局の都合のいいように書かれているのか、それとも国際的にも科学的にも正確だと言えるのかは、科学で今後明らかにすべき課題だ。

人の本能的な直感が当てにならない場面が多々あることは、心理学者によって指摘されてきた（ただし、順応性は高い）。直観物理学（時間、空間、重力、運動力に対して当たり前とされている概念）は、相対性理論、量子力学、宇宙論と絶対に相容れない。直観生物学（類的存在や目的論的機能といった概念）は、進化、集団遺伝学、適応主義とは絶対に相容れない。直観道徳（自己欺瞞、身内びいき、派閥意識、人間中心、因果応報）は、アリストテレス、カント、功利主義者いずれの道徳的価値観とも絶対に相容れない。直観精神医学にも同様に、相容れるものに限界があることは明らかだ。

そうした限界は、早く気づくに越したことはない。**限界に気づけば、深刻な精神病を患っている人を助けやすくなり、自分の精神状態について謙虚に受け止めるようになるだろう。**

進歩するには退行も必要になる

——自我の適応的退行

ジョエル・ゴールド

精神科医、ニューヨーク大学メディカルスクール精神医学臨床准教授

精神分析における概念のひとつに、**ARISE（自我の適応的退行）**というものがある。何十年も前に認められた概念だが、今はほとんど日の目を見ない。ARISEは自我の機能のひとつで、機能の数は人によって数個から数十個と変わる。機能には、現実検討、刺激の統制、防衛機能、総合的な統合などがある。わかりにくいなら、自我は自己のことだと思えばいい。退行を良いことだとみなす分野はほとんどなく、精

神医学も例外ではない。退行という言葉には、状態や機能の初期段階や劣った段階に戻るという意味合いがある。だが**ここで大切なのは、退行そのものではなく、退行が非適応的、適応的のどちらかということ**だ。私たちに欠かせない知識には、適応的退行がなかったら実現しえなかったであろうものがたくさんある。芸術、音楽、文学、料理を創造し嗜むことも、眠れるようになることも、性的な充実を味わうことも、恋に落ちることもなかっただろう。それに、心理分析や精神力動療法で、悪化することなく自由連想を行ったり、治療に耐えたりできるのも、ＡＲＩＳＥのおかげだ。

とはいえ、適応的退行で最も重要な要素となるのは、妄想し思いにふけることのできる能力だと思う。**自らの無意識の思考にアクセスし、そこにはまり込むことなく思考を掘り下げられる人は、新しいアプローチに挑戦したり、これまでとは違う見方で物事をとらえたりできる。**おそらくは、追求する対象に精通することもできるだろう。

要は「リラックスする」のだ。

ＡＲＩＳＥのおかげで、フリードリヒ・アウグスト・ケクレは、己の尻尾を食べているヘビの姿について思いふけることができ、ベンゼン環の構造となる形をひらめいた。リチャード・ファインマンは、氷水の入ったグラスにOリングを落とし入れることで、温度が低いとリングの柔軟性が失われることを示し、スペースシャトル「チャレンジャー」が事故を起こした原因を説明してみせた。問題の解決には、ときとして天才に小学5年生の理科の実験が求められる。

要は「遊ぶ」のだ。

進歩を遂げるには、退行が必要になることもある。ときには、ただＡＲＩＳＥに身を委ねるだけでいい。

人間社会はかつてないほど均一化されている

——体系の均衡

マシュー・リッチー

芸術家

熱力学第2法則は時間の矢としても知られ、エントロピー（とそれに伴い死）としばしば関連づけられるが、現代の人間社会でこれほど誤解が蔓延している手軽な抽象表現はほかにない。この誤解は正す必要がある。熱力学第2法則は、「閉ざされた系（システム）は時間が経過するにつれて均質さが増し、最終的には系全体が均衡になる」というものだ。系が均衡になるかどうかという話ではない。問題は、系が均衡状態になるのはいつか、ということだけだ。

ひとつの惑星に暮らす私たちは、皆ひとつの物理系の一員だ。この物理系は、系全体の均衡だけに向かっている。となれば当然、**環境、産業、政治といった私たちの系は（これらに加えて体系知や体系神学までもが）、時間がたつにつれて均質さが増していく**。それはもうすでに始まっている。空気、食べ物、水といった地球上にいる誰もが利用できる物的資源は、産業化による激しい消費によって、すでに深刻なほど質が低下した。それと同時に、知的財産は、グローバル化の激しい広がりによって大いに増加した。

人間社会はすでにかつてないほど均一化が進んでいる（王朝崇拝に戻りたい人などいるのだろうか？）。

それを思うと、権利と機会の平等に基づく現代の民主主義という系こそが、均衡の完成形ではないかとつい想像したくなる。だが、現状のエネルギー消費量を見ると、その可能性は低いようだ。むしろ、系全体でエネルギーを消費するスピードが速すぎて、社会的に衡平な進化のための均衡がとれなくなり、系として危うくなる可能性が高い。

いまや、かつてないほどの均一化の実現によって生まれた知識を使って、衡平で持続可能な未来のためのモデルを実際に構築する条件は整った。ウェブを通じて知識が大量に流通し、情報を手軽に入手できるようになったのは、文明が成し遂げた偉大な功績だ。**この先最も生き残る確率が高いのは、未来を予測し、変化に適応する革新的なモデルを採用し、世界の資源を現在進行形で有意義に再配分する社会だろう。**

しかし、人は生物学的にも社会的にも、エントロピー（死）について話し合うことを避けるようにできている。そのため、社会としても個人としても、私たちの生き方を体系的に変えるというテーマは反射的に避けてしまう。変えるのは嫌だと思うのだ。そして、真の問題を吟味せずに、終末思想を「エンターテインメント」として消費し、無能なリーダーをあざ笑う。こうした傾向は、いいかげん何とかしないといけない。

残念ながら、今はこんな基本的な概念にすら満足に向き合えない。社会が拡大していた頃は、「進歩」や「宿命」といったさまざまな比喩の力によって、かつては（精神を苛むと言わざるをえない）車輪に喩えられていた時間が矢に喩えられるようになった。科学的な実験や因果説を支持する知識層は容認され、いや、矢の文化的な勢いに貢献している限りは支援されていたと言っていい。ところが、世界の人口が増え、競争が厳しくなるにつれ、それまで突出していた国家の力や消費をコントロールする力の限界が露わになっていった。そして、ポピュリズム、急進主義、呪術的思考といったものが復活し、さまざまな合理的な考え方に反発することで大衆を引きつけた。なかでも特に影響が大きいのは、議論の余地のない物理法則への反発ではないか。

たとえば、世界経済と気候変動の関係性についての議論のなかで、物理法則を否定するとどうなるか。現実に影響が生じるのは明らかだ。関係の肯定派が提案するのは継続的な「正（グリーン）」の成長で、否定派は継続的な「負（ブラウン）」の成長を提案する。ただし、どちらの側も、どんなシナリオでも体系的な均衡の増大は物理的に避けられないという現実を受け入れようとは思っていない。どちらも現状のシステムの継続を前提とし、未来の経済環境で誰が勝ち、誰が負けるかをあてることに関心が向いている。

もちろん、どんな系でも一時的にはエントロピーを凌げる。高温の粒子（社会）は、低温の粒子（社会）が溜め込んだエネルギーを「盗む」ことでしばらくやり過ごせる。だが結局は、エネルギーがすべて燃やされて再配分される割合で、地球という系が真の体系的な均衡状態になるまでにかかる時間が決まることに変わりはない。戦争や窓の断熱性を改善するなどして自分が暮らす地域の「熱」の寿命を延ばすかどうかは政治の話になる。胴元には勝てないのが現実だとしても、試してみる価値はあるのではないか。

何十年も孤独に自説を主張できる人の思考法
——プロジェクティブ思考

リンダ・ストーン

ハイテク業界コンサルタント、アップル社およびマイクロソフト社元役員

バーバラ・マクリントックは、「ジャンピング遺伝子」の発見で1983年にノーベル生理学・医学賞を受賞するまで、32年間にわたって学会から無視されバカにされてきた。同じ分野の研究者たちから不利な扱いを受けている間、彼女は論文を発表しなかった。学会から否定されることを避けたかったのだ。スタンリー・プルシナーは、彼が提唱したプリオンの学説が事実だと判明するまで、同僚たちから厳しく非難された。彼もまた、1997年にノーベル賞を受賞している。

バリー・マーシャルは、胃潰瘍の原因は酸やストレスであるという医学的「事実」に異を唱え、ヘリコバクター・ピロリという細菌の感染が原因であるとして証拠を提示した。だが1998年のインタビューで、彼は「全員が私の敵だった」と述べている。

医学の進歩が遅れていたなか、彼らのような「プロジェクティブ思考ができる人」は、孤独にゆっくりとではあるが、自らの主張を貫き通したのだ。

「**プロジェクティブ思考**」という言葉はエドワード・デ・ボノによる造語で、問題が起きてから対応する

「リアクティブ思考」と対照的に、自ら発想する思考を表す言葉として生み出された。マクリントック、プルシナー、マーシャルの3人は、当時受け入れられていた科学的な見地に相反するという理由で生じる自説に対する不信感を横に置き、プロジェクティブ思考をして見せた。

雄弁で知的な人は、ほぼどんな視点に対しても、説得力のある議論を巧みに構築できる。ただし、起きた問題に反応して批判することに知性を使うと、視野が狭まる。一方、**プロジェクティブ思考は、視野を広げ、「自由」で壮大なものの見方をする**ものだ。この思考には、背景、概念、目的の創造が求められる。

マクリントックは20年にわたってトウモロコシの研究を行い、それが彼女に熟考を促した。そこに彼女の膨大な知識と観察に対する熱意が加わって、トウモロコシ種子の色の変化に重要な意味があると推測した。この推測から遺伝子制御という概念を提言し、当時は次の世代へ受け継がれる静的な構造と考えられていたゲノム理論に異を唱えた。

マクリントックの研究は1950年に初めて発表された。プロジェクティブ思考、広範な調査、執念、自説に対する不信感を払拭するという決意がもたらした成果は、何十年もあとになってからでないと理解されることも受け入れられることもなかった。

ありとあらゆる知識や強く抱く信念、ときには世間にとっての「事実」もまた、人が世界を見るときのレンズを作り出す。私たちはそのレンズを通して世界を見て感じ取り、重大な変化に適応できるようになる。これはメリットとなることもある（火は熱く、触れれば火傷する恐れがあると知っておくのは大切だ）が、その一方で、観察する力や、視野を広げて創造的に考える力を制限しかねない。

マクリントックと同時代を生きた科学者たちのように既存の概念にしがみついていると、目の前の事実が見えなくなる恐れがある。科学の厳しさに理解を示し、創造的な思考と自説に対する不信感の払拭を、私たちはもっと後押しできないだろうか？　ときにはＳＦから科学の発見が生まれることだってあるのだから。

「本物の例外」が科学に革命を起こす

――例外とパラダイム

V・S・ラマチャンドラン

神経科学者、カリフォルニア大学サンディエゴ校脳・認知センター所長。著書に『脳のなかの天使』（山下篤子訳、角川書店、２０１３年）、『脳のなかの幽霊』（山下篤子訳、角川書店、２０１１年、サンドラ・ブレイクスリーとの共著）。

高度な思考に言語は必要なのか。それとも、言葉は単に考えをまとめるものにすぎないのか。この問いの発祥は、マックス・ミュラーとフランシス・ゴールトンというヴィクトリア朝に生きた2人の科学者の議論にさかのぼる。

科学とポップカルチャーのどちらでもよく使われるようになった言葉のひとつに、「パラダイム（規範）」というものがある。これは「例外」の対義語で、科学史を研究していたトーマス・クーンが使い始めた。「パラダイム」はいまや科学に限らず幅広い分野で使われるようになったが、科学でもほかの分野でも誤った使い方をされていて、もはや元々の意味が消え始めるところまできた（このような現象は言語や文化の「ミーム」に起こりがちで、ミームは遺伝子と違って定められたとおりに伝達されることはない）。今では不適切に使われることがほとんどで、とりわけアメリカでは、「ストループパラダイム」、「反応時間パラダイム」、「fMRIパラダイム」というように、実験手順という意味で何にでも使われるようになった。

とはいえ、パラダイムという言葉が本来の意味で使われてきたことで、文化の重要な側面が形づくられてきたのは事実であり、科学者の取り組み方や考え方に影響を及ぼしたといっても過言ではない。パラダイムに関係する言葉に、古代ギリシャ哲学に由来する「懐古主義」という言葉がある。こちらに至っては、「例外」や「パラダイムシフト」以上に頻繁かつ手軽に使われている。

現在のパラダイムについて語ることはできる。クーンはそれを「通常科学」と呼ぶが、私は皮肉を込めて、「**特殊分野の袋小路にはまり込んで互いに称賛し合うクラブ**」と呼ぶ。この種のクラブには法王がいて（ひとりとは限らない）、階層性の司祭職があり、司祭を補佐する侍者がいる。そして、指針となる前提やクラブとして認めている基準があり、クラブの人間は信者のごとくそれらを守ることに必死になる（また、資金を調達し合う、論文を読み合う、助成金申請を審査し合う、互いに賞を与え合う、といったことも行う）。

これがまったく役に立たないというわけではない。漸進的な積み重ねで成長を遂げ、科学の建築家ではなくレンガ積み職人を雇ってきたのが「通常科学」だ。新たに発表された実験的考察（細菌の形質転換、抗生物質で治癒された潰瘍など）がクラブを揺るがす脅威となれば、それは例外と呼ばれる。そして通常科学を順守する人々は、たいていその発表を無視するか、なかったことにしようとする。私の同業者の間では、一種の心理的な否定が驚くほど当たり前に行われるのだ。

こうした反応は、決して不健全なものではない。というのは、例外が見つかっても、のちに誤った情報だと判明するケースがほとんどだからだ。本物の例外として生き残る確率の基準値は小さいので、それらに時間を費やせばキャリア全体が台無しになる（ポリウォーターや常温核融合がいい例だ）。

誤った情報だとしても、例外は役に立つ

とはいえ、たとえ誤りだとしても、そうした例外は思考停止に陥っている科学者たちにショックを与えるという意味で役に立つ。彼らが専門に研究する分野の基本原理とされていることに疑問が投げかけられるからだ。体制に順応する科学は居心地がいい。人間にはそもそも群れたがる性質があるので当然だろう。だからこそ、たとえばあとから間違いだとわかったとしても、例外が生まれれば、一時的にせよ現実を確かめざるをえなくなる。

それに何より、本物の例外がときおり出現することを忘れてはならない。**本物の例外は、現状の見方に対して正当に異議を唱えてパラダイムシフトを推し進め、それが科学的な革命につながる。**例外に対して懐疑論を早計に振りかざせば、科学の停滞を招きかねない。例外に懐疑的になる必要は確かにあるが、科学の進歩のためには現状に懐疑的になることも同じくらい必要だ。

例外は、科学が進歩する過程や自然選択による進化の過程に見受けられる。進化も科学と同様に、状況が変わらない期間によって特性（科学で言うところの通常科学）が決まり、変化が加速する短い期間が区切り（パラダイムシフト）となる。この区切りは突然変異（例外）に基づいて起こるが、そのほとんどは死滅する（誤った理論と判明する）。ただし、なかには**新たな種や系統上の新たな傾向（パラダイムシフト）につながるものもある。**

例外はのちに誤りと判明するケースがほとんどなので（スプーン曲げ、テレパシー、ホメオパシーなどもそうだった）、その研究に専念すると一生を棒に振ることになりかねない。ならば、研究に費やすに値する例外はどのように見極めればいいのか？　もちろん、試行錯誤を重ねていけば明らかになるが、それではうんざりするし、時間がどれだけかかるかわからない。

4つの有名な例を紹介しよう。大陸移動、細菌の形質転換、テレパシー、常温核融合は、いずれも最初に提唱されたときは当時の通常科学という大局に収まらなかったため、例外的な存在とみなされた。

世界の大陸はすべて、巨大な大陸から分断されて移動したものであるのは誰の目にも明らかだったと、大陸移動説を唱えたウェゲナーは20世紀の初めに書き残している。海岸線がほぼ完璧に一致するうえ、ブラジルの東海岸で発見された化石が、アフリカの西海岸で発見されたものとまったく同じだったなど、どれも確かな根拠だ。しかし、彼の説が懐疑論者から受け入れられたのは、それから50年が過ぎてからのことだった。

2番目にあげた細菌の形質転換は、ＤＮＡや遺伝コードが発見される何十年も前にフレッド・グリフィスが提唱した。彼は、あらかじめ感染力のない細菌（肺炎球菌R型）が投与されたラットに対し、熱処理をして死滅させた感染力の高い細菌（肺炎球菌Ｓ型）を投与すると、R型がS型に転換し、ラットが死に至ることを突き止めた。

その約15年後、オズワルド・アヴェリーが、試験管のなかでも同じ現象が起きることを発見した。死滅させたR型菌と生きているS型菌を一緒に培養するだけで、死滅したS型が生きているR型に転換すること、さらにはその変化が遺伝的であることも明らかにしたのだ。S型からの分泌物だけでも形質転換したことから、アヴェリーは分泌物に含まれる化学物質（ＤＮＡ）に遺伝性があるのではないかと疑った。ほかの研究者たちも同じ結果を再現した。「1頭の死んだライオンと生きている11頭のブタを同じ部屋に入れたら、12頭の生きているライオンが現れる」と言わんばかりだが、この発見は長年にわたってほぼ無視された。ワトソンとクリックが形質転換のメカニズムを解読してようやく、細菌の形質転換は受け入れられた。

注目すべきは「いつまでも生き残り続ける例外」

3番目のテレパシーが、理論として成り立たないのはほぼ確実だ。ここに経験則が働くのがおわかりだろう。大陸移動と細菌の形質転換は、経験的証拠が欠けていたから無視されたのではない。小学生にだって、大陸の海岸線や化石の一致が何を意味するかは見て取れる。**大陸移動説が無視されたのは、ただ単に、当時の科学の大局が、大地、つまりは決して動くことのない地球という概念にそぐわなかったからである。**それに、当時は大陸の移動を可能にするようなメカニズムを誰も思いついておらず、プレートテクトニクスの考えが生まれたのはずいぶんたってからだった。細菌の形質転換が繰り返し実証されたにもかかわらず無視されていたのも同じで、種の不変性という生物学の土台となる原則に異を唱えたからだ。

ところが、3番目のテレパシーが否定されたのには理由が2つある。ひとつは大局にそぐわなかったからで、もうひとつは再現が難しかったからだ。

この2つを踏まえれば、追求すべき例外を探すルールが完成する。**繰り返し実験的に反証が試みられているにもかかわらず、誰もメカニズムが思いつかないという理由だけで権威に無視されながらも生き残っている例外を探す**のだ。ただし、繰り返し試みられながらも経験的に確証が得られないことには、時間をムダにしないのが賢明だ（実験するたびに結果が期待と違う方向に近づいていく場合は要注意だ！）。

言葉は、それ自体はパラダイムであり、安定性の高い「種」と言える。意味の曖昧な部分が積み重なっていきながらゆっくりと進化し、ときには新しい概念を表す新たな言葉へと形を変える。そうして誕生した新たな言葉は、考えを巡らせるための「取っ手」（名称）がついてひとまとまりに統合され、これまでにない組み合わせを生み出していく。

行動神経科学の研究者からすると、そうした結晶のような明確さがある言葉を操ることは、人間特有の行為であり、その行為は脳内の左ＴＰＯ（側頭頭頂後頭接合部）やその付近で起こるのではないかと言いたくなる。だがこれは、純粋に推測でしかない。

科学技術者も美について学ぶべき

――再帰構造

デイヴィッド・ガランター

イェール大学コンピュータ科学教授、ミラー・ワールズ・テクノロジーズ社チーフサイエンティスト。著書に『ミラーワールド』（有沢誠訳、ジャストシステム、１９９６年）

再帰構造というシンプルな概念（手軽な抽象表現とも呼べる）は、科学への適用にとどまらず、意外なものへも応用が利く。

全体の形がその一部の形のなかに表れる場合、その構造は再帰的である。たとえば、円で継ぎ目なく形づくられた円などがそれにあたる。継ぎ目となっている円自体をさらに小さな円で作ることも可能で、原理上は円から成る円を無限に作れる。

再帰構造という概念は、１９５０年代にコンピュータ科学（厳密にはソフトウェア科学）の出現とともに生まれた。ソフトウェア・システムには複雑度が不可解に増していくという傾向があり、それを制御するのが何よりも難しい。だが再帰構造を組み込むことで、足を踏み入れられないソフトウェアの熱帯雨林をフランス庭園に変えることが可能になる。それでもまだ（潜在的に）広大で入り組んでいるが、ジャングルに比べたらずいぶんと歩きやすくわかりやすい。

ブノワ・マンデルブロは、自然に再帰構造の一種を見出した人物として有名だ。たとえば、ごく一般的な海岸線は、６インチ、60フィート、６マイルのどの間隔で切り取っても、同じ形状もしくは同じパターンが見受けられる。

建築の歴史を振り返っても、再帰構造は欠かせない存在となっている。とりわけヨーロッパのゴシック、ルネサンス、バロック様式に顕著で、それらが使用された期間は13世紀から18世紀の約５００年にわたる。「再帰構造を建築に用いる」という奇妙な事象は、アイデアがひとつ欠けるだけで損害が生まれかねないことを教えてくれる。また、科学と芸術を分断する文化的な意味での〝ベルリンの壁〟を超えた対話が、いかに難しいかもよくわかる。それに、**芸術や自然にこの現象が繰り返し見受けられるのは、人間の美的感覚の重要な一面を明確に表している**とも言える。

基本となる形の大きさを変えて再利用するという行為は、中世の建築の基礎となっている。しかし、「再帰構造」という概念（と言葉）がなかったら、美術史家たちは、必要が生じるたびにその場で言い表し方を考え出さないといけない。場当たり的な描写が次々に生まれれば、再帰構造が実際にどのくらい広まっているかを把握するのが難しくなる。それに当然、中世以降の美術史を研究する人たちは、彼ら独自の描写を生み出さねばならない。そうなれば、縁もゆかりもない２つの美の世界に存在する驚くべき接点が見えづらくなる。

例をあげよう。成熟期のゴシック建築様式において、トレーサリーはとりわけ重要な要素のひとつである。トレーサリーとは、薄い石の板に模様を彫って仕切る骨組みを指し、これをはめ込めば窓のなかに小さな窓枠をしつらえることができる。そして、トレーサリーの基本を成すのが再帰だ。

トレーサリーはランス大聖堂のために１２２０年頃に考案され、その後すぐにアミアン大聖堂にも使用された（今あげた２つの華やかで壮大な建物は、シャルトル大聖堂と並んでゴシック様式の傑作とされている）。ランスの特徴的なトレーサリーがアミアンでどうなったかというと、再帰の数が増えたにすぎない。ランスの基本的な設計は尖塔アーチの内側に円があるというもので、その円をひと回り小さい２つのアーチが支える。アミアンも基本様式は同じだが、こちらの窓は、ひと回り小さいアーチの内側に、さらにひと回り小さい同じ構造が繰り返されている（ひと回り小さいアーチの内側で、それよりひと回り小さいアーチがひと回り小さい円を支えている）。

リンカーン大聖堂の素晴らしい東窓に見受けられる再帰構造は、さらに奥深い。この窓も尖塔アーチの内側に円があり、その円がひと回り小さい２つのアーチに支えられているので、アミアンによく似ている。ただし、ひと回り小さいアーチの内側にも円があり、その円を２つのアーチが支えている。さらにその２つのアーチの内側にも円があり、さらにひと回り小さい2つのアーチがそれを支えている。

テクノロジー教育には、美術と歴史がいる

中世の建築様式には、ほかにもさまざまな再帰構造が見て取れる。

ジーン・ボニーとアーウィン・ポノフスキーは、20世紀に芸術の歴史を専門に研究した優秀な学者だった。もちろん、2人は再帰構造の存在に気がついた。しかし、2人とも、再帰構造そのものは理解していなかった。そのため、ボニーはサン＝ドニ大聖堂の窓に再帰構造が見受けられるとは書かず、その窓は「よく似た形状が分化していく形をとり、サイズが小さくなったものが段階的に増えていく」と言い表した。別の建物に同じ事象を見出したポノフスキーは、「漸進的な分割（あるいは倍増）の原理」と記している。彼のこの描写は、混乱しながら遠回しに「再帰構造」と言っているのと同じだ。

ルイ・グロデッキも、教会内に建物の縮小版のような形状をした装飾がある場合は、そのなかにさらに縮小した形状の祭壇があると、同じ事象に気がついた。

これについて彼は、「ゴシック芸術に共通する原理」と記している。だが、その原理が何かは述べていない。総称的に述べることも、その原理に名称を与えることもしていない。

ウィルヘルム・ヴォリンガーも、やはり再帰構造に気づいた。そしてゴシック美術を、「縮小版を繰り返す世界。ただし、同じ形状の繰り返しで全体を表現している」と描写した。

このように、**美術史家たちが同じ基本概念に対して独自の呼び方や描写をすると、4人が実際には同じこ**

とを描写していると気づくのが難しくなる。「再帰構造は中世の建築様式の基本原理である」とさえ言えばすむことなのに、「再帰構造」が何かを知らなければ、このシンプルな表現が出てこない。出てこないどころか、それについて考えることすら困難になる。

こうした専門家の記録のせいで再帰構造が中世美術に果たす重要性がつかみづらくなるのなら、別世界であるイタリアのルネサンス様式にまったく同じ原理が使用されていると気づくことはますます困難を極める。

ジョージ・ハーシーは、バチカンにあるサン・ピエトロ大聖堂の建造（1500年頃）にブラマンテが用いた様式について、「4つの大型教会、16の小型教会、32の極小型教会でひとつの大きな教会を構成している」と的確に描写し、「その原理（ハーシーによる原理）は入れ子式のからくり箱と同じで、さらに言えばフラクタルである」と続けた。

彼に「ブラマンテの意図の根底にあるのは再帰構造である」と言えていたら、話はもっと単純明快になり、中世とルネサンスの建築様式には興味深い接点があるとすぐにわかっただろう。

再帰構造という概念を使えていた場合のメリットはほかにもある。たとえば、美術とテクノロジーの関連性が理解できるし、美の原則が見出せる。優秀なエンジニアや科学技術者はその原則を指針として、ありとあらゆる優れた建築様式の根底には明晰さや優美さがあると考えるようになる。

こうした発想は、現実にすべきことを教えてくれる。科学技術者は、設計の目標とするために、優美さや美について学習し理解する必要がある。テクノロジーを身につけさせるための教育には、美術と歴史が絶対に必要だ。そのうえで、偉大な美術と偉大なテクノロジーに接点を見出し、自然科学との接点を見出すのだ。それができるだけの知識や教養を身につけていない状態で、再帰構造の新たな事例が見つかっても、世界はよりシンプルで美しくなるどころか、これまで以上に複雑になるだけだ。

なぜタクシー運転手の脳は成長を続けるのか

――思考のデザイン

ドン・タプスコット

タプスコット・グループCEO、トレント大学学長。著書に『デジタルネイティブが世界を変える』（栗原潔訳、翔泳社、2009年）、アンソニー・D・ウィリアムズとの共著書に『マクロウィキノミクス』（夏目大訳、ディスカヴァー・トゥエンティワン、2013年）

脳の可塑性（かそせい）や認知的負荷の危険性に関する近年の調査を見ると、**認知の武器として最も強力なものはデザインする力**ではないかと思う。具体的に言うと、デザインの原則や決まりごとを、思考の形成に活用する力のことだ。これは知識の取得とは違う。デジタル時代にふさわしく効果的な考え方、記憶の仕方、コミュニケーションのとり方をデザインするのだ。

今では、デジタル時代が認知に及ぼす影響を心配する声がよくあがるようになった。これにはメリットがいくつもある。しかし、悲惨な未来を予測するよりも、そうではない未来を築こうとするべきではないか。神経科学での新たな発見には希望がある。脳は鍛えることができ、使い方しだいで変えられる。

ロンドンのタクシー運転手を対象にした有名な調査により、彼らの脳内の記憶の形成に関わる特定の領域は、ほぼ同じ年齢でタクシー運転手ではない人に比べて物理的に大きいことが明らかになった。この結果はロンドンのバス運転手には当てはまらなかったことから、タクシー運転手はロンドンの多数の通りを記憶する必要があり、それにより海馬の構造が変化したとの結論が支持されるようになった。

こうした調査結果は、**大人になってからでも脳のどこか1カ所を集中して使えば、その大きさやおそらくは容量も大きくなりうるという見解を後押しする**ものだ。集中して使わなくても、一時的に鍛えたり、単に頭のなかで想像したりするだけでも効果はあるようだ。

目隠しをして過ごしていると、触覚（点字の）識別が改善するという研究報告がいくつもある。実験参加者の脳をスキャンしたところ、1日あたり1時間強の目隠しを5日間続けただけで、聴覚や触覚に刺激を受けたときの視覚野の反応速度が上がったという。

脳の適応力が生涯にわたって消えないことは、もはや疑いようがない。脳は「使わないなら失うぞ」というモットーで走り続けているのだ。ならば、適応力を的確に高めていこうではないか。今は、豊富な情報、さまざまな刺激、ペースアップ、マルチタスクを可能にするデジタルの存在が求められているのだから、それらを認知能力の拡大に活用してはどうだろう？

青年期の精神衛生に詳しい精神科医のスタン・カッチャー博士は、デジタルテクノロジーが脳の発達に及ぼす影響について調べた。それを踏まえて、彼は次のように語る。

「**新しいテクノロジーにさらされることで、ネット世代（ティーンエージャーや若年成人）の脳の容量が従来の限界を押しのける可能性があると示す証拠が現れつつある**」

オールAの女子学生が宿題と同時にオンライン上で別のことを5つやっていても、実際に複数のタスクを同時にこなしているわけではない。彼女のワーキングメモリと切り替え能力が優れているのだ。私はメールを読みながらｉＴｕｎｅｓを聴くことはできないが、この学生にはできる。彼女の脳は、デジタル時代の要求に対処するように配線されているのだ。

自分の脳をデザインする時代

思考のデザインをどのように活用すれば、自分の思考の仕方を変えられるのか？　よいデザインは一般に、なんらかの原則や実用的な目的から生まれる。情報を効率よく理解して吸収したい、具体的な意味を知りたい、意味を覚えたい、意味を察したい、クリエイティブになりたい、文章や会話を通じて上手にコミュニケーションをとりたい、大事なコラボレーション作業や人間関係を楽しみたい……。こうした目的を達成するために、メディアの活用（もしくは活用の節制）をどのようにデザインすればいいのか？

速読のような昔からあるものでも、理解を損なわずにインプットの容量を増やせる。イヴリン・ウッドが速読を考案した時代にそれが必要だとされたのなら、現代でも間違いなく重要であり、効率的な読み方についてはかなり研究が進んでいる。

読んでいて集中できないと感じる人は、記事の見出しや要約だけでなく、記事の全文を1日に何本か読むようにするだけで、集中力を高められる。

外科医になりたい人は、ゲーマーになるか、地下鉄の車内で手術の脳内リハーサルをするといい。リハーサルによって、物理的に身体を動かしたときに生じるほどの大きな変化が運動皮質に起こる。

ある調査で、ひとつのグループには5本の指を使った簡単なピアノの練習をしてもらい、もう一方のグループには、頭のなかでまったく同じように一音ずつ指を動かしてピアノを練習していると考えてもらう実験が行われた。すると、どちらのグループの運動皮質にも変化が現れた。**頭のなかだけでピアノを弾いたグループにも、実際に指を動かしてピアノを弾いたグループと同じくらい大きな変化が起きた**のだ。

記憶力が下がったという人は、アルベルト・アインシュタインが使っていた記憶の法則を目的に合わせて応用するといい。アインシュタインは、なぜ自分の電話番号を電話帳で確認するのかと尋ねられたとき、調べられない事柄しか覚えないようにしていると答えたという。

今は覚えることがたくさんある時代だ。文明の夜明けから2003年の間に収集されたデータの量は、5エクサバイトだった（1エクサバイト＝100京バイト）。それが今では、2日ごとに5エクサバイトのデータが収集されている！　数分で同じ量が集まる日は近いだろう。人間が記憶できる容量には限界がある。ならば、**記憶にとどめるものととどめないものの基準を設ければいい**のではないか？

ワーキングメモリや複数のタスクを同時に行う能力を高めたいという人もいるだろう。そういう人は、ティーンエージャーから学ぶリバースメンタリングを試すといい。子供が重要な事柄の権威となるのは史上初の出来事で、その能力に長けた子供たちは、思考における新たなパラダイムのパイオニアだ。人の認知機能や脳の機能性は、記憶する練習を毎日のルーティンに加えるといったライフスタイルの変化によって改善できる。それは幅広い調査を通じて実証されている。

学校や大学で、なぜ思考をデザインすることを教えないのだろう？　身体の動かし方は教えても、脳のことになると、その動かし方よりも、情報の詰め込みや覚えたかどうかの確認ばかりを重視する。素晴らしい脳をデザインする方法を専門に教える授業があってもいいのではないか？

この何気ない提案で、「デザインを仕事にする人たち」は不安になるか？　私はそうは思わない。彼らは常に人々に何かをもたらしてくれる存在だ。私はただ、各自が自分専門のデザイナーになるよう提案しているだけにすぎない。

——フリージャズ

認知能力を磨くのにうってつけの音楽

アンドリアーン・クライエ

南ドイツ新聞記者（芸術とアイデア欄担当）

20世紀半ばに登場した前衛芸術には、役に立つヒントが必ずいくつかある。特に**認知能力を向上させたいなら、フリージャズがうってつけだ**。フリージャズは高度に進化した奏法のひとつで、（少なくとも欧米では）小節の拍子はそのままに12音を使った表現を必須とする。

フリージャズはブルースに始まったジャンルの最高峰でもある。１９６０年12月にニューヨーク市のA&Rスタジオで評判の悪かったダブルカルテットの演奏をオーネット・コールマンが収録してから、わずか50年でそう呼ばれるようになった。科学の世界で喩えると、たった50年で小学校の算数からゲーム理論やファジー理論へ一足飛びに進化したようなものだ。

フリージャズの奏者や作曲家が知的に優れているところを本気で理解したいなら、まずは1歩下がってみるといい。コールマンのフリージャズセッションで、当代随一のミュージシャン8名の即興演奏の才能が開花する1年前、ジョン・コルトレーンが自身作曲の「ジャイアント・ステップス」を録音した。複雑なコード進行の力作で、その演奏は今なお最高に洗練されたジャズソロとみなされている。

ユーチューブを検索すると、コルトレーンのソロに合わせて楽譜が進んでいく動画がある。映画学科の学生ダニエル・コーエンが投稿したものだ。楽譜が読めなくても、これを見ればコルトレーンの知的能力の凄さがよくわかる。メインテーマでシンプルな曲だと思わせておきながら、そのあとめまいがするほどのスピードで、五線譜上を音符が目まぐるしく動き回る。ライブ感を保つためにリハーサルなしで録音に臨んでいた事実も考慮すれば、彼が普通とはかけ離れた知的能力に恵まれていたことは想像に難くない。

その4分43秒という演奏時間に、コルトレーンのアルバム収録に参加した奏者の数8を掛けて37分に延ばし、そこからコード進行や拍子といった音楽の伝統的な構造をすべて取り除いてみよう。そうすると、翌年の1960年に録音されたコールマンのセッションは、ジャンルの名称となったアルバムのタイトル「フリージャズ」が暗示する過激な自由を先駆けただけではないのだとわかる。彼らの演奏は、コミュニケーションの形態を変える先駆けでもあった。直線的だったこれまでのコミュニケーションのとり方を捨て、並行して複数のやりとりを行う領域に突入したのだ。

フリージャズは無秩序ではない

コールマンのアルバムが、いまだに理解し難いことは否めない。セシル・テイラー、ファラオ・サンダース、サン・ラ、アンソニー・ブラクストン、ギュンター・ハンペルの録音と並ぶほど聴くのが苦痛だ。彼らが音楽を通じて行うコミュニケーションは、生演奏のほうが理解しやすいと昔から決まっている。ひとつはっきりしているのは、彼らは無秩序に演奏しているわけではないという点だ。そういう意図の演奏は一度もなかった。

楽器ができてフリージャズのセッションに招かれる機会があれば、ミュージシャンが「グルーヴ」と呼ぶとてつもない瞬間を味わえるだろう。互いの創造力のやりとりが最高潮に達すると、観客にもそれが伝染し、しびれるような感動が生まれる。説明が難しいが、サーフボードにサーファーの身体能力と波のうねりの力が集まって、波の頂点で数秒間の相乗効果が生まれるのに似ているかもしれない。音楽的な要素が融合しつつ、一般的な音楽理論に逆らう。それがフリージャズのセッションだ。

もちろん、フリージャズに対する偏見を肯定するだけの演奏もたくさんある。ビブラフォン奏者で作曲家でもあるハンペルの言葉を借りるなら、「一時は、ステージ上でいちばん大きな音を出すことがすべてだった」。ただし、先に名前をあげたミュージシャンたちは、新しい音楽の形や構造を見出した。オーネット・コールマンが提唱したハーモロディクスという音楽理論もそのひとつだ。耳障りと受け止められてきた彼らの音楽には、幾重にも重なった確かさがあり、それは21世紀に認識しておくべき認知の武器のモデルとなりうるものだ。

これからは、ひとつの直線的上ではなく並行して存在する複数の文脈で作用する、認知能力、知性、コミュニケーション能力を見出す力が重要になる。フリージャズが調和の構造を捨ててポリリズムを用いた新たな形態を見つけたように、**私たちもまた、実績のある認知のパターン以上の認知能力を使いこなせるようになる必要があるのかもしれない。**

人は鉛筆の作り方さえも知らない

——集団的知性

マット・リドレー

サイエンスライター、英国国際生命センター創設者兼名誉会長。著書に『繁栄』(大田直子・鍛原多惠子・柴田裕之訳、早川書房、2013年)

人類学者、心理学者、エコノミストを問わず、優秀な人というのは、誰かが何かを成し遂げる際にカギとなるのは優秀さであると考える。したがって彼らは、いちばん賢い人に投票して政府の運営を任せ、いちばん賢い専門家に経済に関する計画の立案を頼み、発見をした科学者のなかでいちばん賢い人を信用し、そもそも人間の知性はどのように進化したのかと思案する。

だが、そうした態度はすべて見当違いでしかない。**人間が何かを成し遂げる際に個人の知性がカギを握ることは絶対にない。**

人類が地球を支配しているのは、大きな脳があるからではない。それを言うなら、ネアンデルタール人も大きな脳を持っていたが、彼らは捕食する霊長類にしかなれなかった。文明を築くうえで、脳が1200立方センチメートルの大きさになり、そこに言語をはじめとする数々の精巧なソフトウェアが備わる進化は確かに必要だった。だが、それだけでは十分ではない。他国より経済活動が活発に行われているのは、それを動かす人々が他国の人より賢いからではないし、一部の場所で偉大な発見が多く生まれるのも、ほかの場所にいる人に比べてそこにいる人が賢いからではない。

人間が成し遂げる物事はすべて、ネットワークを通じて生まれる現象である。貿易や専門化という形で労働を分業し、それによってさまざまな脳を1カ所に集める。人間社会はそうやって、生活水準や環境収容力を高める方法、テクノロジーを発展させる方法、人類の知識の基盤を固める方法に巡り合ってきた。

ネットワークを通じて生まれる現象は、ありとあらゆる場面で見受けられる。たとえば太平洋諸島では、テクノロジーの発展に比例してつながる人々の数が増え、反対にテクノロジーが衰退すれば、タスマニアの先住民のように孤立する。また、ギリシャ、イタリア、オランダ、東南アジアでは、独創的なやり方の貿易で成功して都市国家が生まれた。

人間は、**集団的知性**に基づいて何かを成し遂げる。人と人をつなぐ神経回路の中心は、人そのものなのだ。**各自がひとつのことを行いながらそれに熟達し、その成果を持ち寄って共有したり組み合わせたりして、理解すらしていないことができるようになる。**エコノミストのレナード・リードが「私、鉛筆」というエッセイで記しているように（このエッセイは必読だ）、この世には鉛筆でさえ作り方を知っている人はひとりもいない。その知識は、黒鉛を採掘する人、木を伐採する人、設計する人、工場で働く人といった、多くの人々を通じて社会にもたらされる。

だからこそ、フリードリヒ・ハイエクが指摘したように、中央司令型の計画経済は絶対に成功しなかったのだ。消費財の配分の仕方を集団で考える場に、いちばん賢い人がいても場違いだ。知性を集めて積み上げていくという考え方は、アダム・スミスが共感し、チャールズ・ダーウィンが賛同の意を示し、ハイエクが「社会における知識の活用」という素晴らしいエッセイで詳しく解説したものだ。皆さんの認知の武器にも、この考え方をぜひ加えてもらいたい。

ティーンエイジャーから役に立つ統計的思考
——リスクリテラシー

ゲルト・ギーゲレンツァー

心理学者、マックス・プランク人間行動学研究所適応行動・認識学センター所長。著書に『なぜ直感のほうが上手くいくのか?——「無意識の知性」が決めている』(小松淳子訳、インターシフト、2010年)

読み書きの能力であるリテラシーは、参加型民主主義の市民が情報に通じるうえで欠かせない前提条件である。だが、読み書きを知っているだけではもはや十分ではない。20世紀に読み書きが必須だったように、猛烈なスピードでテクノロジーのイノベーションが進む21世紀では、**リスクリテラシー**が欠かせない存在となった。リスクリテラシーとは、情報を手にして不確実なことに対処する能力を指す。この能力がなかったら、健康や資産が脅かされ、根拠のない不安や期待に振り回されかねない。そうした期待や不安が悲惨な結果を招くことだって考えられる。

ところが、現代の脅威への対処を考えるうえで、政策立案者が人々にリスクリテラシーという考え方を啓蒙する機会はほとんどない。金融危機が起こるリスクを減らす目的で、規制の強化、銀行の規模縮小、賞与の減額、負債比率の引き下げ、短期主義の抑制といった方策は提案されたが、そこには大事な要素がひとつ抜けていた。人々に金融のリスクをしっかりと理解させるという策だ。サブプライム危機が起きたとき、収入も職も資産もすべて失った人の多くは、彼らが抱える住宅ローンの金利が固定性ではなく変動性であると認識していなかった。

また、リスクリテラシーを身につければ、医療コストの増大という深刻な問題も解決が可能になる。この問題では、増税や治療の制限が実行可能な唯一の解決策としてしばしば提示される。だが、患者にヘルスリテラシー（健康に関する知識）を身につけさせるほうが、お金をかけずによりよい治療を受けさせることにつながる。たとえば、アメリカでは毎年１００万人の子供が不要なＣＴ撮影を受けている事実や、１回の全身スキャンでマンモグラム検査１０００回分の放射線を浴び、その結果、年間２万９０００人のがん患者を生んでいる現実を知っている親は少ない。

現代の危機に対し、法律、手続き、資金を増やすだけでは答えにならない。何よりも、リスクリテラシーを備えた人の数を増やすことが先決だ。それには、統計的思考を育めばいい。

統計的思考と簡単に述べたが、これは不確実性やリスクを理解し、批判的に評価できる能力を指す。実は、**アメリカ人成人の76％、ドイツ人成人の54％は、１０００分の１を％にする計算方法を知らない**（正解は０・１％）。学校では、確実性の数学（幾何学や三角法）を教えることに力を注ぎ、不確実性の数学を教える時間はまったくと言っていいほどない。仮に教えるとしても、たいていはコインやサイコロを使った問題で、子供たちにとっては退屈でしかない。

統計的思考は、現実世界の問題を解決するテクニックとして教えるのがいい。要は、飲酒やスケートボードに伴うリスク、エイズ、妊娠など、避けたいことを回避するテクニックとして教えるのだ。数学のなかでも、統計的思考はティーンエージャーの世界に直結すると言っていい。

大学になっても、法学部や医学部の学生が統計的思考を教わる場面はほとんどない。不確実性の問題を本質的に扱う職業を目指している学生であるにもかかわらずだ。

アメリカの判事や法律家は、DNAの統計値に困惑した。英国にも、乳児の突然死の発生率について誤った結論を導き出した法律家がいる。陽性反応検査を受けた患者ががんである確率を誤解する、あるいは医療雑誌に掲載された新事実を批判的に評価できない医師は世界中に大勢いる。リスクリテラシーが備わっていない専門家は、解決ではなく問題のほうに加担する存在でしかない。

読み書きという基本的なリテラシーと違い、リスクリテラシーには感情のリワイヤリングが求められる。**立場の強い者に従っていればいいパターナリズムや「絶対に正しい」という幻想を否定し、自分で責任を負って不確実性を受け入れる姿勢を学ぶ必要がある。**要は、あえて知ろうとするのだ。そうなるまでの道のりは、まだまだ長い。

調査によると、ほとんどの患者は、担当医は何でも知っていると思いたがっているようで、医師による診断の根拠を尋ねなくても、診察後はしっかりと説明を受けたと感じる。また、銀行が破綻の危機に陥ったとわかってからでも、多くの顧客はそれでもなお行員の言葉を盲信し、サッカーの試合を観るほどの時間もかけずに自らの資産を台無しにする。

未来を予測できる人がいると信じて、幻想の確実性を求めて占い師に大金を払う人も大勢いる。毎年秋になると、世界的に有名な金融機関が翌年のダウ平均株価とドルの為替レートの予測を公表する。だが、過去の記録を見ると、その的中率は偶然とほぼ変わらない。たいてい間違っている予測しか出さない企業や機関に、年間2000億ドルが支払われている。

教育者や政治家も、リスクリテラシーは21世紀に不可欠なテーマだと認識したほうがいい。専門家が正しいと信じるように人々を導くのをやめて、情報に基づいて各自が自ら判断を下すことを後押しし、実際にそうできる知識や技術を身につけさせるべきだ。リスクリテラシーの教育は、小学校から始めるといい。

皆さんも、あえて自分から知ろうと努めてほしい。リスクや責任は自ら負うべきものである。決して逃れようとしてはいけない。

安全対策は「安心を得る」ためにある

——セキュリティ劇場

ロス・アンダーソン

ケンブリッジ大学コンピュータ研究所セキュリティ工学教授、情報セキュリティ経済学、情報セキュリティ心理学の研究者

現代社会は安全対策に大枚をはたいているが、その真意は、リスクを減らすためではなく安心を得るため

にある。私のようにセキュリティ工学に携わる人間の間では、そうした対策を**「セキュリティ劇場」**と呼んでいる。

例ならそこら中に転がっている。テロリストによる攻撃を防ぐためという名目で、建物に入るときに身体検査をされる。ソーシャルネットワークの運営者は、気のおけない「仲間」だけの小さなグループを作るフリをして、広告主に買ってもらえる個人情報をユーザーに開示させる。仲間になったユーザーが得られるのはプライバシーではない。プライバシーの仮面をかぶった「プライバシー劇場」だ。

環境政策も例外ではない。二酸化炭素排出量を削減するには、たくさんのお金と支持が必要だ。そのため、政府は形ばかりの方針を大々的に掲げるが、削減する効果はごくわずかしかない。専門家は皆知っている。地球を守ることにつながると政府が主張する行動の大半は、単なる「劇場」にすぎないと。

劇場は不確かさを助長する。**リスクの測定や、リスクが現実になったらどうなるか。予測が困難な場面では、現実ではなく見せかけを管理するほうが簡単になる。**そうした不確かさを軽減し、見せかけと現実とのギャップを白日のもとに晒す。これは科学の主たる使命のひとつだ。

科学は昔から、粘り強く知識を積み重ねるというアプローチによって、リスクや選択肢、起こりうる結果を人々に理解させてきた。だが、劇場は無知によって偶然生まれているわけではなく、意図して誰かが生み出しているのだから、科学者は劇場の仕組みについても精通する必要があるのではないか。

科学を人々に広める者は、劇場で繰り広げられるショーを中断させ、舞台の物陰に光を当てて、何のための仮面なのかを世間に明らかにできるようになる必要がある。

テロに遭遇して死亡する確率はかなり低い

——基準率

キース・デブリン

スタンフォード大学人間科学とテクノロジーに関する先端研究所常任理事。著書に『世界を変えた手紙』（原啓介訳、岩波書店、2010年）

近年、アメリカの空港に導入された後方散乱X線検査装置は健康に害を及ぼすのではないか、TSA（運輸保安局）が強制的に始めた煩わしい身体検査は避けられるのではないかといった議論が持ち上がったのを受けて、基準率という確率の概念が世間に認識され、理解が高まった。

統計学者が入手可能な証拠に基づいてなんらかの出来事が起こる確率を予測したいと考えたとき、考慮する必要のある情報源は主に2つある。ひとつは証拠そのもので、そこから信頼できる数字を算出する。そしてもうひとつは、純粋に相対的な発生率を算出した数値だ。

後者の数値を**基準率**と呼ぶ。計算というありふれたプロセスから得られる数字にすぎないからか、新しい情報が生まれると、基準率は見過ごされやすい。その情報が高価な設備を使った「専門家」によってもたらされたものとなれば、必ずと言っていいほど見過ごされる。テロリストによる航空機ハイジャックといったドラマチックで恐ろしい事件が起こる確率を求めるときに基準率を考慮に入れ損なうと、ほとんど起こりえないことを防ぐために膨大な労力と費用をムダにしかねない。

たとえば、めったに発生しないがんの検査を受けるとしよう。そのがんの母集団の罹患率は1%だ（これが基準率である）。広範囲にわたる調査から、検査の信頼性は79%であることがわかった。もっと正確に言うと、検査でがんの存在が見落とされることはないが、がんでないにもかかわらず陽性の結果が出る、いわゆる偽陽性が21%の確率で出る。

検査を受けたあなたに、陽性の結果が下された。では、あなたが本当にがんである確率はいくつか？　検査結果の信頼性が80%近くあり、結果が陽性であれば、がんにかかっている可能性は約80%（つまりがんである確率は約0・8）だとほとんどの人が思う。これははたして正解か？

答えはノーだ。検査とその信頼性しか見ておらず、基準率が見過ごされている。例にあげたシナリオの場合、がんにかかっている可能性はたったの4・6%しかない（つまり確率は約0・046）。そう、がんである可能性は5%にも満たないのだ。それでもやはり、不安になる数字であることに変わりはないが、最初に思った80%とは比べ物にならないほど低い。

空港での後方散乱X線検査装置の話に戻るが、**テロリストによる攻撃で死に至る基準率は、私たちが日々ためらうことなく行っているさまざまな行動で死亡する確率よりも低い。**ある調査によると、その基準率は、空港での検査装置を通ったせいでがんになる確率とほぼ同じだという。

探している答えが見つからないときは……

——情報検索

マルティ・ハースト
コンピュータ科学者、カルフォルニア大学バークレー校スクール・オブ・インフォメーション教授。著者に『検索ユーザーインターフェース（Search User Interfaces）』

今生きている私たちは、頭に浮かんだどんな疑問も形にできて、その答えを数秒、少なくとも数分もあれば見つけられる初めての人類だ。

この、偏在する情報の豊富さそのものが、私たちにとっての認知の武器となる。あらゆる場所に情報が大量に存在するという現実を思うと、私は驚嘆せずにはいられない。

情報過多、データスモッグといった言葉を用いて多すぎる情報の弊害を唱える声もあるが、個人的には、優れた検索ツールが利用できる限り、オンラインで見つかる情報は多いほどいいと常々思っている。

情報を探す方法としては、ウェブの検索エンジンで調べたいことを直接検索する（ときにはリンクをたどって偶然見つけるケースもある）、ソーシャルネットワークを通じて不特定多数の人に向かって尋ねる、アンサーズ・ドットコム、クオラ、ヤフー・アンサーズといったQ＆Aサイトで尋ねるといったものがある。

情報の見つかりやすさを表す実際の指標が実在するかどうかも知らないが、情報検索の分野で使用されているツールを指標の開発に応用することはできる。ただし、**見つけたい情報が単純にないという事実を検索者にわからせる方法は、まだ見つかっていない。**

意見をいくら集めても事実にはならない

――最も重要な科学の概念

スーザン・フィスク

プリンストン大学心理学ユージン・ヒギンズ教授。著書に『羨望で上がり、嘲笑で下がる：立場で人はどのように分かれるか（Envy Up, Scorn Down: How Status Divides Us）』

「説とは経験に基づく疑問であり、証拠を集めることで解決される」は、最も重要な科学の概念である。**逸話をいくら集めてもデータにはならないし、意見をいくら集めても事実にはならない。**同業者による質の高い審査を受けた科学的な証拠が積み重なることで、データや事実が生まれる。ストーリーは人が思い描くものであり、人はそれによって突き動かされる。だが、指針を決めるのは科学であるべきだ。

創造論や反ワクチンが広まるのを防ぐには

——科学者の姿勢

グレゴリー・ポール

フリーランス研究者。著書に『肉食恐竜事典』（小畠郁生監訳、河出書房新社、1993年）

科学的思考にとって、最大の敵は会話である。対話形式で繰り広げる会話は一般に、その大半が戯言でしかない。正直、私は人と話すことにうんざりしている。まじめな話、会話には厄介な側面がある。どういうことかというと、**人は、そもそもほとんど知識がない、あるいはまったく知らないとしても、自分が気に入った意見を頭に入れて、頑ななまでにそれが事実だと思い込む傾向がある**のだ。これは誰もがすることで、両耳の間で思考を生成するぐちゃぐちゃした肉の塊がそのように作用する傾向も一因にある。

いまや人間は、地球上で最も合理的な生き物かもしれないが、その次に合理的な生き物がチンパンジーであることを思うと、この表現は人間を高く評価するものではない。

創造論がいい例だ。地球温暖化問題やワクチンに対して不安を抱く親もそうだが、科学者にしてみれば、アメリカという国に、進化論や古生物学を否定し、有史時代あたりで神が人間を創造したと本気で信じている人が大勢いることが不思議でならない。

こうした疑問が持ち上がると、反科学的な考えが蔓延した典型的な例として創造論が取り上げられるのが常だ。だからといって、創造論が支持されている理由について触れるつもりはない。そうではなく、科学の推進に努めてきた人々の多くが、「ダーウィンが唱えた進化論の現実性を否定する人たちについて理解している」と思っている状況について見ていきたい。

十数年前、反創造論者による「ドードー鳥の群れ」というタイトルのドキュメンタリー映画が上映された。いろいろな意味でよくできた映画であり、反進化論者たちに反発する機運を高めるのに一役買ったのは事実だが、進化論に嫌悪感を抱くアメリカ人が大勢いる理由についての説明は、まったくの的外れだった。

そうなった原因は、映画を制作したランディ・オルソンにある。理由を解明しに行く場所を間違えたのだ。映画の見所のひとつに、ハーバードで進化生物学を研究する科学者がテーブルに集まってポーカーをしながら、自分たちの研究結果がヤフーなどの検索エンジンに嫌われる理由について意見を述べ合う場面があった。これは大変な間違いだ。というのは単純に、進化生物学の研究者が本当に知っているのは、彼らの専門分野である進化生物学に関する事柄だけだからだ。

ごく普通の人が特定の考えを持つに至った理由を本気で知りたいなら、その専門家である社会学者のところへ向かわないといけない。「ドードー鳥の群れ」にはそういう場面がないので、創造論が科学の時代に蔓延している理由も、疑似科学を盲信する獣たちを飼いならすために必要な方法もわからずじまいだった。

創造論の蔓延は、決して不合理な問題ではない。2000年前後から、創造論を支持する真理を理解しようと、大掛かりな研究がいくつも行われてきた。創造論は基本的に、深刻に機能障害に陥っている社会でしか広まらないので、誤った考えを確実に抑え込むには国政がちゃんと機能すればいい。創造論に基づく宗教が少数派となって弱体化するような国政がなされれば、創造論を擁護する声も鳴りを潜める。

要するに、**社会をよりよくすれば、進化論を受け入れる人が増えていく**のだ。とはいえ、この言葉を公にするのが異様なまでに大変なのは明白だ。そのせいで、創造論の問題を語るなかで生まれた納得しやすい意見や対策法がいまだ世論を支配し、創造論を支持する意見が確かな地位を築いている（ただし、神の存在を否定し進化論を支持する人の数は、無神論者の増加に伴い増えてはいる）。

このようなことは進化論に限った話ではない。ライナス・ポーリングが執着したビタミンC万能説も、対話を通じて科学者が表明した意見が問題となった典型だ。一般に、科学者に対して懐疑的な人は大勢いる。研究者が己の専門分野外のことで、その場しのぎの意見を表明したところで世間の役には立たない。

科学者は専門外のことを話してはならない

では、こうした問題にはどう対処すればいいのか？　解決策は、原理としてはこのうえなく単純だ。科学者が常に科学者であればいい。**専門外のことについて、心もとない意見を断定的に口にしないようにすればいいのだ**。正式な研究分野にだけ目を向けていろという意味ではない。仮に、独学で野球にも詳しい科学者がいるとしよう。その人はきっと、かつてのスティーブン・ジェイ・グールドのように、野球の話がしたくてたまらない。

私は長年、第二次世界大戦にまつわる逸話を熱心に調べているので、もし興味があるなら、広島と長崎への原爆投下は戦争の終結にほぼ無関係である理由をかなり詳細に説明できる（降伏の決め手となったのはソ連の参戦であり、戦争犯罪者の命を救い、占領によって日本が分割されるのを避けるために天皇は降伏を余儀なくされた)。とはいえ、科学者があまりよく知らないことについて尋ねられた場合は、コメントを控えるか、門外漢による信憑性の低い意見であるとはっきり伝えるべきだ。

だが実際問題、科学者も人間だ。はっきりいって、彼らが大衆を啓蒙できるレベルで事実のみ語るようになると、本気で期待はしていない。残念だが、それが人間というものだ。

私は、信憑性が低いと添えずにいいかげんなことを言うのを控え、根拠を語れる自信があるときしか雄弁にならないように心がけている。この試みは今のところかなりうまくいっているようで、面倒に巻き込まれずにすんでいる。

あらゆるアートの世界で身近なもののつぎはぎが起きている

——ブリコラー

ジェームズ・クローク
芸術家

フランス語で「便利屋」や「自分で大工仕事をする人」を意味する「ブリコラー」という言葉が、いつからかアートや哲学の世界に入り込んできた。学のある人は、これを認知の武器として取り込んでうまく活用するのだろう。ブリコラーは試行錯誤の達人で、どんなものからでも何でも作り出せる。

たとえば、半円状にしたブリキ製の屋根材に、余った排水管を切って接着して色を塗ったと思ったら、郵便箱ができている。近づいてよく見れば、どこに何が使われているかははっきりわかるが（排水管も屋根材も一目瞭然だ）、その組み合わせによって、単なるパーツの集まりから有用な別の何かに変わった。

アメリカではブリコラーと似たような意味で、テレビドラマの影響から「マクガイバー」という言葉も使われているが、ブリコラーのほうが知的なイメージがある。マクガイバーの俗物な部分に品位が加わって、寄せ集めを通じて新たな意味を生み出すのがブリコラーだ。

自分で何でも作ることを意味する「ブリコラージュ」という言葉は昔からあるが、近年では「古いものを新たな見方でとらえ直す」という意味でも使われるようになった。たとえば、認識論、反啓蒙思想、19世紀と20世紀に次々に生み出された「○○主義（イズム）」などだ。「○○主義」は、マルクス主義、現代主義、社会主義、超現実主義（シュールレアリスム）、抽象表現主義、最小限主義（ミニマリズム）と、あげればきりがなく、どの言葉もほかに表現のしようがないという理由から誕生した。

こうした大理論は、脱構築や20世紀に起こった同様の活動によって解釈されてきた。その解釈を見ると、理論の世界観を発見としてとらえるのではなく、創造力に富んだブリコラーたちによって、簡単に手に入る文字の骨董品をつなぎ合わせて意味を生み出すシナリオに組み立てられているのだとわかる。

今のところ、哲学の世界観の総括は棚上げにされていて、様式や判定に関する優れたアートムーブメントも終焉を迎えた。今後、新たな「○○主義」は旗揚げされない。そんなことをしても、誰も敬意を払わないからだ。多元主義や世界の控えめな描写が美術や文学の創作活動となり、パーソナライズ化と個人の世界が時代を支配している。これからは、人々の共通認識となるグランド・ナラティブが失われて無意味さの歴史が終焉に向かうというのが大方の予想だ。そして、**あらゆるところでブリコラーが意味をもたらすメタファー作りに精を出す**のだろう。

モーション・グラフィックス、バイオ・アート、インフォメーション・アート、ネット・アート、システム・アート、グリッチ・アート、ハクティビズム、ロボティック・アート、関係性の美学をはじめ、アート界で今起きているムーブメントはすべて、今の時代のブリコラーたちによって際限なく混ぜ合わされている。19世紀のハドソン川の風景が描かれた絵画への回帰もありだろう。その次には、ネオ・ロダンやポスト・ニューメディア、フランクフルト学派に足を踏み入れたモルモン教徒が顧みられるかもしれない。

普遍的な妥当性の探求が行われなくなったおかげで、身近に手にできるものから意味の詰まった生き方を組み立てる自由があるのは明白だ。あとは、組み立ててくれるブリコラーさえいればいい。

科学的手法は選挙での勝利さえ導ける

——科学の力

マーク・ヘンダーソン

タイムズ紙科学記事担当編集者。著書に『人生に必要な遺伝50』（斉藤隆央訳、近代科学社、2010年）

「科学」というと、ほとんどの人が次のどちらかだと思うようだ。ひとつは、重力や光合成、進化といった、世界についての知識や理解の集まり。もうひとつは、そうした集まりの成果から誕生する、ワクチン、コンピュータ、車といったテクノロジーだ。

確かにどちらも科学だが、カール・セーガンが著書『悪霊にさいなまれる世界』（青木薫訳、早川書房、2009年）で印象づけたように、科学にはそれ以上のものがある。物事の真の姿に着実に迫るための最善のアプローチをする（アプローチがまだ不完全な場合は改良を重ねる）、そうした考え方もまた科学である。**科学は暫定的なものなので、常に新たな証拠に照らして見直そうとする。権威に反抗的で、誰でも貢献できて、誰もが間違えていい。**積極的に問題を試そうとし、不確かな結果しか得られなくても構わない。こうした特色のおかげで、科学的手法は物事について調べる方法として比類なきものとされている。しかし、せっかくのその力は、社会から孤立した知識層に限定される場合がほとんどで、その力を使う分野が慣習的に「科学的」とみなされてきた。

手法としての科学は、研究室に限らずありとあらゆる場面に貢献できる優れものだ。にもかかわらず、いまだ人々の暮らしにほとんど活用されずにいる。政治家や公務員で、自然科学や社会科学の手法の良さを理解している人はほとんどいない。それらを活用すれば、よりよい政策づくりはもちろん、選挙での勝利にもつながる。

たとえば、教育や刑事司法に講じられる策は、正しい評価を受けることなく導入されるのが通例となっている。どちらの現場も、最も効果的な科学手法のひとつであるランダム化比較試験を行うのに最適だというのに、新しい策が導入される前に試験が要求されるケースはめったにない。たとえ試験が実施されてもその規模はとても小さく、策の成否を評価できるほどの有益な証拠を集めることすらない。

例をあげよう。英国医学研究評議会のシーラ・バードは、薬物治療および検査命令という新たな社会内刑罰が、ずさんな試験しか実施されずに導入されたと非難した。試験の参加者はごくわずかで、ランダムに選ばれたわけでもなく、与えられた命令をほかの選択肢と正しく比較する試みもなかった。裁判官に至っては、試験対象の刑罰がなかったらどのような判決を下したかを記録することすら求められなかったという。

公共サービスも、自ら批判的になるという科学の文化を見習ってはどうか。カーディフ大学のジョナサン・シェパードが指摘しているように、警察、福祉サービス、教育の現場には、実務を行う研究者が不足している。そういう人材は実際に、現場の改善に大きく貢献したという。

実務に専念する人、研究に専念する人はいるが、両方をこなす人はほとんどいない。警察官、教師、福祉担当職員は単純に、医師やエンジニア、研究員などと同じやり方で自らの業務を検証する環境にはいない。輪講のような時間を設けている警察署がいくつあると思う?

科学的な手法、そしてその手法から生まれる批判的思考に基づくアプローチを「科学」だけにとどめておくのはもったいない。

科学の力により、何かが誕生する最初の数マイクロ秒やリボソームの構造が明らかになるのだから、その力を利用すれば、今の時代に解決が必要な社会問題への効果的な取り組み方を考え出す力も確実に向上するはずだ。

人間の思考力はまだまだ向上する

——ライフゲーム

ニック・ボストロム

オックスフォード大学人類の未来研究所所長、同大学哲学科教授

ライフゲームというセル・オートマトンをご存じだろうか。これは1970年にジョン・ホートン・コンウェイが発明したものだ。詳しい人は大勢いるはずだが、そうでない人は、インターネットに無料で試せるものがたくさんあるので、それを見つけて自分で試してみるといい（プログラミングの基礎知識があるなら、自分で作ったほうがわかりやすい）。

基本的なことを説明すると、格子状にセルと呼ばれるマス目があり、セルは「生」か「死」どちらかの状態になる。格子に生きたセルを植えつけたら、そのあとは3つのシンプルなルールに従って自動的にセルが進化していく。

これの何がおもしろいのか？　確かに、生物学的な現実味はまったくない。何かの役に立つわけでもない。一般的な意味のゲームですらない。とはいえ、いくつかの重要な概念を明示できるのは間違いなく、いわばバーチャルな「哲学の科学研究所」なのだ（哲学者のダニエル・デネットは、哲学科の学生全員にライフゲームの理解を必須にするべきだと主張している）。

ライフゲームは、物事が発生する経緯が簡単に理解できる縮図を示す。ただし、それと同時に、物事が発生するためには、興味深い現象を生み出せる力が必要であるとも教えてくれる。

ライフゲームを1時間行えば、次の概念や考え方が直感的に理解できるようになる。

・複雑性の発生：非常に単純なルールから複雑なパターンがどのように出現するか。
・ダイナミクスの基本コンセプト：自然の法則と初期条件の区別など。
・説明のレベル：高次のレベルの専門用語を使えば、続発するパターンを基本的な動き（個々のセルが生きている、または死んでいる）でいちいち描写しなくても効率よく説明できると気づく（たとえば、画面上を動き回る特定のパターンを「グライダー」と呼ぶ）。
・併発：この現象を理解すると、現実世界におけるさまざまな科学の関係性について考えるようになる。化学は物理に併発するのか。生物学と化学についてはどうか。脳内の思考についてはどうか。
・概念の形成および自然の接合部での切り分け：特定のパターンを認識し、それに名称をつける過程や理由はどのようなものか。たとえばライフゲームでは、同じ状態を保つ小さいパターンを「固定物体」、決まった配列を永遠に繰り返すパターンを「振動子」、セルを（「グライダー」のように）移動して回るパターンを「宇宙船」、宇宙船を絶え間なく送り出し続けるパターンを「銃」、物体を残してセルを移動するパターンを「シュシュポッポ列車」と呼んで区別する。このような概念を形成し始めると、混沌とした画面が徐々に理解しやすいものになっていく。「接合部で自然を切り分ける」という概念を育てることは、理解に向けた最初の大事な一歩である。これはライフゲームに限った話ではなく、科学や日常生活の理解にも当てはまる。

「ジェネレーター」で解決策を生み出す

さらに高度なレベルになると、ライフゲームは「チューリング完全」であることがわかる。要は、万能チューリングマシン（どんなコンピュータも模倣が可能なコンピュータ）のようにパターンを構築でき、**どんな計算可能関数でも実装可能**なのだ。私たちが生息している宇宙を記述する機能も例外ではない。加えて、ユニバーサルコントラクター、すなわち、さまざまなタイプの複雑なオブジェクト（手続きの対象）を構築できるパターンも作れる。このパターンには、自らのコピーも含む。

とはいうものの、ライフゲームへと進化を遂げる構造は、現実世界で目にする構造とは異なる。ライフゲームの構造は、ひとつのセルが変わることで消えるものが多く、そういう意味で脆弱だ。ライフゲームのルールや、それとは異なる私たちの宇宙を統べる物理法則を具体的に理解しようと試みるのもおもしろい。コンウェイのライフゲームは、SHA（手軽な抽象表現）というよりも、抽象表現を生み出すジェネレーターと受け止めるのがいちばんではないか。何しろこれひとつで、有用な抽象表現がたくさん（少なくとも、そういう表現の作り方がわかるレシピが）手に入るのだ。

実際、こう考えることで、戦略のひとつとしての「ジェネレーター探し」という実に便利なSHAにたどり着く。私たちは多くの問題を抱えている。ひとつずつ解決しようと思えばできるが、複数の問題に適用できる解決策を生み出すジェネレーターの創出だってできるはずだ。

たとえば、科学的な理解を深めたいと思っているとしよう。ランダムに科学的な問題を選んで直接取り組んでも、確かに理解は深まるだろう。だがそれよりも、**複数の問題に適用できるジェネレーターを探し、適用できる問題だけに取り組むほうが理解は深まる。**要するに、解決策を生み出すジェネレーターが、ほかのさまざまな解決策の発見を促すのだ。

このアプローチをとると、幅広く適用できる方法論の開発にいちばん力を注ぐことになる。さらには、多くの新たな実験を可能にする道具の開発や、ピアレビューなど制度面でのプロセスの改善が進むので、誰を雇い、誰に資金を援助し、誰を昇進させるかといったことが決めやすくなる。つまりは、**真のメリットを反映させたものに近い決断を下せるようになる**のだ。また、このアプローチをとると、生物医学的な認知能力を効果的に高める物質をはじめとする、人間の考える力を向上させる手段の開発にひときわ関心が集まるのではないか。結局のところ、脳そのものが極めて優秀なジェネレーターなのだから。

逸話は事実を歪めるが、強い吸引力がある

――逸話話法

ロバート・サポルスキー

神経科学者、スタンフォード大学教授。著書に『サルなりに思い出す事など―神経科学者がヒヒと暮らした奇天烈な日々』(大沢章子訳、みすず書房、2014年)

認知の武器に含めるものというと、さまざまな概念が頭に浮かぶ。たとえば「創発」。これに関係するのが「還元主義の否定」だ。具体的に言うと、複雑な現象を理解したいときに、「科学にはそれを構成要素に分解して要素ごとに個別に分析し、小さな要素を元通りに張り合わせる方法しかない」という考えを疑うのだ。この方法でうまくいくことはめったになく、世のなかのとりわけ興味深い現象や重要な現象に対する効果はますます失われつつある。

たとえば、正確に動かない腕時計なら、パーツに分解して壊れている部品を見つければ修理できることが多い（実のところ、この世界にいまだにこの方法で直せる時計があるのかどうか、私には見当もつかない）。ところが、雨を降らせない雲があっても、それを構成要素に分解しようと試みる人はいない。頭が正常に働かない人がいるときや、社会や生態系が抱える問題を理解しようとするときも同じだ。

これについては「相乗効果」や「異分野間」といった言葉が関係するが、神のいたずらか、この2つの言葉を耳にせざるをえない機会が増えている。今どきは科学のどの分野でも、プレゼンテーションのタイトルにどちらかの言葉を入れたうえで、その言葉のタトゥーを腰のくびれに入れないと教授職は手に入らない。

また、「遺伝子の脆弱性」という概念も役に立つ。これは誰もが頭に入れやすいはずだ。何しろ、すでに皆さんのなかには「遺伝子の必然性」や「遺伝子決定論」といったよく似た呼称の有害な概念が深く根ざしていて、長きにわたってその悪影響を受けているのだから。

誰もが教わるべきは、アブシャロム・カスピが主導して行ったような研究だ。彼は、精神障害や反社会的行動に結びつくさまざまな神経伝達物質系に関係する遺伝的多型について調べた。

こう聞いたらきっと、数えきれないほどの人が、遺伝的決定論というほぼ何の役にも立たないいびつな概念を引き合いに出しながら、「なるほど！」と膝を打ち、「研究に出てきた遺伝的多型のどれかひとつでもあれば、遺伝的な決定からは逃れられないのだ」と考える。ところが、カスピらの研究が見事に実証してみせたのは、**極めて有害な環境で育たない限り、遺伝的多型によって精神障害になるリスクが増加する確率は基本的にゼロ**ということだ。遺伝子決定論は本当に頭痛の種である。

さて、私が選んだ役に立つ科学的な概念は、タイトルにある**逸話話法**だ。なぜこれを選んだかというと、科学的な概念ではないからにほかならない。優秀なジャーナリストは皆、この概念が持つ力を知っている。たとえば、不動産差し押さえ率についての統計や、銀行の犠牲になった家族を特集した記事を書き始める場合、彼らはどうするか？　頭を使う必要は一切ない。ダルフールから逃げ出した難民の多さを示す地図や、難民キャンプにいるお腹をすかせた孤児の顔を載せればいい。そうなるのは当然だ。彼らは読者に刺激を与える必要がある。

ただし、逸話話法には事実を歪める恐れがあることも否めない。科学の知見を学んで食事から余分な脂質を取り除く人もいれば、１１０歳にしてブタの皮を揚げたスナック菓子しか食べずにバーベルを上げる友人の配偶者のおじの話を持ち出す人もいる。

20世紀に寿命が延びた基本要因のひとつだからという理由で我が子にワクチンを接種させる親もいれば、タブロイド紙風に報じられた1件のワクチン被害の恐怖に固執してワクチンを受けさせない親もいる。

私は今、ある事件が逸話話法による事実の歪みを招くのではないかと危惧している。これを書いている4日前、アリゾナでジャレッド・ラフナーによる発砲事件が起こり、ガブリエル・ギフォーズをはじめとする19人が銃撃された。現時点で、高名な精神科医のフラー・トリーなどの専門家たちは、ラフナーは妄想型統合失調症ではないかと推測している。そしてそれが事実なら、この逸話によって、精神病の人はそうでない人よりも危険であるという悲劇的な誤解がひとり歩きを始めるだろう。

逸話話法を認知の武器として備えるべきだと言ったが、本当に備えてほしいのは次の2つだ。ひとつは、**逸話が事実を歪める恐れがあるという認識**。もうひとつは、エイモス・トベルスキーやダニエル・カーネマンたちの研究に敬意を払い、**逸話話法には強い吸引力があり、認知的な満足度を高めるという認識**だ。

社交性のある霊長類は、大脳皮質に顔認識を専門に行う領域を備えている。だから私たちは、文字どおりの意味でも比喩的な意味でも、人の顔から特別な力を感じる。だが、直感に訴えかけるような魅力を感じない統計のようなもののほうが、はるかに多くのことを教えてくれる。

「危険」は証明できても「安全」は証明できない

——科学者の苦悩

トム・スタンデージ

エコノミスト誌デジタル部門編集者。著書に『歴史を変えた6つの飲物』(新井崇嗣訳、楽工社、2017年)

ないことは証明できないという認識が広がれば、科学やテクノロジーにまつわる公共の議論が大きくレベルアップするのではないか。

ジャーナリストのひとりとして、特定のテクノロジーに「害がないことを証明しろ」と、これまでに何度言われたかわからない。当然ながら、それをするのは不可能だ。黒い白鳥はいないという証明が不可能であるのと同じだ。黒い白鳥（害）をさまざまな方法で探して見つけられなかったからといって、存在しないとは言えない。**証拠の不在は、不在の証拠にはならない。**

結局また、別の方法で害がないかを探すしかない。思いつく限りの手を尽くしてもまだ見つけられなかったとしても、疑問は依然として疑問のままだ。「害がないという証拠の欠如」は、「調べた範囲では安全である」と「安全かどうかの確証はまだ持てない」の両方の意味になる。

科学者がこの点を指摘すると、たいていは理屈をこねるなと責められる。だが、絶対に危険だと証明できても、絶対に安全だとの証明はできないという認識が広がれば、情報公開の大きな助けとなってくれるだろう。

「不在」を認識することには意味がある

——不在と証拠

クリスティーン・フィン

考古学者、ジャーナリスト。著書に『ある考古学者がシリコンバレーですごした1年（Artifacts: An Archaeologist's Year in Silicon Valley）』

「証拠の不在は不在の証拠にならない」という言葉を初めて耳にしたのは、大学の考古学部に入学した年だった。今では、無知に基づいた論証に対してカール・セーガンが反論した言説の一部であると知っているが、当時は誰の言葉とも知らず、ただ単に発掘の過程を理解するのに役立つ考えのひとつとして、教授から教わった一節でしかなかった。

哲学的には困難な概念だが、穴掘り、ブラシがけ、こてによる発掘といったつらい作業を行う考古学の現場では、その意味するところがよくわかる。その言葉が頭にあると、現場にあるものを慎重に調べているときに、そこにないものの可能性にも意識が向く。

現場で見つけて観察し拾い上げるのは、そこで見つかる物質だ。要は現代まで残った人工物で、それらはたいてい人工物のなれの果ての姿をしているが、運がよければ現物が埋もれた状態で見つかる。あったものの痕跡がほとんど残っていない場合もある。

たとえば、先史時代に使われていた炉を成す石炭の層だけが見つかる一方で、洗浄を通じて、または研究室で復元される遺物もある。これらもやはり有形の証拠だ。

冒頭で紹介した概念で痛感したのは、無形の足跡だ。時がたって私たちの基準点から物質は消え去ったが、その状況に関係する何かはまだ残っている。

無形の足跡に、私の想像力は強く駆り立てられた。そして、哲学の外にもっと例はないかと探し求めた。すると、近東の研究で知られる偉大な考古学者レナード・ウーリーが、現代のイラクのウルにある紀元前3000年の古代メソポタミアの宮殿を発掘したときに、何もないところから楽器の存在に気がついたことを知った。

その根拠となったのは、発掘した地層に残っていたいくつかの穴で、それらはいわば、長い年月のなかに消え去った木製の物体の亡霊と言っていい。

ウーリーは何もないことを逆手にとり、穴の型取りをして楽器を再現したのだ。工芸品を自ら生み出したという事実に、当時の私は衝撃を受けた。彼は実在しない竪琴の存在を介在し、それを人工物に変えた。もっと最近では、英国人芸術家のレイチェル・ホワイトリードが、家屋や居室を鋳造して不在となっていたものの形を生み出し、名を馳せた。

不在の証拠を認識するとは、無形のものに無理に形を与えることではなく、そこにないという事実に秘められた力を認識することだ。「ない」という概念を肯定的にとらえると、興味深いことが起こると私は思っている。中東の考古学者は長年にわたり、北アフリカの砂漠に孤立した浴場などの建造物が大量に存在する状況に困惑していた。人が住んでいた痕跡はどこにあるのか？　ヒントとなったのはそこにないものだった。大量の建造物を使っていたのは遊牧民であり、砂漠にはラクダの足跡しか残らなかったのだ。

彼らはテントを張って短い期間だけ暮らした。仮設テントを持ち去らなかったとしても、年月がたてばテントは砂に消えてしまう。この点を踏まえて再び砂漠を観察すると、砂漠に残った廃墟の航空写真にそこで暮らす人々の姿が見えてくる。

人がいた痕跡の不在はそこら中にあり、デジタルで復元できるようなものばかりとは限らない。両親が亡くなったとき、私は彼らが住んでいた家を相続した。家のなかを片づけるという作業は、感傷的であると同時に考古学的でもあった。リビングに最後に残ったマントルピースは、両親の35年以上にわたる結婚生活の集大成とも呼べるものだった。

写真の山、どこかの入場券、海で拾い集めたもの、ボタンや古いコインの入った箱。そのときふと、両親のことを知らない誰か、たとえば、科学捜査官や昔ながらの考古学者がそうした物的証拠から単純に物語を紡ごうとしたら、どんな話になるだろうかとの思いが頭をよぎった。

だが、現実に戻って遺品を整理するうちに、それらとともに消え去る形のないものがたくさんあると気がついた。その目に見えない何か、数量化できない何かが、形ある物をそこにある状態に保っていたのだ。

そう実感したとき、考古学の発掘に初めて出向いたときの記憶がよみがえった。見つかったのは手足の長いハウンドの化石で、古代ギリシャのストラボンが、古代の英国からローマへ貿易で渡った「優秀な猟犬」と記した犬のうちの1匹だった。2000年前の墓の前に膝をつき、彫刻を彫るみたいに小さな骨をひとつずつ慎重に取り出していると、そこにないものの存在を感じた。それを形にすることはできなかったが、化石の犬にその犬らしさを与えていたであろう目には見えない「証拠」がそこにはあった。

言葉の乱れは「今」だけ見ても説明がつかない

――経路依存性

ジョン・マクウォーター

言語学者、文化解説者、マンハッタン政策研究所シニアフェロー、コロンビア大学英語および比較文学部講師。著書に『言語とは何か（言語とは何ではなく、何になりうるものなのか）What Language Is (And What It Isn't and What It Could Be)』

理想の世界というのは、政治科学者が「経路依存性」と呼ぶものが、物事の見た目よりも世のなかの仕組みをうまく説明しているとき、すべての人が無意識のうちに理解している世界ではないか。

「**経路依存性**」とは、今当たり前、もしくは不可欠に思われているものの多くは、過去のどこかの時点で理にかなった選択として始まり、その後、その正当性が失われたにもかかわらず生き残っている事実を表す言葉だ。なぜ生き残っているかというと、**一度確立されてしまうと、ほかの選択肢を試してそれまでの方法を変えようとする流れが外的な要因によって阻まれる**からだ。

キーボード配列は非論理的に決められた

その顕著な例が、非論理的としか思えないタイプライターのキーボードの配列だ。なぜアルファベット順に並べるか、頻繁に使う文字をいちばん力の入れやすい指の下に置かないのか？

実は、最初に開発されたタイプライターは、速くタイプし過ぎるとアームが絡まることが多かった。そのため、考案者は使用頻度の高い「A」を力の入りづらい小指の下にあえて持ってきたのだ。加えて、1列目に「TYPEWRITER」に含まれるすべてのアルファベットを配置した。これは、タイピング経験のないタイプライター販売員のために、1列目だけを使って簡単にこの言葉を打てるようにしたのだ。

ところが、機器の改良によってすぐさま速いタイピングが可能になり、使用頻度に応じて配置を換えた新たなキーボードが世に送り出された。だがもう手遅れだった。後戻りできる余地がなかったのだ。1890年代にはもう、アメリカ全土でクワーティのキーボードが使用されていたため、新たな配列のキーボードは簡単には定着しなかった。それに、タイピングの再教育にはコストがかかるし、突き詰めれば配列を換える必要性はない。結局、QWERTY（クワーティ）のキーボードは世代から世代へと受け継がれた。アームの絡まりが絶対に起こりえないコンピュータの配列になった今でも、この奇妙な配列が採用されている。

経路依存性の基本コンセプトはシンプルなものだが、QWERTY配列の例のように「微笑ましい」ストーリーとして受け止められる場合がほとんどで、科学的な経緯や歴史的な経緯に比重を置いて説明されることはあまりない。それよりも人は、現代の条件において現代で起こる現象の説明を求めようとする。

たとえば、猫は潔癖だから排泄物を埋めたがると思っているかもしれないが、この生き物は自らの吐瀉物（としゃぶつ）を喜んで食べ、そのままあなたの膝に飛び乗ってくる。埋める動作をするのは、野性時代の名残から本能として行うもので、捕食者の目をくらますのに役立っていたからだ。今では、その習性がなくならない理由は何もない（なくなったほうが飼い主のためでもある）。

私は、**経路依存性で説明がつく事柄が一時しのぎに「今」のことだけを考えて作られたものだと自発的に受け止める人がもっと増えてほしい**といつも思う。

たとえば「今」に対する認識を、「現存するものが（ほぼ）すべて」ではなく、「現存する条件と過去の条件が多種多様に混ざり合って成り立つもの」とするだけで断然興味深くなる。歴史を単なる「過去」ととらえ、昔起きたことが再び起こる可能性に対してだけ興味を向けるのは、経路依存性とは別の話だ。

言語には経路依存性で説明がつくことがたくさんある。経路依存性を持ち出さないと「そういうものだから」で片づけられてしまう。そうして片づけているから、言語にはそれを使う人の考えが反映されていると大半の人々が思い込んでいる。

作家のロバート・マクラムは、ほとんどのヨーロッパの言語を複雑にしている接尾辞の類いが少ないことから、英語は「機能的」だと称賛している。そうなった根底には英国人精神の何かが関係していて、探検や産業革命を通じて、世界を牽引する存在へと彼らを駆り立てたのも、その何かだという。

だが、英語から接尾辞が消え始めたのは8世紀にさかのぼる。ブリテン諸島を侵略したバイキングが英語をきちんと習得しなかったため、その中途半端な英語を子供たちが使い始めたのだ。そうなってしまえば、品詞の性別や動詞の活用法がどこからか再び現れるとは考えにくい。完全な言語に戻す術はなく、膨大な年月をかけて少しずつ変わっていくなかで、再びそういう文法が生まれるのを待つしかない。要するに、現在の英語の簡素化された文法に、今の時代の精神状態はもちろんのこと、4世紀前の精神すら一切関係がないのだ。**文法の簡素化の原因は経路依存性にある。**言語の構造のほとんどがこれに起因する。

また、近年になり、文章力全般が危機的状況にあるとよく耳にするようになった。その元凶は、電子メールや携帯メールらしい。だが、ここでも同じことが言える。はっきりいって、電子メールや携帯メールを書くときに、手紙を書くときに使っていたのと同じ「文語体」を使えないはずがない。

テレビの悪影響をほのめかす言説も同じだ。この種の警告を現代と同レベルで強く訴えたのは、１９８０年代に発表された「ネイション・アット・リスク」というレポートが最初だが、１９５０年代の時点で、子供たちはすでにテレビの前から離れなくなっていた。

改めて言うが、「今」だけを見つめて説明しようとしても、論理的な説明にはならない。一方、歴史的な経緯を振り返り、その時点から変わっていないという事実に基づくと、論理的に説明がつく。

公式なアメリカ英語は、１９６０年代に入ると、カウンターカルチャー運動の只なかで文化的な変化が起こり、それまで大事にされていた形式からあまり形式張っていない「口語体」へと急速に変わり始めた。こうした気運は言語技術の教科書の編成に直結し、古臭く形式張った「話し言葉」と、英語という言語の伝統を守る姿勢を若者に徹底させた。その結果、**言語的な文化は、簡潔で大衆的で自然であることが重んじられるようになった**。ひと世代がこの状況に置かれただけで、もう後戻りはできなくなり、昔の仰々しい言い回しを口にする人は変人と思われ、それに感化されたり、それが使われたりすることもなくなった。

経路依存性を通じてとらえると、現在の英語の使われ方で私たちが失望するもの、喜ぶもの、単純に関心を引くだけのものを生んだ原因は、この文化的な変化にある。また、テレビや電子メールをはじめとするテクノロジーは、単なる随伴現象であることがわかる。

私に言わせれば、人生のほとんどは経路依存で説明できる。公教育のカリキュラムを一から作ることができるなら、できるだけ小さいうちにこの概念を教わるようなカリキュラムを組むつもりだ。

私たちの身体の9割は「ヒト」ではない

――インタービーイング

スコット・D・サンプソン

恐竜・古生物学者、進化生物学者、サイエンスコミュニケーター。著書に『恐竜オデッセイ：化石で読み解く恐竜の世界（Dinosaur Odyssey: Fossil Threads in the Web of Life）』

人類の認知能力に「インタービーイング」が備わったら、大いに役立つのではないか。これはベトナムの禅僧ティク・ナット・ハンが提唱する概念だ。彼の言葉を紹介しよう。

あなたが詩人なら、1枚の紙に浮かぶ雲がはっきりと見えるだろう。雲がなければ、雨は降らない。雨が降らなければ、樹木は育たない。樹木がなければ、紙は作れない。雲は紙の存在になくてはならないものなのだ。雲がここになかったら、雲が浮かんだ紙もここに存在できない。（中略）「インタービーイング（interbeing）」という言葉はまだ辞書に載っていないが、接頭辞「インター（inter）」に動詞の「ビー（be）」を組み合わせれば、「インタービー（interbe）」という新たな動詞ができる。雲がなければ紙は存在できないのだから、雲と紙は相互に共存するものだと言える。（中略）存在するとは、相互に存在することである。人は自分ひとりだけで存在できない。ほかのさまざまなものと相互に共存するしかない。先の紙も同じだ。この世に相互に共存しないものはないのだから。

この一節はとらえ方しだいで、示唆に富むものにもなれば、ニューエイジの戯言にもなるのだろうが、私は「インタービーイング」を揺るぎない科学的事実のひとつとして紹介したい。少なくとも、現実に存在する類いのことであり、もっと言えば、インタービーイングという概念は今の時代にとても重要だ。

西洋人の意識に、皮膚で覆われた自己は個別の存在であるという考えがしっかりと深く根ざしていることは議論の余地がない。要は、人は孤立した静的なマシンと同義であるととらえているのだ。私たちは、自分の肉体の外の世界を具現化しながら、自分の存在を大きくしたい、自分自身を守りたいとの思いにとらわれている。

だが、**人は孤立した存在だという深く根ざした考えは幻想にすぎない。**その証拠に、人は肉体の「外」の世界と物質やエネルギーを絶えず交換している。最後に空気を吸ったとき、最後に水を飲んだとき、最後に食べ物を口にしたときのどの時点で、外の世界とのつながりが切れて孤立した存在になるというのか？ 呼吸や排泄によって、あなたがあなたでなくなる瞬間が実際にあるのか？ 私たちの皮膚は、透過性の膜であると同時に境界でもあるが、いわば渦巻きと同じで、どこまでが「あなた」で、どこからが外の世界かの見定めは難しい。地球は日光にエネルギーをもらい、無生物の岩を栄養分に変える。その栄養分が植物や草食動物、肉食動物へと渡り、分解され無生の地球へと戻る。するとまた、このサイクルが新たに始まる。人の体内で起こる代謝作用は、地球で起こるこの代謝作用に密接に組み込まれている。その関係から、体内の原子はすべて7年かそこらで再生される。

さまざまな生命体が私たちの身体に住みついている

ここまで読んで、「確かに、時とともにすべてが変わる。だが、だから何だというのだ？ ほかとは別の独立した自己になろうと思えば、いつだ、っ、てなれるではないか」と反論したくなるかもしれない。だがそれは違う。**「あなた」はひとつの生命体（ひとりの自己）ではなく、多くの生命体から成る存在だ。**口ひとつとっても、そこには700種類以上の細菌がいる。皮膚やまつ毛にも同様にいっぱいいて、消化管にも細菌の群れが住みついている。健康な肉体には細菌が住みつかない領域がいくつかあるとはいえ（脳、脊髄、血流など）、その内には約10兆個のヒト細胞と、約100兆個の細菌性細胞があると言われている。

つまり、**あなたの身体はいつだって、約90％がヒトではないものなのだ。**地球上に今生きている人の数よりはるかに多い生命体が、あなたのなかに住みついている。その数は、天の川銀河の星の数すら上回る！

さらに興味深いことに、微生物学的な調査から、人は、有害物質の侵入の抑制や食べ物を有用な栄養素に変えることをはじめ、ありとあらゆる「活動」に対して、絶えず変わり続ける細菌の存在に完全に依存していることがわかっている。

外の世界と物質を交換し続けているのなら、人体が数年ごとにまったく新しいものに再生されるなら、ひとりひとりが何兆個もの細菌の歩く住処で、そのほとんどと共生する生命体であるのなら、ほかから独立していると私たちが認識している自己とはいったい何なのか？

あなたは孤立した存在ではない。世間に蔓延しているバイアスを真に受けて人体をマシンに喩える考え方は、不正確なだけでなく有害だ。喩えるならむしろ、渦巻き、梗概、何十億年と流れ続ける広大な川に息づく絶えず変わろうとするエネルギーなどのほうがはるかに近い。

自己と他者の境界線は、いろいろな意味で恣意的なものだ。「切る位置」はいくつにも分かれる可能性がある。自己をどのようにとらえるかで変わってくるからだ。私たちは、自分のことを孤立した自己ではなく、浸透性があり、ほかと混じりあったものであると認識する必要がある。**種としての自己（人間）と、生物圏の自己（生命）のなかの自己として自らを認識するのだ。**

インタービーイングという考え方は、ほかの生命体を客観的にではなく主観的にとらえる後押しをしてくれる。古代から今も流れ続ける川をともに旅する仲間として受け止められるようになる。もっと深いレベルの話をすると、自分自身やほかの有機体を静的な「もの」と受け止める感覚がなくなり、背景の流れに切り離せないほど深く組み込まれた「プロセス」に思えてくる。

科学教育の前には、大きな障害が立ちはだかる。それは、宇宙の大部分が極端に大きなスケール（惑星、恒星、銀河など）か、極端に小さなスケール（原子、遺伝子、細胞など）で存在し、私たちの感覚（肉眼）で理解できる範疇を大きく超えているという事実だ。人は、動物、植物、風景といった、その中間のスケールの世界だけを感じ取って進化を遂げた。とはいえ、地球は宇宙の中心ではないという、直感に反した科学的知見を受け入れたのも事実だ。それと同じように、今度もまた、**人は自然の外に存在しているのでも、自然より上の立場にあるのでもなく、完全に自然に内包されているという事実を受け入れてほしい。**

インタービーイングという科学に裏打ちされた知見は、本来の生態を理解しやすくしてくれる。この概念を備えれば、本当に必要な意識改革が促されるだろう。

私たちはいずれ「自分自身」を知ることになる

——他者との遭遇

ディミタル・サセロフ
ハーバード大学ライフ・イニシアチブの起源研究所所長、天文学教授

「他者性」や「他者」という概念は、自分自身のアイデンティティを理解するときの一部となる。というの

は、自己の定義には「自分は他者とどのように関わっているか？」という問いが含まれていて、この問いが自意識の構成要素の一部となるからだ。

この概念は、心理学や社会学で哲学的な概念として広く使われているが、近年、生命科学や物理科学の進歩により、思いがけない新たな広がりを見せるようになった。ヒトゲノムの地図や二倍体の個々のゲノム地図、人類の地理的な広がりを描いた地図、ネアンデルタール人のゲノム地図……。これらは皆、昔から関心を集めていた人間の単一性と多様性を解明するための新たなツールだ。

生命の暗号であるＤＮＡの解読がもたらすのは地図だけにとどまらない。それにより、人間は膨大な数の個性の寄せ集めである地球上の生命のひとつとなり、「他者性」に新たなとらえ方が生まれ、マイクロバイオーム（私たちの体内や周囲には何兆個もの微生物があり、それらは人の生理機能に欠かせない）が自己の一部となる。

天文学や宇宙科学では、ほかの惑星の生命体探索が進んでいる。その対象は、火星や外太陽系、ほかの星の周りを回る地球に似た惑星やスーパーアースなど多岐にわたる。

探索の成否は、生命そのものの科学的根拠となりうる多様性についての理解にかかっていると言えるのではないか。「他者」はＤＮＡでコード化された種に限らず、違う分子を使って特性をコード化する生命体にもいる。私たちが40億年かけて分子を改革し設計して築いた遺産と、「他者のそれ」を比較するのだ。

そうすると、いよいよ実験室で宇宙との遭遇を経験することになるかもしれない。２０１０年には、この勇気ある新たな分野の序曲として、ＪＣＶＩ－Ｓｙｎ１・０（合成ゲノムだけで完全に制御することに成功した初の細菌性細胞）が誕生した。

新たな探索の時代に突入した今こそ、「他者性」やその意味の広がりについて考えるときだ。T・S・エリオットが「リトル・ギディング」という詩で予言しているように、**私たちはいずれ始まりの場所にたどり着き、そこで初めて自分自身を知ることになる**のかもしれない。

人類は地球にとって必要不可欠な存在ではない
——生態という概念

ブライアン・イーノ

アーティスト、作曲家、レコーディング・プロデューサー（U2、コールドプレイ、トーキング・ヘッズ、ポール・サイモン）、レコーディング・アーティスト。著書に『A YEAR』（山形浩生訳、PARCO、1998年）

生態という概念、いや概念の集合は、この150年で一般に広まった考えのなかで最も重要な革命ではないか。生態という概念により、人間はどういう存在なのか、どのような位置に収まるのか、物事はどのように作用するのかといったことへの新たなとらえ方が生まれた。かつては謎だった領域が、当たり前に直感で理解できるものとなり、私たちに一体感や互いにつながっているという感覚をもたらした。

人間を宇宙のど真んなかに据えるという半神的な人類のとらえ方は、コペルニクスの登場から揺らぎ始めた。私たちが暮らすのは、平均的な銀河の端で中程度の星の周りを回っている小惑星だと判明したのだ。その後ダーウィンが登場し、人類を生命の中心に置くこともできなくなった。

ダーウィンは、生命はどんな形にもなりうるという考えの基盤を築き、人類は生命の中心でもないという衝撃的な事実が広まった。**人類は数えきれないほど存在する種のひとつにすぎず、種全体と切っても切れない関係にある（おまけに、必要不可欠な存在でもない）**。こうして身の程を思い知らされたわけだが、それと同時に、人は想像を絶するほど壮大で美しい「生命」というドラマの一部であることも判明した。

「生態」という概念が生まれる前は、世界はピラミッドのようなものだと思われていた。頂点に神が君臨し、そのすぐ下に人間がいて、それ以外の生命ははるか下の存在だった。このモデルでは、情報や知識は一方向（知的に上の立場である人間から「最下層」の者たちへ）にしか流れず、宇宙の支配者たる人間が、ピラミッドの下層部を不当に扱うことに何の不安もなかった。

だがそれは、生態という概念の誕生によって変わった。今では、生命はウェブに似た非常に複雑なシステムとしてとらえられ、情報はあらゆる方向に向かうと考えられるようになりつつある。ピラミッド型の体系ではなく、無限に関わり合って共存する体系として受け止められるようになり、そうした関係の複雑さ、存在そのものの複雑さはすべて、実に創造性に富んでいる。もはや、生態系の外で知的に優位に立とうとする必要はない。知性が交錯する地はよく肥えていて、ありとあらゆる美しく素晴らしい「生物」を十分に受け止められる。

生態学的なものの見方は、有機体の世界だけにとどまらない。これにより、知性そのものの誕生の仕方について新たな理解が生まれている。かつては「偉大な人物に偉大なアイデアが宿る」という見方が当然とされていたが、今は環境の豊かさを重視する傾向にある。**豊かな環境では、数えきれないほどの思考がイノベーションの流れの誕生に貢献する。**ひときわ目立つアイデアを称賛しなくなったのではなく、それらは原因であると同時に結果でもあると考えるようになったのだ。こうした変化は、社会のあり方、犯罪や戦争、教育、文化、科学に対する考え方にも影響を及ぼす。

それがひいては、人間ドラマに登場するさまざまな役割の再評価にもつながる。掃除人やバスの運転手、小学校教師も、大学教授や有名人と同じだけの役割を担っているという認識が生まれることで、私たちは彼らに対して相応の敬意を払うようになるだろう。

ひとつの物理現象を2つの視点から説明する方法
——デュアリティ

ステファン・H・アレクサンダー
ブラウン大学物理学教授

私はかつてブロンクスの北東地域に怖くて近寄れなかったが、今では笑みを浮かべながら歩いている。それは、新たにスラングとして使われるようになった「デュアル」という言葉でごろつきをやり過ごせるようになったおかげだ。東225丁目の2号線の地下鉄乗り場に近づくと、ガラの悪い連中が私を待ち構えている。そこで「デュアル」という言葉を使って声をかけると、彼らは私のほうに力強く歩いてきてハイタッチをする。そして私は電車に乗る。

物理の世界には、美しくもまだあまり評価されていない「デュアリティ」というひとつの概念がある。これは二重性という意味で、この概念を用いると、ひとつの物理現象について2つの視点からの説明が可能になる。

2つの視点からの説明を見つけるには独創的な発想がしばしば必要になるが、デュアリティの真価は説明が冗長になることとは別にある。そもそも、なぜ同じものを別の視点から記述する必要があるのか？　2つの記述をした物理現象のなかには、どちらかの記述が全体をとらえていない場合がある。だが、デュアリティが持つ性質のおかげで、個別の記述以上の何かが出現する。それが見事に現れている2つの例を通じて、デュアリティが持つ創発特性の仕組みを明らかにし、最後に私の見解を述べたい。

新しい物理学の可能性

量子力学における「波動と粒子の二重性」について知っている人は多いだろう。これは、光子（と粒子）には原子物理学や化学結合のあらゆる謎を説明できる魔法のような性質があるというもので、物質（電子など）は状況に応じて波動のような性質と粒子のような性質を表すと記述されている。

その一方で、量子力学による波動と粒子の二重性の解釈は奇妙なことになっている。正統派のコペンハーゲン解釈によると、波は、電子がどこかの時点で粒子だと自覚する可能性を運ぶ振動であるという。

ところが、電子の波動のような性質だけで、電子が障壁を通過するトンネル効果と呼ばれる現象が起こる。古典力学では、物体の総運動エネルギーが障壁（丘など）の潜在エネルギーより少ない場合、障壁を越えることはないとされている。しかし、**量子力学は、粒子は運動エネルギーが障壁の潜在エネルギーより少なくても、障壁を通過できると予言する。**この現象は、フラッシュドライブやＣＤプレーヤーを使うと必ず発生する。

ほとんどの人は、金属に含まれる電子の伝導は古典力学で十分に把握された性質だと思っているだろう。しかし掘り下げてみると、電子の伝導は、電子の波動のような性質によって発生することがわかる。この、金属の周期格子を電子が動き回る波のような動きをブロッホ波と呼ぶ。電子のブロッホ波が建設的に干渉すると、伝導が起こる。それだけではない。波動と粒子の二重性の記述では、超伝導性というさらなる先を予言する。いったい、電子（やクォークなど電子と同じスピン１／２の粒子）は抵抗なしでどのように伝導を可能にするのか？

私が専門とする量子重力論や相対論的宇宙論といった分野の理論研究者たちは、別の種類のデュアリティとも呼べるホログラフィック双対性を利用して未解決の問いに対処しようとしている。ホログラフィック双対性は、レオナルド・サスキンドとヘーラルト・トホーフトによって生み出され、それを受けて、ファン・マルダセナがＡｄＳ／ＣＦＴ（反ド・ジッター空間と共形場理論）対応を提起した。

その提起では、量子重力の現象は、ひとつは当たり前となっている重力理論（アインシュタインの一般相対性理論の増強版）で、もうひとつは、１次元低い時空を用いた非重力的物理学で記述されると仮定されている。波動と粒子の二重性にこのまま続いていけば、この種のデュアリティから、次はどんな新しい物理学が掘り当てられるのだろうか。

ホログラフィック双対性は、量子重力に対してループ量子重力理論のような別のアプローチをとりたがるようで、研究者はいまだホログラフィーが持つ真の意味や実験で起こりうることの予測を模索している。**デュアリティにより、ひとつのレンズを通した分析以上に、物理の性質を把握し活用することが可能になる。**この概念は、物理の枠から飛び出して別の分野にも参入するのか？　それは、時間と対（デュアル）をなすものが教えてくれるだろう。

世界は粒子でできていて、また弦でできてもいる

――デュアリティ

アマンダ・ゲフター

ニュー・サイエンティスト誌ブック&アート担当編集者、同誌サイト「カルチャーラボ」創設者兼編集者

デュアリティは、物理学から近年になって出現したなかでもとりわけ奇妙な概念だ。似ても似つかない2つの世界についてそれぞれ記述した理論があるとしよう。２つの世界は、次元も違えば、時空の配列や物質の構成単位も違う。30年近く前なら、その2つはまったく異なり、互いに相容れない世界であると断言されていただろう。だが現在では、選択肢がもうひとつある。この非常にかけ離れた2つの理論は、二重性を表すものかもしれない。要するに、根底にある同じ事実から、２つのまったく異なるものが発現したかもしれないということだ。

デュアリティは直感的に受け入れがたい概念だが、物理学にはこの概念があふれている。かつての物理学者は、量子理論に重力を結びつけようとしてまったく異なる等しく妥当性のある5つの弦理論を発見し、その数の多さに困惑した。誰もが求めていたのは、すべてを記述するひとつの理論であって、5つではなかったからだ。だがデュアリティは、複数の理論こそがカギなのだと教えてくれた。意外なことに、5つの弦理論すべてが互いに二重性を表すものであり、根底にあるひとつの同じ理論の異なる表現であると判明したのだ。

最も極端なデュアリティの具現化といえば、おそらく1997年に理論物理学者のファン・マルダセナが発表したものがそれにあたるだろう。マルダセナは、5次元という奇妙な形の宇宙における弦理論は、その宇宙の4次元の境界に生息する粒子の当たり前とされている量子理論と数学的に双対であることを発見した。**かつては、「世界は粒子でできている」か「世界は弦でできている」のどちらかだと言われていたが、デュアリティにより、「どちらか」は「どちらも」となった。**互いに相容れない仮説から、どちらも等しく真実となったのだ。

日常生活で「デュアリティ」という言葉が使われるときは、「完全な二分」という意味が含まれる。男性と女性、東と西、光と闇などだ。しかし、物理学者が用いる意味を取り込めば、説得力のある新たな喩えを手に入れられる。2つのまったく異なる物事は、等しく真であるかもしれないという考えを短くまとめた意味にもなるのだ。

文化的な言説の対立がますます露わになるなか、デュアリティという概念はかつてないほど異質であると同時に、かつてないほど必要とされている。この概念を日常生活で活用する認知の武器として備えていれば、私たちが陥りやすい二値論思考やゼロサム思考の解毒剤となってくれる。

人はえてして、正しいか間違っているか、イエスかノーかのどちらかの答えを求めやすく、自分が正しいなら相手は間違っていると思いがちだ。だがデュアリティという概念を備えれば、選択肢がもうひとつ生まれる。**自分の言い分が正しくて相手の言い分が間違っている可能性、相手の言い分が正しくて自分の言い分が間違っている可能性に加えて、この相反する２つの意見が二重性を表す可能性もある。**

誤解しないでもらいたいが、ある種の相対主義に身を委ねて、唯一無二の真実は存在しないと思えと言いたいのではない。**真実というものは、かつて私たちが信じていたものよりもはるかにとらえづらく、さまざまな姿になる**と言いたいのだ。真実がとる姿に気づけるかどうかは、私たちしだいなのだ。

——パラドクス

パラドクスを追い求めると真理に近づく

アンソニー・アギーレ

カリフォルニア大学サンタクルーズ校物理学准教授

パラドクスは、納得のいく真実がひとつ以上あって反目し合うとき、ほかの納得のいく真実と衝突するとき、もしくは直感的に真実だと思えることにそぐわないときに生じる。相反するのはもどかしい。しかしその一方で、興味深いとも言える。パラドクスを回避する、隠す、却下するのをよしとする人は多い。だが、パラドクスは追い求めるべきだ。パラドクスを見つけたら、それを磨いて極端な域まで高め、それ自らが答えを明らかにしてくれるのを期待するのだ。その答えには必ず、一定の真理が含まれている。

歴史には例が豊富で、機会を活かせなかったものもたくさんある。なかでも私のお気に入りはオルバースのパラドクスだ。宇宙は、ほぼ同じ大きさで絶え間なく輝く星でいっぱいに見える。遠くにある星がぼんやり見えるのは、空を占める面積が小さいからだが、実際の位置では太陽面のような輝きを放っている。しかし、不変で無限の（あるいは有限だが境界のない）空間のどこを見ても、星が占める面は必ずある。ならば、空は太陽面のように輝くはずではないのか。このように、夜空を一瞥するだけで、宇宙は拡大もしくは進化しているに違いないということが露わになる。

天文学者たちは数世紀の間このパラドクスにとらわれ、矛盾の解消につながるアイデアを考案できなかった。少なくとも正しい意見がひとつはあったのだが（発見したのはあのエドガー・アラン・ポーだ！）、宇宙の基本構造について考える小さなコミュニティの間ですらその意見は広がらなかった。

アルベルト・アインシュタインも同じだ。彼は宇宙に対して新たな理論を適用し、これまで成立しえなかった不変で定常的なモデルを見出すことに努め、考案した方程式にのちに「最大の過ち」と自ら呼んだ係数を用いている。彼が、宇宙のビッグバン理論に思い至ることはなかった。

極度に少ないが自然は、矛盾を持ち合わせているように思える。パラドクスもそれと同じで、私たちが大切にしている前提を露わにし、捨てないといけないものを見つける機会を与えてくれる。しかも、優れたパラドクスはさらにその上をいく。**捨てるべき前提が明らかになるだけでなく、パラドクスを生み出したときに使用したどの思考モードを変えるべきなのかも明らかになる。**

粒子と波動についてはどうか？　それはどちらが真という話ではなく、ただ単に都合のいいモデルにすぎない。整数と平方数が同じ？　濃度を考案すれば、おかしな話ではなくなる（あなたがおかしな人であることに変わりはないかもしれないが）。「この文は偽である」というゲーデルの言葉は、その言葉自体の言及を可能にする形式体系の土台となるのではないか。このように、例ならいくらでもあげられる。

では、次に追求すべきパラドクスは何か？　私は今、いくつかの壮大なアイデアに取り組んでいる。たとえば、宇宙の初期条件がほかのどんな理論や何かの説明にも適用できないとした場合、熱力学第2法則はどのように誕生しうるか？　宇宙が無限で、あらゆる実験のあらゆる成果が際限なく何度も起こるとしたら、どのように科学を実践するのか？　などだ。

さて、あなたにも、不可能に思える気になることがあるのでは？

人間が「データレコーダー」と化している
——根本原因が解明できる時代

エリック・トポル
スクリプス研究所トランスレーショナル・ゲノミクス教授、スクリプス・クリニック心臓専門医

根本原因解析は、産業、エンジニアリング、品質管理にとって魅力的な概念である。この概念を適用する

典型的な例といえば、飛行機の墜落原因を特定するときに行う「ブラックボックス」の捜索だ。

ここで言うブラックボックスは、起きたことをデータとして記録する、不正開封防止策が施されたボックスを指す。たいていは鮮やかなオレンジ色だが、その名称は暗黒物質というボックスの性質を象徴している。ボックスのなかには、起きたことの解明の一助となる重要な情報が詰まっている。とはいえ、ボックス内の音声記録は、飛行機墜落の原因を根本から解明する一要素にすぎない。

アイデンティティをデジタルでウェブ上に残せるようになり、私たちは徐々にデータレコーダーと化している。自ら投稿したものはもちろん、ときに自分の意図に関係なくほかの誰かが投稿した自分に関する情報も、すべて永遠にアーカイブされる。そういう意味では、不正開封防止策がとられている状態に近い。バイオセンサー、高画質画像（医療画像を例にあげなくても、最近のカメラや動画を思い浮かべるだけで十分納得がいくだろう）、DNA配列の活用が増えるにつれ、人間のデータレコーダー化はますます進むだろう。

ネットワーク化された多忙な現代社会は、コミュニケーションや情報の流通が絶えず行われ、娯楽に事欠かない。そのせいか、何かが起きた理由を徹底的に調べて理解することから遠ざかるようになった。それが如実に表れているのが医療の現場だ。**医師が根本原因を探ることはめったにない。**高血圧、糖尿、喘息といったよくある症状が患者に見受けられたら、個々の体調に異変が生じた原因を突き止めようとすることなく、薬を処方する。

もちろん、別の病気の症状である可能性が指摘される場合もある。それらの症状には、特定の原因がたいていある。だが、その究明は行われない。極端な話、誰かが亡くなってその原因が不明でも、解剖が実施されるケースは非常に稀だ。医師は総じて根本原因の解明を諦めていて、その姿勢は現代に生きるほとんどの人によって共有されていると言っていい。

皮肉にも、このような状態になっている今は、理由を見つける能力がかつてないほど高い時代だ。だが、忙しすぎて究明する時間がない。

データが豊富なデジタルワールドとなったのだから、認知の力の使い方もそれに合わせて調整しよう。これからは、データを最大限に活用し、思いがけないことや好ましくないことが起こる原因の把握に努めるべきだ。いや、大きな何かが起きた原因についても、きちんと把握したほうがいい。根本原因の究明は科学の基本的な概念だというのに、あまりにも放置されすぎている。

今は、ひとりひとりがとてつもないデータレコーダーとして、ＩｏＴ（モノのインターネット）の一部になりつつある。だからこそ、深く掘り下げていこう。今の時代、説明がついていないことを放っておいてはいけない。

個人データを使って自己発見をする時代

――パーソナル・データマイニング

デイヴィッド・ローワン

英国版ワイアード誌編集者

グーグルの元CEOとして知られるエリック・シュミットは、「文明の夜明けから2003年までに人類が生成したデータ量は5エクサバイトである」という表現を好んで使う。**今では2日おきに5エクサバイトのデータが生み出され、そのペースはさらに加速している。**

もはや、プライバシーは存在しなくなった。ソーシャルメディアでの共有が広がり、GPSによるトラッキング、携帯電話の電波塔による三角測量位置情報取得システム、ワイヤレス・モニタリングセンサー、ブラウザのクッキーに基づいたターゲティング広告、顔認証探知、消費動向のプロファイリング……とあげればきりがないが、こうしたさまざまな手段によって、自分の手による管理の範疇をはるかに超えたデータベースに個々人の存在が記録されている。

しかし、こうしたデータが持つ力を、よりよい決断のために活用できている個人はほとんどいない。今こそ、データマイニング（掘り下げ）の意味をとらえ直すときだ。

データマイニングというと、マーケティング産業による消費者のマイクロターゲティング分析、クレジットカード会社による詐欺防止対策、アメリカが導入したTIA（全情報認知システム）のように、国家が予算を割いてお節介に国民を監視する手段に使われるものだと思われてきた。

だが、これからはもっと、自分自身のアウトプットのマイニングを考える必要がある。生の個人データを、予測に使える情報や行動につながる情報に変えるパターンを抽出するのだ。**パーソナル・データマイニング**という考え方が広く話題にのぼれば、万人のためになるに違いない。

マイクロソフトは2006年9月の時点でその可能性に気づき、「パーソナル・データマイニング」のシステムに対して申請番号20080082393で米国特許を申請している。**ユーザー本人が提出した個人**

データや、第三者が収集した個人データをテクノロジーを使って分析すると、「有用な機会の特定や、データの持ち主の生産性やQOLの向上につなげるための提案」が可能になる。マイクロソフトを信じて自分の記録を渡すかどうかは人それぞれだが、個人データの活用や特許の出願が「それをしないと見つからないままだったであろう情報を見出す手段のひとつである」という前提は、そう簡単には覆らない。

行動に影響を及ぼすパターンを抽出するにあたって個々の個人データを活用できるようになれば、一市民にとっても、社会全体にとっても有益だ。**生データが何かの前兆を示す情報に変わると、どんな気分になるかを当て込んだり、効率性を改善させたりできるほか、健康の増進、直感を感情的に理解する力の増加も見込まれ、自らの学力的な弱みや創造性に関する強みなどが明らかになるだろう。**

私は、隠れている意味を見つけたい。思いがけない相関性を見つけて、まったく気づかなかったトレンドやリスク要因を明らかにしたい。過剰にシェアする時代を生きる私たちは、データによる自己発見についてもっとしっかりと考える必要がある。パーソナル・データマイニングが現実になる予兆は、すでに現れ始めている。今、自分の日々の活動や体験をデータ化する「セルフトラッキング」が、ムーブメントとして小さいながらも急速な勢いで起きている。これは、ケヴィン・ケリーが提唱した自己の定量化と、ゲイリー・ウルフが提唱したデータ主導の生活に影響を受けて起きたものだ。

このムーブメントは、センサーやアプリが搭載された携帯機器のデータの可視化機能を利用することで、運動、睡眠、集中力、生産性、服薬の効果、DNA、心拍、食事、支出をトラッキングして評価し、その結果を共有および公開して、大勢と理解を共有するというものだ。携帯機器の使用は、生データの解析、分類、法則の検出のためでもあるが、基本的には、データを数値化してノイズから信号（情報）を抽出することを目的としている。

自分をデータ化するという考えが積み重なっていくと、その見返りは自分ではなく他者に向かう。たとえば、科学的な理解の集合のために個人データが蓄積されるもの（遺伝子検査企業の23アンドミー）や、利用者が提出したデータで他者に行動の変化を促すもの（健康管理アプリのトレイネオ）がある。ダニエル・カーネマン、ダニエル・ギルバート、クリスタキスとファウラーの研究が示すように、人間の幸福を定量化するにはどうすればいいか、SNSは人の言動にどのような影響を及ぼすのか、集団を通じて病気はどのように蔓延するのかという問いに答えるには、個人レベルでの正確なデータのトラッキングが不可欠となる。データはすでにある。あとは、ひとりひとりがそのデータにアクセスして共有し、知識として取り込むだけでいい。

金融システムの破綻と気候変動問題には類似性がある——並行現象

サティアジット・ダス

金融デリバティブ、金融リスクの専門家。著書に『トレーダー、デリバティブ、そして金』（柏野零訳、エナジクス、2009年）

複数の要因が同時に発生する現象は、複雑なシステムを変えようとするときに大きな影響を及ぼす。たとえば、リスク管理でよく用いられる「スイスチーズモデル」がそうで、スイスチーズに空いた穴の制御が一切できずに穴が重なると、損失が発生する。

ひとつの状況下で複数のことが同時に発生する現象については、十分に研究されている。しかし、異なる状況や分野で同じことが起こる並行現象にも、出来事の発生に影響を及ぼす力がある。**一見すると無関係な活動のそれぞれに、よく似た論理やプロセスが現れたら、それは未来に同じような動向やリスクが現れる兆候だ。**そうした**並行現象**を認識する力が高まれば、認知能力も向上するのではないか。

経済予測は憂鬱なもので、ジョン・ケネス・ガルブレイスは「経済学者は占い師をよく見せるためだけにこの世につかわされた」と口にせずにはいられなかった。2007年に起きた世界金融危機を予測した経済学者はほとんどいない。だが、アート市場では、次にくるものを極めて正確に予測できることが実証されている。とりわけ、YBA（ヤング・ブリティッシュ・アーティスト）のひとりとして有名なダミアン・ハーストの作品がそうだった。

ハーストを最も象徴する「生者の心における死の物理的な不可能性」は、ガラスケースに全長4メートル強のイタチザメをホルマリン漬けにした、重量2トンを超える作品だ。これを、広告業界で名を馳せるチャールズ・サーチが5万ポンドで購入した。そして2004年12月、その作品はスティーブン・コーエンに売却された。コーエンは、160億ドルを動かすヘッジファンド、SACキャピタル・アドバイザーズを創設して代表を務めた人物だ。彼はその際に、1200万ドルを支払ったとも、800万ドルしか支払わなかったとも言われている。

2007年6月、ダミアン・ハーストは、1500万ポンドを費やして制作した、プラチナ製で実物大の人間の頭蓋骨を売りに出した。400万ポンドの価値がある52・4カラットのピンクダイヤモンドを額の中心に据え、8601個の工業用ダイヤモンドを隙間なく敷き詰め、全部で1106カラット相当のダイヤモンドが使用されたこの作品は「神の愛のために」と名づけられ、メメント・モリがテーマだ（メメント・モリは、ラテン語で「死を忘れることなかれ」の意）。完成した作品はハーストの個展「ビヨンド・ビリーフ」で展示され、5000万ポンドで販売すると発表された。そして2007年9月、「神の愛のために」をその金額で購入したのはハースト自身を含む複数の投資家だった。転売のための購入だという。「生者の心における死の物理的な不可能性」がコーエンに売却されたのは、市場価格が上がらずにはいられない局面が終盤を迎えたことのしるしだった。そして「神の愛のために」の販売の失敗は、経済指標のようにはっきりと、上昇のピークが過ぎた事実を示した。

未来に借金をして問題を先送り

並行現象が見つかると、無関係な物事に共通する考え方や評価方法が明らかになる。ハーストは、著しく消費に熱心なヘッジファンドのマネジャーたちに好まれ、ハーストの作品を通じて彼らは大金を手にしていた。上昇を続けた価格からは、不合理な過熱があったことがわかる。

ハーストの作品を、いや、彼の名前だけでもいいからと追い求める投資家たちの人間性には、彼らの思い上がった自己評価が見て取れる。口を大きく開けて獲物を飲み込もうとしている「生者の心における死の物理的な不可能性」は、投資家たちの闘争本能を映す鏡だ。彼らは、金融市場で捕食者として恐れられていた。コーエンは、「恐れられる要素のすべてを気に入っている」と発言したとされている。
そして、日本人アーティストの村上隆の作品にも同じ現象が起きている。彼は19世紀に北斎が描いた木版画として有名な「神奈川沖浪裏」に影響を受け、「727」という作品を制作した。そこに描かれているポスト核時代のミッキーマウスのようなキャラクターであるDOB君は、雲の上にいる神のようにも、波に乗っているサメのようにも見える。「727」は最初ニューヨーク近代美術館に所蔵され、その後スティーブン・コーエンの手に渡った。

並行現象は、人類が直面しているさまざまな危機の要因にも表れる。世界金融危機の重要な要因といえば、高額な負債があげられる。実は、負債の論理は、解決の難しい別の問題に内在する論理とよく似ている。**金融システム、取り返しがつかない気候変動、石油、食料、水などの極めて重要な資源の不足といった問題には、驚くべき類似性があるのだ。**

経済成長と経済的な繁栄は、借りたお金によって生まれた。借金という制度により、社会は未来からの借り入れを許された。そうして消費が加速した。返すと明確に約束することなく未来から借りたお金を、今日何かを買うために使うようになったのだ。社会は地球を汚染し、環境に変化をもたらした。元に戻すのは至難の業だ。割安に入手できる天然資源は限りがあるというのに、保護についてしっかりと考えられることなく人間の思うままに利用されてきた。

社会のどの分野を見ても、未来に借金をして問題を先送りにしてきた。今現在の成長や目先の利益のために、すぐには明らかにならずあとになって出現するリスクを代償にしてきたのだ。

このアプローチを、短期的にしか物事を考えず、欲深いだけだとして切り捨てるのは、誠実な態度とは言えない。その根底には、問題解決に取り組むときと同じ認知的要素が関係しているからだ。

その要素とは、未来から借りて先送りにするという考え方だ。問題を解決するときは、問題との関連性、問題に対する適用性、望ましさが考慮されることなく、常にこのアプローチが適用されてきた。このアプローチが存在するところでは、負債と先送りがどんどん増えていき、システム全体の崩壊を招きかねない。

異なる分野で並行して起きていることを認識し理解する行為は、認知能力の向上につながる。それにより、トレンド予測の精度を上げるメカニズムが生まれるかもしれない。弁証法的な思考力が高まり、異なる分野に当てはめてものを考えられるようにもなるかもしれない。

ただし、**そうなるためには、細分化と縮小化が進んだ教育のあり方、厳密に制度化された構造、分析や問題解決に対して決まったアプローチしかとろうとしない姿勢を変える必要がある。**

――イノベーション

制約を取り払い、突破口を開く力

ローレンス・C・スミス

カリフォルニア大学ロサンゼルス校地理学および地球宇宙科学教授。著書に『2050年の世界地図』(小林由香利訳、NHK出版、2012年)

科学者として、今回のエッジの問いには共感を覚える。われわれはこの問いを何度も自分自身に投げかけては、研究室のベンチやコンピュータの前で実りのない日々を費やしてきた。

運ばれてきた情報をもっと速く処理する方法、もっと的確に解釈する方法、世界にあふれる騒がしい大量のデータを結晶のごとくすっきりと整列させる方法を見つけられたらどんなにいいか。端的に言うと、われわれの脳が慣れ親しんだ思考回路を使わずに、新しい考えをイノベートできたら（取り入れることができたら）どんなにいいだろう。

「イノベート」という言葉が一種の決まり文句として使われるようになったのは間違いない。この言葉を聞くと、意志の強いCEO、優秀なエンジニア、新しいことに挑み続けるアーティストのほうが、データに執着する几帳面な科学者より先に思い浮かぶ。仮説の検証、数学的な制約、データ依存の経験主義が蔓延し、干からびたと言っても過言ではないこの世界で、イノベーションが認知能力に果たす役割について考えられることがどれくらいあるだろうか？

科学の世界では、イノベーションによって思考が広がり、宇宙がもう少し秘密にしておきたがっていることが解明できるようになる。この「できる」という姿勢が大切だ。究極の障壁（質量とエネルギーにおける連続性、絶対零度、クラウジウス・クラペイロンの関係など）の制約を受ける世界では、その価値は上がりこそすれ、逆はありえない。イノベーションは、制約となる障壁の周辺やその向こう側について新たな発見が生まれることを可能にしてくれる。たとえ科学的な見解の潮流に反しているとしても、ごく稀に素晴らしい突破口を切り開いてくれる。

イノベーションという言葉を科学的な見地から改めて見直してみると、イノベーションは類いまれな力を持つ認知の武器であるとわかる。その力は、ほとんどの人がすでに手にしている。**新しい考えをイノベート**

できたら、社会的、職業的、政治的、科学的な制約はもちろん、何と言っても個人的な制約を乗り越えることが可能になる。ならば、誰もがもっと頻繁に活用したほうがいいのではないか。

――ギブズ展望

生物学の世界に、ムダな現象はほとんどない

ケヴィン・ハンド

ジェット推進研究所次席プロジェクトサイエンティスト

生物学的な現象に、ムダな現象というものはほとんど存在しない。確かに、個別の有機体レベルで見ると、再生をはじめとするさまざまな活動によって大量のムダが生み出される（樹木が実をつける果物の数や、卵子にたどり着けなかった何百万という精子を思い浮かべればいい）。だが生態系レベルで見ると、1匹の虫の廃棄物は別の虫にとっての宝物となる。ただし、その廃棄物が環境にあるほかの何かと化学反応を起こして、有用なエネルギーを抽出できる場合に限るが。

食物連鎖は、捕食する者、される者というまっすぐな階段のような単純な関係ではなく、複雑に入り組んでいる。大、小、微細な有機体どうしで作用し合ったり、環境と作用したりしながら、活用可能なエネルギーのニッチを探しているのだ。

このエネルギーは、地球生物学者や宇宙生物学者の手で測定してマップ化することができ、「ギブズの自由エネルギー」と呼ばれている。エネルギーの測定やマップ化は、地球上における生物のエネルギー的な限界や、地球外で生息可能な領域を評価するうえで役に立つ。

生態系におけるギブズの自由エネルギーは（この呼称は、19世紀後半にこのエネルギーを発見した科学者J・ウィラード・ギブズの名前に由来する）、生化学反応で生じて生物の活動に活用可能なエネルギーのことを指す。要は、どうしても生まれる廃熱や少量のエントロピーが生じたあとの残り物のエネルギーということだ。このエネルギーがどのように活用されるかというと、治療、成長、再生のような活動を行うときの生化学システムに利用される。

生命体が活用する代謝経路（炭水化物と酸素の反応など）は決まっているので、1モルあたりの反応につき何ジュールのエネルギーが利用可能かを測定することが可能だ。人間をはじめ、基本的には私たちがよく知る大好きな動物のすべてが、食べ物を酸素で燃焼することにより、通常1モルあたり2000キロジュールのエネルギーを活用する。微生物は、さまざまな気体、液体、岩石の組み合わせを通じて、ギブズの自由エネルギーを活用するありとあらゆる方法を見出してきた。

NASAのエイムズ研究所でトーリ・ホーラーを中心とするグループが、メタンを生成し硫酸塩を食べる微生物について測定した結果を踏まえると、生命体にとって必要最低限のエネルギー量は1モルあたり約10キロジュールであると思われる。

既定の環境のなかには、生命活動における化学的な経路が多数あるかもしれない。それに、開かれたエネルギー的なニッチがあれば、生命体はそれを満たす方法をきっと見つけるに違いない。生物の生態系は、エネルギーを活用するための反応と経路の展望としてマップ化できる。これを「**ギブズ展望**」と呼ぶ。

文明化が進み、産業やテクノロジーの生態系が出現したことから、エネルギーのニーズとエネルギー資源の関係の動向を把握するという新たな難題が現れた。ギブズ展望という言葉は、そうした動きを手軽に抽象化するためのものだ。生命活動に利用できるエネルギーの地図に、市、国、大陸が重なっている絵を想像すればいい。

この地図には、生物の生態系の文脈で使用される化学物質とエネルギーの構図が含まれているが、それだけではない。たとえば、内燃エンジンを搭載した自動車は、ガソリンを気体に変える。ビルは、発電所や屋根のソーラーパネルから供給された電気を消費する。現代の産業社会を構成するすべての要素が、ギブズ展望のどこかを占有しているのだ。

だが、大切なのは、**今日のギブズ展望には占有されていない場所が多数ある**という点だ。私たちが設計し構築したシステムは、文明化の進んだ生態系の活動エネルギーを活用するには効率的でも完璧でもない。設計したシステムの大半は、廃熱の生成には優れているが、活動のアウトプットを最適化することはほとんど考慮されていない。

希望と可能性に満ちた世界

夜通し明るい照明から資源が廃棄されたゴミ処理場まで、今日のギブズ展望を見ると、技術的なイノベーションを起こしたり、進化を遂げたりする余地がたくさん残っているのが見て取れる。それに、活動を行えるようになる未開拓の可能性も視覚化される。風力、太陽熱、水力、潮力、地熱はごく一部でしかない。

こうした可能性をまとめると、どこでどのようにして、穴を塞いだり、まだ初期段階でしかないテクノロジーによる文明化の垂れ下がった糸をつなげばいいのかがわかる。

世界をギブズの目を通して見るようになると、現代に数多くあるテクノロジーや産業の生態系に秘められた未開の可能性が見えてくる。最初のうちは、自分たちの粗末な仕事ぶりに目を背けたくなるが、文明とテクノロジーの融合はまだ始まったばかりだ。

ギブズ展望は、希望を抱くべき理由をたくさん見せてくれる。そうして私たちは、地球で何十億年にもわたって複雑な生物の生態系を見事に支えてきたバランスの継続を目指しながら、イノベーションを起こし続けていく。

電気代が今よりも80%安くなる?

——テクノロジーのブラック・スワン

ビノッド・コースラ

起業家、コースラ・ベンチャーズ創業者、クライナー・パーキンス・コーフィールド・アンド・バイヤーズ社元ゼネラル・パートナー、サン・マイクロシステムズ社共同設立者

2000年になった当時の世界を思い出してほしい。グーグルは事業を始めたばかりで、フェイスブック

とツイッターはまだ存在しなかった。スマートフォンもなかったので、今では毎日のように新しいものが誕生するｉＰｈｏｎｅアプリの可能性について、少しでも思いを巡らせた人はいなかった。

この20年で、大きな影響を与えた（この対義語は、「徐々に改良を加えた」となる）テクノロジーがいくつか誕生した。それらはテクノロジーのブラック・スワンだ。

ベストセラーとなった『ブラック・スワン』（望月衛訳、ダイヤモンド社、２００９年）の著者ナシーム・タレブは、普通はまず起こらず、極端に大きな衝撃を与え、起きたあとにしか予測できない事象のことをブラック・スワンと呼ぶ。与える衝撃はプラスのこともあればマイナスのこともあり、どの分野に現れてもおかしくない。とはいえ、私は「テクノロジーのブラック・スワン」という概念を、認知の武器として誰もが備えるべきだと思っている。テクノロジーを強調するいちばんの理由は単純に、**私たちが直面する気候変動やエネルギー生産といった問題は大きすぎて、既知の方法や無難なやり方を適用できない**からだ。

私がジュニパーネットワークスを立ち上げようとしていた１９９０年代の時点では、従来の通信インフラをインターネット・プロトコルに変えることにまったく関心がなかった（ＡＴＭと呼ばれる非同期転送モードが絶対だった）。その結果、時代に合わなくなりつつあったインフラに多額の投資をした。今日のエネルギーインフラのように不動のものだと思っていたのだ。既存のインフラの改良を積み重ねてその可能性を最大限に引き出すことが、当時の社会通念とされていた。その社会通念には、ブラック・スワンが生まれる可能性を認めたがらないという根本的な欠点がある。現実は、伝統的な計量経済学が予測したとおりになるよりも、今日は起こりそうにないが明日の社会通念になるものが誕生する確率のほうが高い。

２０００年の時点で、２０１０年にはインドの携帯電話利用者の数が公衆トイレ利用者数の2倍になるなどと、誰が予測できただろう？ 携帯電話はかつて、富裕層だけのものだった。それがテクノロジーのブラック・スワンの出現により、インフラ、予測、市場の限界によって制約が生じることがなくなった。自分のなかの前提を変えるだけで、すべてが変わるのだ。

時代遅れの社会通念に投資しないために

代替エネルギー技術はすでにあるのだから、それをすぐに広めるべきだと多くの人が主張する。そういう人々には、テクノロジーのブラック・スワンが出現する可能性が見えていない。**見えないのは、「起こりそうにない」を「重要でない」と誤認し、テクノロジーが可能にする「可能なことを実行する技術」を思い描こうとしないからだ。**

このように誤認するだけで、時代遅れの社会通念に多額の資金をつぎ込むリスクが生じる。何より、そんな誤認を抱えていては、私たちが直面する問題は解決しない。短期的に改良を重ねていく解決策にばかり目を向けていては、エネルギーや社会の資源に対する前提を変えるかもしれないホームランの出現を妨げるばかりだ。

いまや、改良を積み重ねられるテクノロジーには事欠かないが（薄膜型の太陽光電池、風力タービン、リチウムイオン電池など）、それらをひとまとめにしても、問題のスケールにはとても見合わない。解決するには、成功する可能性が低いテクノロジーを探して投資し、飛躍的な進歩を遂げさせる必要がある。テクノロジーのブラック・スワンを生み出すのだ。資源の増大は、テクノロジーにしかできない。

ならば、それを可能にする次世代のテクノロジー、すなわちエネルギー技術のブラック・スワンはどういうものか？　それは、リスクの大きい投資先だ。失敗する可能性は高いが、成功すれば技術的に大きく飛躍し、世界を揺るがす衝撃を与えることが約束されている技術のことだと思えばいい。

たとえば、石炭よりも安くつく太陽光発電システムなどがそうだし、代替技術でなくても、照明やエアコンにかかる電気代が80％以上安くなることでもいい。100％以上の効率を実現した車両エンジン、格安のエネルギー貯蔵設備など、テクノロジーの飛躍で可能になることは、今の時点で誰も思い描けていないだけで、実際には無数にある。

当然ながら、1回目の挑戦での成功はまずありえない。だが、**1万の挑戦でグーグルのサービスのような崩壊が10も起これば、社会通念や計量経済的な予測はもちろん、エネルギーの未来が一変する。**

そのためには、社会のインフラを再編する必要がある。**聡明な頭にまったく新しい未来を思い描いて刺激を与え、「何をすればいいか？」ではなく「何が可能か？」と自問する**のだ。さらに、創造的な議論や才能を共有できる活力に満ちた環境を整える。そうすれば、分野の垣根を越えて革新的なアイデアが生まれ、勝利へとつながるイノベーションの誕生が可能になる。

また、イノベーションのためにリスクをとることを奨励する社会になるように、社会的な連携の促進も忘れてはならない。起業家、政策立案者、投資家、市民に正しい認識を植えつけるには、テクノロジーのブラック・スワンという概念の周知が欠かせない。この概念が当然のものとして受け止められるようになれば、どんなことでも（おそらくはありとあらゆることが）可能になる。

こうした輝かしい考えに満ちた新たな頭に、企業が市場に向けて発信する適切なシグナルと後押しが加われば、今日では想像もできないまったく新しい未来の想定が、明日の社会通念になるだろう。

「高品質」が嫌われ、「低品質」が求められる

——カコノミクス

グロリア・オリッジ

哲学者、フランス国立科学研究センター＝ジャン・ニコ研究所所属

人生が嫌なことの連続である理由を教えてくれる大切な概念のひとつが「**カコノミクス**」だ。これは、質の低い結果を好むという奇妙な傾向を意味する。

ゲーム理論に則したスタンダードなやり方で人の行動をとらえると、何（アイデア、サービス、商品）が交換対象であっても、誰もが質の高い対価を受け取りたがるものだ。

仮に、交換し合える商品が、高品質、低品質のどちらかのレベルのものしかないとしよう。質の高い商品を受け取って質の低い商品を渡すことを好むのが一般的な傾向であるのに対し（一般に嫌なやつとされる人がこれをする）、**カコノミクス（ギリシャ語で「最悪の経済」の意）という現象では、質の低い商品を渡す見返りに、質の低い商品の受け取りを実際に求める。**つまり、質の低いものどうしを好んで交換したがるのだ。

なぜそんなことが起こるのか？　そこに合理性はあるのか？　怠惰で、質の低い結果しか出せなくても平

気な人（仕事量が少ないなら、二流雑誌のために記事を書くほうがいいと考える人など）だとしても、少ない労力でより多くを受け取りたがる、つまりは低品質を渡して高品質を受け取りたがるはずだ。だがカコノミクスでは違う。低品質の商品を渡すだけでなく、受け取る対価まで低品質のほうを好むのだ！

カコノミクスは奇妙な現象だが、不満に思う人が誰もいない限りは、低品質の交換を好む傾向は世間に広く見受けられる。相手の怠慢を互いに我慢するどころか、互いに相手が怠慢になるのを期待する。要は、相手が約束を完全に守ると信じない代わりに、自分も約束を守らないことが許されて、守らなくても罪悪感を覚えずにすみたいのだ。興味深いというか奇妙なことに、カコノミクスのやりとりでは、両者とも二重の契約を結んでいるように思う。どちらも表向きは高品質の交換をする意図を表明しておきながら、質を下げることが許される、いや、期待されているという暗黙の了解があるのだ。その状態ならば、一方的に得をする人はいない。実際には高品質の交換を公にする一方で、質の低下を暗黙の社会規範とし、質の低い結果を互いに受け入れ、両者とも満足する。この条件が整うと、カコノミクスが生じる。

例をあげよう。ベストセラーを次々と出している著名な男性作家が、締め切りをとうに過ぎている原稿を出版社に納品しないといけない状態にあるとしよう。彼には多くのファンがいて、ファンは彼の名前だけで本を買ってくれると彼はよくわかっている。それに何より、普通の読者は第1章しか読まない傾向もわかっている。この作家の担当編集者もその状況を理解している。

そうすると、作家は書き出しだけ素晴らしい凡庸な作品（低品質の結果）を納品すればいいと考える。担当編集者はその作品に喜び、あたかも傑作（高品質を表す言辞）を納めたかのように作家を褒め称える。このように、両者ともに満足している。作家が低品質の作品を納品するだけでなく、編集者の対応もまた、まじめな編集や出版に向けての作業を怠るといった低品質のものとなる。相手は信頼に値せず、質の低い結果を得ることを黙認すると互いに信じているのだ。ともに低品質なものを手にすることで同等のメリットを得るという暗黙の了解があるときは、必ずカコノミクスが起こる。

どちらか一方が期待に反して高品質なものを差し出せば、おかしなことに、その相手は信頼を裏切られたと憤慨する。自分ではそうと気づかなくても、裏切られた思いを抱くのは確かだ。先の例で言えば、編集者が高品質の編集を行えば、作家は苛立ちを覚えるだろう。この2人の関係にとって、信頼性は「低品質のものを渡すこと」でもあるのだ。ゲーム理論の例としてよく用いられる「囚人のジレンマ」とは対照的に、**一度交流を持った相手とまた交流を持ちたいと思うのは、高品質なものをくれた相手ではなく、自分と同じように低品質なものを返した相手**なのだ。

カコノミクスは悪い側面ばかりとは限らない。ときには、質が下がったほうが生きやすくなることもある。トスカーナにある別荘を修繕していた友人からこんなことを言われた。

「イタリアの建築業者が約束どおりに仕事を終わらせた例はないが、こちらにも、約束の期日までに払うことを期待されないというメリットがある」

だが、カコノミクスには大きな問題がある。低品質を好むという異常な傾向を根絶することは、困難を極めるからだ。なぜそれが問題になるのか。低品質の交換は、両者ともに満足するという平衡状態を局所的に生み出すものだが、時間がたつにつれ、そうした交換は全体に侵食していく。社会科学の本流では、高品質の結果が次々に生み出されることへの脅威となるのは、他者に便乗する人や他者を利用する人だと教えているが、彼らに加え、カコノミクスが当然のものとして定着し、質の低い交換が常態化した人も脅威となる。

社会のつながりは、利益を追求する協力関係だけから生まれるとは限らない。**人生が嫌なことの連続である理由を理解したいなら、局所的な最善を求めて全体が悪化する協力関係にも目を向けたほうがいい。**

——ケーフェイ

プロレスの観客はリアリズムを求めていない

エリック・ワインスタイン

数学者、経済学者、ナトロン・ティール・キャピタル社代表取締役

優れた科学的概念で、人間の理解力を高める可能性が最も高いものは、もしかするとアカデミーの森ではなく、そういうものが生まれそうにないプロレス環境から生まれるかもしれない。

進化生物学者のリチャード・アレクサンダーとロバート・トリヴァースは、**選択圧が働くシステムのなかでは、情報よりペテンのほうが決定的な役割を果たすことが多い**との意見を発表した。しかし、純粋に情報を交換する場合、人はたいていペテンを不安要素としてとらえるので、ペテンが本物をかなりの確率で締め出していると思われる世界について理解する準備ができていない。具体例をあげるなら、人類の未来の選択圧は、完璧な情報を前提とする市場モデルを支える経済理論にいまだ結びついたままのように思える。

人類に働く選択圧を真剣に受け止めているなら、何層にもウソで塗り固められた現実に対処できるシステ

ムが厳密にはどういうものかと確かめたくなるのではないか。そのシステムのなかでは、見た目どおりに受け止めていいものは何もない。そのシステムは1世紀以上にわたって開発が進められ、いまや純粋にウソで塗り固められた数十億ドル規模の手の込んだビジネスを支えるようになった。それはプロレス関係者の間で「**ケーフェイ**」と呼ばれている。語源は謎だ。

プロレスは見せかけの格闘技なので、リングで向かい合う選手は実際には、閉じられたシステムを形成する義務（これを「プロモーション」と呼ぶ）を負った協力者どうしだ。この事実は部外者にはふせられている。プロモーションの一環として悪役が選ばれ、闘いは段取りや演出がおおむね決められて儀式化され、リハーサルが行われる。怪我や死に至るリスクを大幅に減少させるためだ。

ケーフェイでは事前に結果が決められているので、試合での裏切り行為は、スポーツマンシップらしからぬパフォーマンスではなく、スポーツマンシップにのっとった、観客を驚かせるための真剣なパフォーマンスである。「ケーフェイに背く」というスポーツマンシップらしからぬ行為は「シューティング」と呼ばれ、それに対して期待されたシナリオどおりに進める行為は「ワーキング」と呼ばれる。

ケーフェイが21世紀における認知の武器の仲間入りをすれば、世界を理解しやすくなるのは間違いない。今は、調査報道が失われ、競い合っているはずのライバル企業が、共同出資やロビー活動などあらゆる面で協力する時代だ。「真水」のシカゴ学派マクロ経済学者と、アイビーリーグの「塩水」理論家が繰り広げる複雑な論争を理解するには、ひとつの「典型的なプロモーション」のなかで起きていることとしてとらえるのがいちばんだ。何しろ、10年ほど前に起きた金融危機を（ともに）予測できなかったにもかかわらず、どちらの派閥も何のダメージも受けなかったのだから。

何十年にもわたって、弦理論支持者とループ量子重力理論支持者が互いに正しいと主張し合う理論物理学の論争も同じで、規模が大きくなっただけではないか。どちらも量子重力理論を完成できていないことを踏まえると、ハードサイエンスのなかでプロモーションとして協力し合って生み出された対立関係に思える。

多くの人が求めていた思いがけない事実

ケーフェイがなぜ注目に値するのか。それは、幅広い分野で費やされた貴重な努力が、失敗する現実から仕組まれた成功へと変わるプロセスの完璧な例を示してくれるからだ。今では、プロレスが格闘技のようなショーであるとほとんどのスポーツファンが認識しているが、真剣に闘っていた「キャッチ」というレスリングの形態の失敗から今の形態に進化した経緯を覚えている人はほとんどいない。

20世紀の初めに行われたキャッチが、レスリングとして最後の真剣勝負だった。キャッチの試合はたいてい、一切盛り上がりを見せずに何時間も続くか、多額の投資を受けた将来有望な選手が大怪我を負って突然勝負が決するかのどちらかになるのが普通だった。

このことから、上記の2つの相容れないリスクが近い関係にある状況がよくわかる。そして、たまにだが非常に大きな危険が参加者に伴うこと、総じて観客と参加者の両方が退屈を感じること、この2つのリスクを抱えるものは、レスリングと同じカテゴリーに属する活動と言える。

ケーフェイ化（リアルからケーフェイへの移行）は、大衆を確実に引きつける製品を提供しよう、そして参加者を危うくする予測不能な混乱の発生を防ごうという試みから生じる。だから、**戦争、金融、恋愛、政**

治、科学といった私たちにとってとても重要なものの多くがケーフェイ化されている。

また、ケーフェイを通じて、人の疑う能力には限界があることも見て取れる。幻想と現実が完全に融合する前に、必ずしも中断できるとは限らないのだ。プロレスのペテンの仕組みがあまりにも複雑になりすぎたため、ケーフェイのなかで仕組まれたとおりに予期せぬ裏切りを実行しているレスラーは、現実世界でもときどき裏切り行為をしてしまうようになったという。

ケーフェイは成功したが、最終的には成功の代償をケーフェイというシステムそのものが払わされることとなった。ペテンにどんどん磨きをかけた結果、プロレスの世界は主要なスポーツ競技イベントを監督する外部機関と衝突し、ケーフェイを維持できなくなったのだ。

そうしてプロレスは格闘技要素が一切ないことを事実として認めざるをえなくなったが、プロレスに規制が設けられることも、プロレスが忘れ去られることもなかった。さらにこのとき、思いがけない事実が判明する。**プロレスの観客は、リアリズムを微塵も求めていなかった**のだ。こうしてプロレスは、選手から観客を欺く責務を取り除き、ペテンだとわかったうえで見る意識を観客に植えつけて、ついに元の正直なシステムに戻ることができた。

どうやらケーフェイは、それを利用したいという望みに応じて提供するのがいちばんいいようだ。

単純なものほど複雑なものはない

――オッカムの剃刀

カイ・クラウゼ

ソフトウェア開発者、インターフェース・デザイナー

私がティーンエージャーだった1971年に、父が飛行機事故で亡くなった。私はなぜかその頃から「まじめ」になり、自分を取り巻く世界やその世界における自分の居場所を理解しよう、意味や意義を見出そうとするようになった。すると、世のなかのすべてが、無垢な子供時代に思っていたものと何もかもが違うのだと気づき始めた。

それが自分自身による「認知能力の構築」の始まりで、貪るように本を読み、とりわけ（友人や学校がすすめるものからかなり外れて）百科事典、哲学書、伝記、ＳＦに夢中になりながら、発見の純粋な喜びを感じていたのを覚えている。

そして、ある物語のある段落に出てきた次の一節がいつまでも心に残った。

「われわれが利用しなくてはならないのはサーゴラの剣だ！　節減の原理だよ。これは中世の哲学者サーゴラ14が提唱した原理で、彼は『厳密に必要でない仮説には剣を振るわねばならない』と言った」

この一節は本当に考えさせられた。何度も繰り返し思い起こしては考えた。

この男が誰に該当するかに思い至るにはずいぶん時間がかかったが、この本を読んでからというもの、図書館、大型本、手垢まみれの装丁の虜になり、言うなれば「知識」を読み漁った。そして、常緑樹に囲まれた小さな村の出の「オッカムのウィリアム」というはっきりしない名で呼ばれるひとりの僧侶を発見した。

彼は数年後、再び私の行く手に現れた。ミュンヘンのオッカム通り近くで講義を行うことになったとき、オッカムが１３００年代半ばにルートヴィヒ4世に保護されて、そこで晩年の20年を過ごしたことを思い出したのだ。

アイザック・アシモフは、おひとよしのオッカムから「オッカムの剃刀」を拝借、いや、彼にオマージュを捧げた。「オッカムの剃刀」はさまざまな形で表現されていて、

「必要がないなら多くを置くべきではない」

「必要以上に実在物を増やしてはならない」

などがある。

もっと一般的な口語体になると、元のラテン語から少々離れた次のような表現がなされる。

「仮説の数の減少を促す、単純化された説明のほうが好ましい」

かくして私は、単純と複雑が織りなすさまざまな形に目を奪われるようになった。私にとって、それらは呈された疑問としての「世界を理解すること」の芯部に非常に近い。

単純であることは常に正しいとは限らない

率直な提言に思える「できるだけ単純にせよ」は、質問の大小、科学的、個人的を問わず、本当に最適な戦略になりうるのだろうか？　もちろん、余計な前提を取り除くという信条を掲げることは有益であり、セーガンもホーキングも、科学でものを考えるときにその信条を活用している。

だが、私にはそれが正しいことだとはどうしても思えなかった。直感的に、物事が単純にいかない場合があるのは明白だったからだ。それにはっきりいって、「いちばん単純」な説明が真実や証明になりうるはずがない。例をあげよう。

- 探偵小説なら必ず、いちばんわかりやすい説明で犯人や犯行を明らかにする展開だけは避けるというプライドを持っている。
- 「高速でカーブに突入しても最高に快適な乗り心地」の自動車を設計するには、とても複雑なシステムが必要になり、そのシステムが生まれてようやく「単純に素晴らしい」ものにたどり着く。
- 山肌を下る水は、直線ではなく湾曲して流れる。

単純でない解決策は、視点を変えると「いちばん簡単な策」となる。たとえば水の場合は、最も傾斜の緩い斜面を下ってエネルギーを最小限に抑えることのほうが、AからBへとまっすぐに進むことより重要になる。これはオッカムの指摘にも含まれている。**「単純」という定義は、単純でない可能性を秘めているのだ。**

「単純化」という言葉を使った例を先ほどあげたが、単純がより単純になることはない。「単純」と「単純化」には大きな違いがある。これを学問的にとらえると、「単純なものは複雑さを招く」という原理がそれに並走し、私は生涯にわたってこの原理に深く関わってきた。１９７０年代の初めには、私は初期の大型モジュラーシンセサイザーをいじるようにもなっていて、すぐさま「単純」に思える音の再生の難しさに直面した。ピアノの1音を再生するためには、想像以上の複雑さが必要になるのだ。場合によっては、音の元となる波形のマグニチュード（振幅）に応じて何十ものオシレーターやフィルターを使っても生み出せない。

２０１０年あたりから、数あるプロジェクトのひとつとして、科学的に視覚化された美しい空間と、数学の縮図を有形にしたフラクタルを再検討することになった。このプロジェクトは、突出した才能を持つプログラマーのベン・ワイスとともに20年近く前に終えていたが、今では、リアルタイムにフラクタルを変化させる技術によって、手に収まる小さなスマートフォン上でフラクタルを楽しめるようになった。

これほど極端な例もない。紙に書くと1行にも満たないちっぽけな数式を再帰的に利用すると、目を見張るほど美しい複雑な映像の世界が生まれるのだ（ベンはＴＥＤで試作版のアプリケーションをブノワ・マンデルブロに見せることができて大いに喜んでいた。マンデルブロはそのわずか数カ月後に亡くなった）。

単純さの原理の使いすぎを懸念する私の心情は、オッカムの剃刀にピタリとはまる刃と評されているアルベルト・アインシュタインによる次の引用句に表れている。

「物事はできるだけ単純にするべきだ。しかし、単純化してはならない」

さて、これでその真理を完璧に適用できる条件が整った。実は、アインシュタインもオッカムも、引用されているとおりの言葉を一度も使ったことがないのだ！　何十冊という本、アインシュタインがドイツ語で書いた論文や手紙、アインシュタイン・アーカイブに保存されている資料に目を通したが、引用されている文言はどこにもなく、ブリタニカ百科事典、ウィキペディア、ウィキクォートでも、引用の出典元を明らかにしている人はひとりもいなかった。オッカムについても同じだ。なんらかの情報が見つかれば、それは何よりも優先度が高い情報となる。

確かに、2人についてリツイートされたツイート、転載されたブログ、どこかで聞きかじった情報をあっという間に集めるのは簡単だし、寄せ集められたそれらは当然ミームとなる。また、〝そのようなこと〟を言った〝可能性は十分にある〟と思うのも無理はない。実際、2人ともそれぞれ、似たような言葉や似たような意味の表現を何度か残している。しかし、それらは「近い」だけなので、正確な言葉に帰するという意味では、これもまた「そんな単純ではない！」という例のひとつなのだ。

それに、追加の情報と余分な情報では意味が大きく変わる（「アインシュタイン」の余分な「アイン」と言われたら、何のことか一瞬わからなくなる）。

言語学的なジョークに、「剃刀と刃は、分析思考を行ううえで有益な組み合わせだ」というものがある。不必要な推測を剃り落とすのはいいことなので、「誰もが持ち合わせている認知の武器」に含める価値は十分ある。ただし、「やりすぎは厳禁！」も併せて含めてもらいたい。

私個人としては、次の結論に至った。**単純なものほど複雑なものはない。**

ニューヨークではスマホ歩きしている人が優先される?

——熱探知ミサイル

デイヴ・ワイナー

ソフトウェア開発者(ブログ、ポッドキャスト、RSS、アウトラインプロセッサ、ウェブコンテンツ管理の第一人者)

私の新たな居住地となったニューヨーク市は、人は社交的な生物だが、その事実を認めないほうが得策だと教えてくれる街だ。

障害物を避けながらマンハッタンの歩道を進んでいると、考えごとに集中できず、道行く人々につい注意が向く。止まっているときはいいが、歩いているときに向こうからくる誰かに目を奪われるのは、交渉を望んでいるサインとなる。

それは良くない。それは弱さのしるしだ。相手がそのしるしに気づいている、いないに関係なく、相手はあなたの弱さにつけこんで、行く手の主導権を握ろうとする。その間、一切目を合わせない。相手からのアピールはない。あなたが相手のために退くしかないが、それでも衝突を避けられるとは限らない。相手は無意識に近づいてくる。あなたが見せた弱さに引き寄せられるのだ。あなたのスペースが狙われている。こうなればもう、衝突は避けられない。そしてニューヨークで通りを歩くときのマナーでは、道を譲る責任は相手を目でとらえているあなたにある。

だから歩道では、スマートフォンでメッセージやメールをチェックしながら歩いている人が完璧に主導権を握る。彼らは熱探知ミサイルとなって、人の熱を探しているのだ。

これがニューヨークに限った話だとは思わない。**人間という種の性として、人は他者を探し求めずにはいられない。**

2005年の一時期だけ、私はフロリダ州北東部にあるセントオーガスティン郊外の海沿いに住んでいた。海外線が長いうえに比較的人が少なく、車で乗り入れて日光浴に最適な場所を探せるので、少し車を走らせれば簡単にひとりになれる。だから私は車で人けのない場所まで行き、車を停めてサーフィンをすることがよくあった。そうして海から戻ると、必ずと言っていいほど私の車の真横に別の車が停まっていた。左右1キロ圏内のどこでも好きに停められただろうに。

この知識は、あなたの認知の武器にもぜひ加えてもらいたい！

人間の思考力は限界を超えられるか？

——エンタングルメント

マルコ・イアコボーニ

神経科学者、カリフォルニア大学ロサンゼルス校デイヴィッド・ゲフィン医科大学院精神医学および生物行動科学教授、同大学セメル神経科学および人間行動学研究所教授。著書に『ミラーニューロンの発見』（塩原通緒訳、早川書房、2011年）

「エンタングルメント（量子もつれ）は『不気味な遠隔作用』である」とアインシュタインは言った（好き

でそう評したのではなく、ある時点からその存在を認めざるをえなくなったのだ)。

量子物理学では、2つの粒子のうちのひとつに変化が起きたとたんにもうひとつの粒子にも変化が起こる現象を、「2つの粒子がもつれる」と表現する。その何が不気味かというと、できるだけ遠くにその「もつれあう2つ」を引き離しても、やはりもつれが生じるのだ。ひとつが変化すると、瞬時にもうひとつにその変化が反映される。物理的に離されても(国をまたいで引き離されても!)、その現象は必ず起こる。

エンタングルメントはまるで魔法だ。頭で理解しようと思っても、そう簡単にはできない。だが、エンタングルメントは実在する現象であり、実験室で測定も再現もできる。

それだけではない。長年にわたって、エンタングルメントは細心の注意を要する現象であり、量子物理学という限りなく小さな世界でのみ観察が可能な極めて不安定なものだ(「よかった、あの奇妙なものは私たちの世界とは無縁だ」)と思われてきたが、どうやらエンタングルメントははるかに強固で幅広い世界で起こりうる現象である可能性が出てきた。たとえば、光合成はエンタングルメントを通じて起きているのかもしれないし、脳に関する新たなデータから、エンタングルメントは脳内の離れた場所にあるニューロンの電気的活動に関わっている可能性がある。

エンタングルメントは認知の対象として優秀だ。というのは、認知的直感が挑発されるからだ。人の思考は、たとえば自然現象の説明のように、わりあい機械的な因果関係を好むようにできていると思われる。そして、そうした関係が見つけられないと、理不尽な思考を持ち出そうとする。要は、エンタングルメントを思うときに感じる魔法のようなものを持ち出すのだ。

もつれあう粒子は、優れた科学的行為を遵守していれば、すなわち、観察、測定を経て理論に落とし込める（もしくは、科学的な理論によって予測できる）現象の再現を忠実に行っていれば、物事の道理が理解できるようになるのだと教えてくれる。エンタングルメントのような奇妙な現象ですら例外ではない。

また、**エンタングルメントは、当たり前に因果関係があると思えるような現象に、実は因果関係がまったくないかもしれないとの疑念ももたらしてくれる。**現代におけるワクチンの実施計画は、おそらく現代医療が成し遂げた最大の功績だが、ワクチンの拡大とともに子供に自閉症の症状が見受けられるようになった。ワクチンの接種と症状の発現が同時に起これば、ワクチンがその症状を引き起こしたとの誤解が生まれ、ワクチンが自閉症の原因とされる。それればかりか、同時に起きるのなら、自閉症との直接的な因果関係を疑うべきで、実際、管理実験を通じて、ワクチンと自閉症に本当に因果関係があるかどうかを改めて確認する運びとなった。その結果、因果関係はないことが明らかになっている。だが残念ながら、**因果関係があるとの信仰を根絶するのは難しく、我が子にワクチンを接種させないという悲惨な結果を招きかねない決断を下す親を生んでいる。**

エンタングルメントの話は、人間の思考力が限界をほぼ超えられることを教えてくれる素晴らしい例だ。この「ほぼ」という言葉に注目してもらいたい。限界を「超えた」のであれば、当然、「超える」ことは可能だ。だが、実際に超えたときに、超えたという実感は生まれないものではないか？ 事実、エンタングルメントを観察し、測定し、再現できるようになるまでは、量子理論によって予測されたこの現象を少し「不気味」に感じていた（再現できたあとも、また不気味に感じるのではないだろうか？）。

人は、自分が信じることにそぐわない事実は自然と拒絶しようとしてしまう。そして、そういう事実を前にすると、自分が信じることのほうが正しいと無意識に強く思い、目の前の事実に蓋をする。

エンタングルメントの話は本当に秀逸で、「自分自身を超えることはできる」のだと思い起こさせてくれる。**自分の信念に必死にしがみつかなくても、物事の道理を明らかにすることはできる。**たとえその対象が不気味なものであっても。

テクノロジーが人間らしく進化する道を切り開いた
——人間ならではの特性

ティモシー・テイラー

考古学者、ウィーン大学先史・中世考古学学部先史学教授。著書に『人工サル：テクノロジーは人間の進化の過程をどのように変えたか（The Artificial Ape: How Technology Changed the Course of Human Evolution）』

「認知の武器」という考えそのものが、最も重要な武器のひとつである。これは単なる比喩にとどまらない。物理的な武器という道具と思考は深いところでつながっていて、その関係ははるか昔にさかのぼる。

人類の進化や人類にとっての先史時代といった概念は、地球にまつわる概念と同様に事実に基づいて確立されている。それを疑うのは、偏屈者か誤解にとらわれている者だけだ。とはいえ、打製石器の誕生は少なくとも50万年前にさかのぼる。石から道具を作るといった思考の広がりは人間ならではの特性であるという事実についても、万人に知っておいてもらいたい。

テクノロジーが人間らしさよりも先に誕生し、人間が人間らしく進化する道を切り開いたという概念は、誰もが認知の武器として備えておくべき科学的な概念だと私は思う。この概念が頭にあれば、物事を通して、あるいは物事とともに考えたり、頭のなかで架空の物事を思い描いたりすることが、自意識の要として欠かせないと理解できるようになる。

自らの創造性を抽象化し、実在する道具を思考のメカニズムに変換することで、人は自らの創造性を自分のものにできる。この能力があれば、どんな科学的な活動も可能になる。

人にはそれぞれ心地よいと感じる時間の幅がある

——裁量のタイムスパン

ポール・サフォー

テクノロジーに関する未来を専門とする予測研究者、ディサーン・アナリティクス社創設者兼代表取締役、スタンフォード大学メディアXリサーチ・ネットワーク客員研究員

半世紀ほど前、英国の金属会社を指南する職に就いていたエリオット・ジャックスは、物議を醸しそうな意見を胸の奥深くに秘めていた。彼は、**社内での立場や業務内容によって、労働の対象とする時間が大きく異なる事実に気がついた。**ラインで働く労働者はシフト内で完了できる作業しか頭にないが、マネジャーは最低でも6カ月はかかる仕事にエネルギーを注いでいる。会社のCEOはというと、数年後にならないと判別できない目標を追求している。

数十年にわたる実証的な研究を行ったのち、ジャックスは次のように結論づけた。**知性が人それぞれ異なるのと同じで、時間に依存する複雑な仕事を扱う能力も人によって異なる。**人には心地よいと感じる時間の幅がそれぞれあり、ジャックスはそれを「**裁量のタイムスパン**」と名づけた。個々人がやり遂げるのにいちばん時間がかかるタスクの時間の長さ、ということだ。

彼は、組織は暗黙のうちに、社員の肩書きから給料に至るすべてに裁量の時間幅を投影していると気づいた。ラインで働く労働者は時間給で、マネジャーは年俸で、上級役員はもっと長い期間にわたる自社株などの形で報酬が支払われている。加えて、効率性の高い組織は、裁量のタイムスパンが労働者によって異なることを受け入れていて、個々が自然に心地よいと感じる働き方をさせていた。**個人にとって自然な裁量のタイムスパンを超える仕事に就いたら、その人は仕事で失敗する。**タイムスパンより少ない時間ですむ仕事に就けば、やりがいが感じられず不満を抱く。

裁量のタイムスパンは、明確に時間枠が設けられた目的を成し遂げるためのものだ。ジャックスのモデルでは、階段式にスパンの長さがレベル分けされている。レベル1には販売員やラインで働く労働者などが該当し、最大3カ月のタイムスパンでルーティン業務を扱う。レベル2〜4は管理職で、1〜5年のタイムスパンで仕事にあたる。レベル5は5〜10年のスパンとなり、小規模な会社のCEOや大企業の役員が含まれる。レベル5以上は政治家や著名なビジネスリーダーなどで、20年（レベル6）、50年（レベル7）、もしくはそれ以上のタイムスパンで自然に考えられる人が対象だ。レベル8は、ヘンリー・フォードのように100年単位でものを考えられる人で、レベル9は、アインシュタイン、ガンジー、ガリレオなど、世紀をまたいで未来へとつながる壮大なタスクに思いを馳せられる人の領域となる。

ジャックスの考え方は1970年代に大流行したが、その後勢いを失った。不公平な分類どころか、全体主義の階層化を描いたオルダス・ハクスリーの『すばらしい新世界』（大森望役、早川書房、2017年）を想起させると非難されるようになったのだ。だが、今ジャックスの理論を見直すときがきた。「裁量のタイムスパン」を復活させて、社会の構造の理解を進めることや、世界全体が途方に暮れている難題に適用させることに活用してはどうか。**気候変動のような問題で手を焼いているのは、本来ならレベル5のタイムスパンでものを考えられる人が必要な国会に、レベル2でしか考えられない人が選出される政治制度に原因がある。**ということは、ジャックスの考え方を取り入れれば、「いちばん長く考える者が勝つ」という古い格言は半分しか正解ではなく、誰もが**時間という文脈で問題についてしっかりと考える社会こそが最も機能的**であると認識できるようになるかもしれない。

無効となる可能性があるおかげで真実が明らかになる

——無効化可能

タニア・ロンブローゾ

認知心理学者、カリフォルニア大学バークレー校心理学部教授

一見すると、「**無効化可能**」という概念は地味なもののように思える。これは論理と認識論に端を発する

概念だ。推論を立てても、新たな情報を踏まえたら「打ち負かされかねない」となれば、その推論は無効となる。演繹的に導き出された結論と違い、無効となりかねない論拠の産物はいつまでも見直しの対象となる。どれだけ強固であっても、暫定的なものにしかならない。

科学的な主張は、教科書に書かれていることであれ、場当たり的な意見であれ、そのすべてに無効となる可能性が含まれている。**主張は永遠に修正と却下の対象であり、未来がもたらすものに左右されるというのが、科学的なプロセスの特徴のひとつだ。**これは決して弱みではない。それどころか、この特徴が科学の偉大さを生み出している。無効となる可能性があるおかげで、少しずつ真実が明らかになり、時間とともに変化し、私たちが最も信頼する前提が覆される世界にいつでも対応できるのだ。

無効化可能という概念は、人工知能や自然の知能の特性を明らかにするうえで貴重な存在であることがわかっている。科学的な推論に限らず、日常的に生まれる推論もまた、新しいデータという厳しい判断基準を通じて吟味される。要は、今正しいと信じられていることを無効にする可能性を秘めた新たな情報に照らして吟味されるのだ。

そうして調査が進んでいくと、古くからあるものが偽物で、悪者とされていたほうが無実の被害者だと判明するかもしれない。不確かな世界に向き合っていると、演繹法の安心感を捨てて無効化されうる論拠に注目せざるをえなくなる。

無効化可能という概念を、地味な専門用語ではなく、自分が信じるあらゆる物事に対して持つべき正しい姿勢と受け止めれば、これは強力な武器となる。盲目的な信仰と徹底的な懐疑主義の間には広大な空間が広がるが、無効化可能が住処とするこの空間に寄りつく人はほとんどいない。撤回できないという姿勢は愚かであり、見境なく何でも疑っては感覚が麻痺してしまう。無効化が可能であるという概念は、不確かな世界の舵取りに必要な、暫定的な確かさを与えてくれる。

自分の信じている物事には覆る可能性があると認識しない限り、冷静な議論や成長は望めない。この認識は、科学、政治、宗教はもちろん、日常生活で当たり前に行われる交渉ごとにも欠かせない。

地域や世界の指導者、プライベートや職場での友人、敵対者を問わず、誰もが自らの信仰が無効化する可能性を自覚し、その自覚に従って行動する世界を想像してみてほしい。それは進歩した世界だと私は思う。もちろん、私が間違っている可能性は否めないが。

——ヌーテル

検証できない自説を展開する人たち

リチャード・セイラー

経済学者、シカゴ大学ブース・スクール・オブ・ビジネス意思決定研究センター長。共著書(キャス・サンスティーンとの共著)に『実践 行動経済学——健康、富、幸福への聡明な選択』(遠藤真美訳、日経BP、2009年)

私は「エッジ」のサイトを使って、間違った科学信仰のお気に入りの例を教えてほしいと呼びかけた。賞をあげたい回答のひとつがクレイ・シャーキーからの投稿で、次の文章はそれを要約したものだ。

光が伝搬するときの媒質である（と思われていた）エーテルの存在。波は水を伝わり、音波は空気を伝わるのだから、光もX（何か）を伝わるに違いないという類推が信じられ、そのXはエーテルと名づけられました。

エーテルのエピソードは、何かが存在しないと結論づけるための証拠を積み重ねることの難しさを教えてくれるという点も、お気に入りである理由のひとつです。エーテルは、19世紀の理論に必要とされたと同時に、19世紀の科学設備では検出不可能だったため、無臭、無色、不活性といった検出にとってマイナスの特徴がどんどん付与されていきました。

ほかにもいくつか、たとえば重力をお気に入りにあげる投稿などでも、エーテルの役割についての言及が見られた。**エーテルは、筋の通らない申し立ての「説明をつける」のに便利な架空の存在だった**のだ。また、ドイツ人化学者で医師でもあるマックス・ペッテンコーファーが、コレラの病因としての細菌について述べた言葉も紹介しよう。

「コレラを説明するにあたって、細菌はとるにたらない存在だ！　注目すべきは個々人の気質である」

どんな自説も有効になる「便利」な概念

それでは、今回のエッジな問いへの回答として、私は「エーテル」を「**ヱーテル**」という旧文字遣いにし、その使い方を変えることを提案する。もはや、「存在しない何か」という意味で使う必要はなくなったのだから、「自説を有効にするもの」というよく似た意味で、その何かを自由に表す言葉として使ってはどうか。たとえば、ペッテンコーファーの先の言葉の「気質」を、「ヱーテル」に置き換えて使うのだ。

ヱーテル信奉者（ヱーテルを当てはめられる「ヱーテル変数」に頼って理論を構築する理論家）は、ヱーテルという概念を使えば誰にも自説を検証できなくなると思っている。彼らが生きている間は確かに検証できないことが多いが、のちにA・A・マイケルソンやエドワード・モーリーのような優秀な経験主義者が現れれば、去年は定理だったものが今年には間違った理論の例になりさがる。

ヱーテル変数は、私が専門とする経済の分野で非常によく使われる。**自分の選んだ変数を理にかなったものにするには、有用性をとにかく高めなければならない。**

かつては、「リスク」と「リスク回避」という2つの概念は、定義がはっきりしていた。それがいまや、「ヱーテル化」の危機にさらされている。たとえば、法外に高いリターンを生む株式はリスクが高いとされている。これは、法外なリターンにはその分高いリスクがついてくるはずだという理論からきている。分散や共分散といった従来のリスク評価基準を用いて「リスクは高くない」という不都合な結論が導き出された場合、ヱーテル信奉者は、何かわからないだけでほかに必ずリスクがあるはずだと言い張る。

リスク回避についても同じだ。リスク回避は自己流に行うのが伝統で、各自が独自の尺度を使い、回避の度合いを測っていた。今では、時間の経過にあわせて回避の仕方を変えられるようになったため、ヱーテル信奉者は真顔で、「2001年と2008年に市場が暴落したのはリスク回避の動きが急増したせいだ」と言い出す（この因果関係についてひと言。リスク回避が急増すれば株価は暴落するが、その逆はない）。

次にこうした理論に出くわしたら、問題があると指摘する代わりに、ぜひとも「ヱーテル」という言葉を使ってもらいたい。個人的には、時間の経過にあわせて回避の仕方を変えるリスク回避のことを、これからはエーテル回避と呼ぶつもりだ。

完璧で正確な知識の取得などありえない

——仮説としての知識

マーク・パーゲル

英国レディング大学進化生物学教授、米国サンタフェ研究所外部教授

「自分は知らないということを知っている彼は、世界で最も知恵のある者である」とされ、ソクラテスがデルフォイの神託を受けたのは有名な話だ。それから2000年以上がたち、今度は数学者から歴史学者に転じたジェイコブ・ブロノフスキーが、1970年代に放映された画期的なテレビシリーズ「人間の進歩」の最終回で、自分はものを知っているとの思い上がりは誰の身にも起こりうることであり、第二次世界大戦でナチスが行った非道を根拠にあげてその危険性を強調した。

ソクラテスが知っていて、ブロノフスキーが重んじるようになったものとは何か。それは、**知識（真の知識）は難解であり、手に入れることすらおそらく不可能であるという認識**だ。これは誤解されやすい表現であり、事実に反すると思われやすいが、これだけははっきりさせておく。完璧かつ正確である知識の取得は

絶対にありえない。世界の観察を通じて「知る」ことには、なんらかの疑いの要素が必ずつきまとう。

知識に対して疑念を抱かせるものは何か？ 人生の複雑さはもちろんあるが、それだけではない。測定対象となるものには、どんなものにも不確かさが組み込まれている。どれほどうまく測定できたとしても、識別可能な最小単位の半分程度の間違いは生まれかねない。

たとえば、センチメートル単位で測定できる人から私の身長は180センチだと言われても、実際には179・5センチや180・5センチかもしれず、測定者には（そして私にも）そうした違いはわからずじまいだ。測定対象がとても小さければ、自力での測定はできなくなる。本当に微小なものとなれば、光学顕微鏡ですらその存在を確認できない（光学顕微鏡でもわからなければ、人の目でもわからない。どちらも可視光線の最短波長より大きな物質しかとらえることができないのだ）。

では、同じものを繰り返し測定するのはどうか？

有益ではあるが、質量や尺度の国際基準が陥っている窮状を考慮する必要がある。フランスのセーヴルに、ガラスケースに保管された金属の塊がある。この塊が、国際単位系によるキログラムの定義だ。その質量はいくつか？ 定義によると、どんな質量であっても、この塊の質量が1キログラムであるという。ところが、この塊を計量してまったく同じ数値になったことは一度たりともない。計量をして1キログラムに満たない日に仮に青果店で買い物をすれば、少々損をしてしまう。そうでない日なら大丈夫だが。

科学的な「発見」が大衆紙に報じられるときは、信頼できる知識の取得の難しさを覆い隠すような軽率な書き方をされることが多い。身長と体重は、（私たちの知る限りは）1次元のものだ。ならば、知性、肉の食べ過ぎが原因でがんになるリスクなどを測定するとなると、どれくらい困難を極めるものになるか考えてみてほしい。

大麻は合法化されるべきか。気候の温暖化が進んでいるというならその原因は何か。「手軽な抽象表現」や、もっと根本的な「科学」とは何か。あるいは、薬物の乱用で精神病を患う危険性はどのくらいあるのか。体重を落とす最善策はどれか。労働に対して国から給付金を支給すべきか。収監は犯罪の抑止力になるのか。どうすれば禁煙できるのか。1日グラス1杯のワインは身体にいいのか。3Dメガネは子供の目を傷つけるのか。もっとシンプルに、いちばんいい歯の磨き方はどれか……。

今あげた例は、具体的には何を（誰を）測定したものになるのだろう？　何（誰）とどのくらいの期間について比較すればいいのか？　あなたと私、という具合に比較すればいいのか？　結果の根拠となりうる要素がほかにもあるのではないか？　知識はそもそも定義しづらいものだ。だからこそ、**観察対象を解釈するときや、解釈に基づいて行動を起こすときは謙虚な姿勢を忘れてはいけない**。また、他者や他者の解釈に対して寛容になるとともに、疑いを持つようにもすべきだ。知識は常に、仮説として扱うべきものなのだ。

ブロノフスキーについては、比較的最近になってから、第二次世界大戦時にアウシュヴィッツの収容所で家族を虐殺され、英国空軍に協力してナチス支配下のドイツに最大の被害をもたらす爆弾の落とし方（善人、悪人の区別なく死を招く非道な爆撃方法）を算出したという過去が明らかになった。のちに彼が示した謙虚さは、このときの経験を通じて、**自分の間違った考えが他者の人生に不幸を招くこともある**と気づいたために生まれたのかもしれない。

世界を理解する手段としての科学を貶めたくて仕方がない人々は、きっとこの話に飛びついて、「本当のものは何もない」ことが証明されたと手放しで喜び、科学とその成果は芸術や宗教のように人間が構築するものと同じだと主張するだろう。だがそうした態度は、安易で無知で浅はかとしか言いようがない。測定、そして「科学」とそれが生み出す理論は謙虚さを持って扱うべきだというのは、それらが世界を理解し動かすうえで有力な手段となるからにほかならない。観察した事象は（不完全にかもしれないが）再現可能であるし、観察時に使用する測定方法については周囲の同意も得られる。測定対象は、知性、ヒッグス粒子の量、貧困、タンパク質が3次構造となる速度、ゴリラの大きさなど何だっていい。知識を取得するためのほかのどんなシステムも科学の足元にも及ばないが、だからこそ、**科学の結論は謙虚に扱わないといけない**。

アインシュタインはそれをわかっていたから、「現実に対して測定されたわれわれの科学は、すべて原始的で子供じみている」と言いながらも、「だが、それが最も貴重なものである」と付け加えたのだろう。

人は過去の成功体験に固執する
——アインシュテルング効果

エフゲニー・モロゾフ

ネットエフェクト社サイトブログコメンテーター、ザ・ニュー・リパブリック誌寄稿編集者。著書に『ネット・デリュージョン：インターネットがもたらした自由の闇（The Net Delusion: The Dark Side of Internet Freedom）』

認知の武器に**アインシュテルング効果**を加え、常に念頭に置いておくと役に立つ。これはその名称が持つ響き以上に活用できる場面が多い。

人は問題を解決しようとする際に、問題を個別に吟味して対処しようとはせず、過去にうまくいった解決策に固執する傾向がある。この傾向をアインシュテルング効果と呼ぶ。新たな問題としてとらえ直さなくても最終的には解決できるかもしれないが、もっと迅速かつ効率的に、余計なリソースを使わずに解決できる機会を失っているのではないか。

チェスの試合を思い浮かべてほしい。過去の試合に精通するチェスの達人なら、記憶をたどってよく似た試合の展開はどうだったか思い出そうとする。過去の試合展開を知っていれば、自動的に同じような解決策を求めてもおかしくない。

まったく同じような試合ではそうするのが正しいのかもしれないが、そうでない試合のときは要注意だ！既知の解決策が最適とは限らない。チェスプレーヤーの身に起こるアインシュテルング効果の調査報告によると、プレーヤーとして一定のレベルに達すると、過去の策に固執する傾向があまり見られなくなるという。見覚えのある策を求めてしまうリスクに対する理解が深まり、「オートパイロット」モードになるのを避けるのだ。

皮肉なことに、**認知対象が広がるほど、過去にうまくいった解決策ややり方に頼る傾向が高まり、目の前の問題と過去に遭遇した問題は根本的に違うのではないかと自問しなくなる。**アインシュテルング効果を意識していない認知能力は、私には欠陥のある能力に思えてならない。

ホモ・サピエンスは本当に賢いのか?

——ホモ・センスス・サピエンス

エドゥアルド・サルセド=アルバラン
哲学者、多国籍調査グループ「サイエンティフィック・ヴォーテックス」代表

この10年、メキシコの麻薬密売人たちは、コカインの輸送ルートを確保するために何百人もの命を奪ってきた。コロンビアでは麻薬を資金源とする自衛軍が、この30年の間、何千という人々を拷問して焼き殺している。作物のための土地、あるいはコカインの輸送ルートが必要だったからだ。どちらのケースでも、加害者たちは1000万ドルや1億ドルが手に入っても満足しなかった。資金が潤沢な密売人までもが、さらなる金を求めて命を奪い合った。グアテマラとホンジュラスでは、マラスと呼ばれるギャングが貧困地域の縄張りを巡って激しい抗争を繰り広げている。1994年にルワンダ虐殺が起こると、それまで友人だった人々が、突如として民族が違うという理由で不倶戴天の敵どうしとなった。

これらは賢明と言えるだろうか?

今あげた例はどれも、めったに起こらない出来事のように思える。だが、ヘロイン買いたさに10ドルを求めて殺人も厭わない強盗、「慈悲深い神」を守るためなら命を投げ出す狂信者、普段は温厚なのに車の衝突事故のあとに殺るか殺られるかのケンカを繰り広げる人は、どの街のどの通りでも簡単に見つかる。

こちらは合理的と言えるだろうか？

野心、怒り、不安が理性を上回ったときに、そうした情動反応を自動的にとる例は数多い。私たちは絶えずそういう反応に悩まされている。嵐や地震のような自然の力と同じで、自分で制御できないのだ。現代に生きる私たちは、自らを「賢い、賢い人間」という意味のホモ・サピエンス・サピエンスに分類している。どうやら私たちには、本能、ウイルス、嵐といった自然の力を支配できるらしい。だが、必要以上に自然資源を消費していれば、自然破壊は避けられない。

人は、肥大する野心を自分で制御できない。セックスやお金の誘惑の前にひれ伏さずにはいられない。脳が進化したというのに、抽象的に議論し考える力があるというのに、大脳新皮質に驚くべき機能が備わっているというのに、私たちの行動の根本にあるのは、いまだに胸の奥深くにある感情だ。

神経学の研究によると、脳の本能を司る領域はほぼ常に活動状態にあるという。神経系は絶えず、情動反応レベルを決める神経伝達物質やホルモンに翻弄されているのだ。また、**実験心理学や行動経済学の研究では、人が常に現状や未来の利益を最大限にするために行動するとは限らない**ことが証明された。かつては、合理的期待がホモ・エコノミクス（経済人）の主要な特徴だと思われていたが、神経学的にその維持は不可能であるとわかったのだ。人はときとして、それが何であれ、今この瞬間の欲求を満たすだけのために行動を起こす。

目指すべきは生物学的な進化と文化的な進化の中間地点

人間には、合理的に考える能力が備わっている。ほかのどんな動物にも、人間のように最善を求めて吟味し、想定を巡らせたうえで決断を下すことはできない。ただし、人間がその能力を必ずしも使うとは限らない。人間の脳の内側に、最も古くから備わっている領域（いわゆる爬虫類脳）がある。この領域が生み出し統制する本能的な無意識の反応が、その個体を守る役割を果たす。この領域のおかげで、人は自分がとる行動の結果をいちいち分析せずに動いている。自動で誘導する機械のように、無意識に動けるのだ。たとえば、歩こうとして一歩を踏み出すときに、床は固いままかどうかといちいち考えることはない。脅威を感じたときに走り出すのは、合理的な計画によるものではなく、自動的に誘導されるからだ。

厳しい訓練を積まなければ、本能を制するのは難しい。ほとんどの人にとって、「パニックになるな」という警告が役に立つのはパニックに陥っていないときだけだ。**大半の人は基本的に、本能や共感、あるいは知覚したことから自動的に生じる反応に動かされるのであって、洗練された計画や議論に基づいて動くのではない。**そういうものだと定義されるべきだ。

ホモ・エコノミクスやホモ・ポリティクス（政治的人間）は、分類のためのモデルというより、行動の基準となるものである。理性的な議論を通じて実用性を算出し、社会論争を解決する姿は、行動の理想郷であって、人間を説明するものではない。しかしながら、私たちは何十年にもわたって、政策、モデル、科学を、現実に即してではなく理想に基づいて構築している。ならば、ホモ・センスス・サピエンス（感情的な賢い人間）とするほうが、人間の正確な姿により近いのではないか。

進歩的な超合理主義者や保守的な超共同体主義者は、人間の一面だけが肥大化した人たちだ。前者は大脳新皮質が肥大化し、合理性が本能を支配すると考えている。後者は脳の内側を陣取る爬虫類脳が肥大化し、共感や人々を結束させる制度が人間性を定めると考えている。だが、人は同時に両方を満たす。センスス（感じる）とサピエンス（賢い）の葛藤を抱える存在なのだ。

ホモ・センスス・サピエンスという考え方をすると、人というものは、合理的な能力への過剰な信頼と、本能に対する忠実さの両方を抱え、その中間に位置するのだと気づけるようになる。これに気づくと、社会現象を解明する力も向上する。社会科学者は、必ずしも合理性と不合理性を区別すべきではない。実証主義的に分断する手慣れた方法にとらわれず、科学の領域を統合してデジタルではなくアナログの人間、すなわち、感受性と合理性の連続によって定義される人間の解明を試みるべきだ。そういう人間像を描いたほうが、よりよい公共政策を提案できるのではないか。

人間の特徴として最初にくる「センスス」は、種としての活動、種の再生、保存ができることを意味する。次にくる「サピエンス」は、物質とエネルギーに満ちた存在論の世界と、社会文化的な体系、想像、芸術、テクノロジー、象徴としての建造といった認識論の世界の狭間で心理的に揺れ動くことを意味する。この2つの視点を組み合わせることで、感情と理性の間で絶えず揺れ動くという特徴を持つヒトの本質を理解し、生物学的な進化と文化的な進化の中間地点を探せるようになる。

人は単に心配する者でも、単に計画的な者でもない。ホモ・センスス・サピエンスという、感情と理性を持つ動物なのだ。

ダブルスタンダードには二重の悲劇が潜む

——作話の危険性

フィエリー・クッシュマン
ハーバード大学心理学部助教

私たちは、自分が特定の言動をとる理由について驚くほど無知だ。ときには一から理由をでっちあげることもあり、そこまでいかなくても完全な説明には決してならない。ただし、説明する本人の感覚は違う。自分が何をするのか、なぜそうするのかを完璧にわかっているような気持ちでいる。自分の言動の説明がつくもっともらしい理由を推測し、それを自分の本心だと思い込むのだ。

このような精神状態で話を創作する行為を「作話」と呼ぶ。大学で講義をする心理学者は、学生の関心を集めたくてドラマチックな作話の例を披露する。作話は笑い話になるが、深刻な問題もある。作話について理解すれば、ふだんの行動や思考にきっと役立つだろう。

作話の例には、分離脳の患者のエピソードがよく用いられる。分離脳の患者とは、治療のために大脳の左半球と右半球を外科手術で分断された人を指す。

神経科学者が分離脳患者を対象に実施した優れた実験を紹介しよう。まず、患者の右大脳半球に情報（裸の人の写真など）を与え、行動に変化（照れて笑うなど）を起こさせる。その後被験者に、その行動をとった理由を口頭で説明するように求める。

口頭での説明は、左半球の働きが関係する。被験者は、自分の身体が笑っているとの自覚はあるが、裸の写真を見たという認識はない。そうすると、左半球は肉体がとった行動の言い訳を作話する（例：「笑っているのは、先生がおかしな質問をするからですよ！」）。

脳疾患患者に見受けられるさまざまな作話には、よく口をあんぐりとさせられる。だがそうなるのは、彼らが作話する状況が普通でないことも一因にある。あなたや私が、神経科学者によって潜在意識に働きかける暗示を大脳の右半球に植えつけられて、行動を誘発されるケースはまずありえない。実験室の外にいて、脳がいつもどおりにつながった状態であれば、ほとんどの行動は、意識的な思考と無意識的な行為が組み合わさった結果の産物である。

作話のカラクリを知れば相手をより理解できる

皮肉にも、ここに作話の危険性がある。**自分の行動についての説明が、常に完全な間違い（要は分離脳患者に見受けられるような間違い）であれば、その説明が思いがけない影響を及ぼす恐れがあるとの意識が強くなるだろう。**ところが困ったことに、説明には必ず正しい部分がある。行動を起こしたときに考えていたことや意識していたことを上手に見つけてしまうのだ。あいにく、人は「部分的に正しい」を「完全に正しい」と誤解する。そのため、無意識の領域にも行動を起こす原因があると気がつけず、警戒もしない。

たとえば仕事を選ぶとなると、職務内容、職場の立地、収入、勤務時間などを慎重に検討する。だがそれと同時に、無意識に選択に影響を及ぼす要素がほかにもあることが調査で明らかになっている。

2005年の調査によると、デニスやデニースという名前の人は、デンティスト（歯科医）を職業に選ぶ傾向が高く、ヴァージニアという名前の人は、（ご想像のとおり）ヴァージニアに住む傾向が高い［Pelham, Carvallo & Jones, *Psychol. Sci.*］。また、あまり知りたくない事実だが、たいていの人は、女性の上司を避けられるなら、福利厚生、立地、収入が悪くなってもそちらの仕事を選ぶという［Rahnev, Caruso & Banaji, 2007, Unpub. MS., Harvard Univ.］。

当然ながら、自分の名前に響きが似ているからという理由で仕事を選びたいと思う人や、仕事の質を犠牲にして性別という古臭い価値観を守りたいと思う人はまずいない。何より、ほとんどの人が、こうした要素が自分の選択に影響を及ぼすと認識していない。なぜその仕事を選んだのかと尋ねれば、意識的に考えた経緯を振り返り、こんなふうに答えるだろう。

「昔からラビオリが大好きだし、ユーロは回復傾向にあるし、ローマは恋人たちの街だから」

この回答はある意味正しいが、ある意味間違いでもある。なぜなら、人間が行動を起こすうえで無意識に生じるプロセスについて深く掘り下げていないからだ。

また、**人は悪臭のする部屋にいると、嫌悪感が道徳的感情に反映されて、より無情な道徳判断を下すという**［Schnall et al., 2008, *Pers. & Soc. Psych. Bull.*］。女性は、排卵周期の妊娠可能期間とそうでない期間とでは、前者のときに父親の元をあまり訪れたがらない。これは近親相姦の回避の表れで、母親を訪ねる場合にそうしたパターンは見受けられない［Lieberman, Pillsworth & Haselton, 2010, *Psychol. Sci.*］。

学生に関する調査では、インフルエンザが流行しているときに手指消毒器の近くに選挙の投票箱があると、身の危険を感じる環境の影響が価値観に反映されて、保守への投票が増えることがわかった［Helzer & Pizarro, 2011, *Psychol. Sci.*］。学生に関する別の調査では、**ホットコーヒーとアイスコーヒーでは、ホットコーヒーを手にしているほうが、人間関係に「温かさ」の影響が反映されて、見知らぬ人に対して寛容になり、思いやりを示すようになる**という［Williams & Bargh, 2008, *Science*］。

無意識の行動といっても、驚くほど統制がとれているものもあれば、目的に基づいた行動もある。たとえば、人が不正を働くときは、自分が不正をしているとの自覚が生まれない範囲でのみ行う傾向があるという［Mazar, Amir & Ariely, 2008, *Jour. Marketing Res.*］。これは実に興味深い現象だ。**どの程度の不正を行うかを決める自分がいる一方で、不正を自覚しないレベルに調整しようとする自分もいる。**

このトリックは、純真な作話でよく見受けられる。たとえば、学生がテストを自己採点しながら、「ああ、やっぱりeでよかったんだ。eにマルをしようと思ったのに！」とつぶやいたとしよう。これはウソではない。「今月は立て込んでいるから父親のところへ顔を出す時間はない」というのがウソでないのと同じだ。どちらもすべてを説明していないだけで、意識的な思考は反映し、無意識の思考を無視した作話である。

さて、ここからが本題だ。作話がなぜ大学の講義だけでなく日常生活にとっても大事な概念となるのか。皆さんも身に覚えがあると思うが、他者の行動に隠された好ましくない動機は簡単に嗅ぎつけられるのに、自分自身の行動のそういう動機は自覚できないのではないか。女性の上司を避ける人は性差別のきらいがあり、自己採点が実際の点数より高い人はズルが気にならないのだと察するくせに、自分はローマで働くことを選んでおきながら、「アン」という名で思い浮かぶのはブロンテ姉妹の末の妹だと真顔で答える。

こうしたダブルスタンダードには二重の悲劇が潜む。ひとつは、他者の行動については、好ましくない動機や稚拙な判断の表れだとすぐさま結論づける点だ。そうやって、無意識の影響を受けたかもしれない行動を、意識的な選択だと決めつける。もうひとつは、自分自身の選択に関しては、自分が思い起こせる意識的な説明だけに基づいて行われたものだと思い込み、無意識の偏見が影響を及ぼした可能性を拒絶または無視する点だ。

作話について理解すると、どちらの欠点も正せるようになる。**他者の行動については、当人が意識している動機を非難することなく受け入れられるようになる。そして自分自身の行動については、望まれてもいなければ目に見えることもない無意識の影響が働いていないかどうかを、これまで以上に調べるようになる。**

——性選択

なぜ自爆テロリストは男性ばかりなのか

デヴィッド・M・バス

テキサス大学オースティン校心理学教授。著書に『女と男のだましあい』（狩野秀之訳、草思社、2000年）、共著書（シンディ・M・メストンとの共著）に『科学者が徹底追究！ なぜ女性はセックスをするのか？』（高橋佳奈子訳、講談社、2012年）

「選択による進化」というと、たいていの人は「最も適応する者が生き残る」や「自然の歯と爪は血にまみれている」といった表現を思い浮かべる。この種の言い回しは、ダーウィンが主張した「生存のための努力」に注目したものだ。

選択による進化は、遺伝の仕組みの違いから繁殖の成功率に差が生じて起こるものであって、生存の成功率に差があるわけではない。科学者の多くはこれを事実として知っているが、そうでない人で知っている人は少ない。また、繁殖の成功率の差は交配の成功率の話に帰着することが多く、ダーウィンが1871年に発表した**性選択**理論に注目が集まる。

ダーウィンは、性選択が生じる過程を2つ特定した（2つは別々のものだが、関連性を持ちうる）。ひとつは同性間の競争で、**同性の個体どうしが物理的もしくは別のさまざまな形で争い、勝者が交配の優先権を獲得する**。この争いに勝つ要因が進化し、敗因につながる要素は進化を遂げられない。進化は時間とともに変わる現象であり、同性間の競争から生じる結果として起こる。

もうひとつは異性による選り好みだ。異性が配偶者に求める要素が明らかにされていて、その要素の質に遺伝的な部分が含まれる場合、高い質を満たす個体が交配に有利となる。つまり、配偶者に選ばれやすくなる。その要素が欠けている個体は異性から相手にされずに遠ざけられて、（異性が質の低い個体で手を打たない限り）配偶者を見つけられないままとなる。そうして時間がたつにつれ、**異性に求められる要素が個体に現れる頻度が増え、異性に好まれない要素が現れる頻度が減るという進化的な変化が起こる**。

ダーウィンの性選択理論が発表された当時は物議を醸し、それから1世紀近くあまり顧みられなかったが、今では進化生物学や進化心理学に不可欠な理論として広く知られるようになった。人間の配偶戦略に関する研究が2000年あたりから盛んになり、性選択の奥深さについての理解が進んだ。

性選択という概念が認知の武器に加わると、それまで不可解だった人間にまつわるさまざまな現象の本質が見えてくる。現代の公式において、性選択理論はいまだ多くの科学者をはじめ、科学者でないほとんどの人が理解できない深刻で厄介な疑問に答えを与えてくれる。例をいくつか紹介しよう。

- **男性と女性の思考はなぜ異なるのか？**
- **人間の配偶戦略の種類が豊富なのはどういうことか？**
- **性別間での対立が多岐にわたるのはなぜか？**
- **男女間の衝突についてセックスにばかり注目が集まるのはなぜか？**
- **セクシャルハラスメントと性行為の強要から何がわかるか？**
- **世界のどの文化を見ても、平均すると男性のほうが女性より早死にするのはなぜか？**
- **殺人犯の大半はなぜ男性なのか？**
- **女性に比べて、なぜ男性は戦闘に際し徒党を組むことに熱心になるのか？**
- **自爆テロリストになる傾向は、なぜ男性のほうがはるかに高いのか？**
- **配偶者のいない男性を多数生み出す一夫多妻制の文化に自爆テロが多く見受けられるのはなぜか？**

要するに、**性選択理論を認知の武器に加えると、人間性の本質、性と交配への執着、性別による違いの起点となるものをはじめ、私たちを取り巻く社会で起こるさまざまな対立についての理解が深まる**のだ。

何かを証明することは極上の体験である

――QEDの瞬間

バート・コスコ

南カリフォルニア大学電気工学教授。著書に『ノイズ（Noise）』

何かを証明したときの感覚は、誰もが知っておくべきものだ。その瞬間は、頭のなかにあるほかのすべてが二の次になる。**証明は、信頼という認知スケールの突き当たりにあり、疑念のレベルによってその位置は変動する。**残念ながら、証明したときの感覚を味わう人は少ない。

証明したという感覚は、証明を終えたときに生まれる。本に書いてある証明や講師の脳内で行われた証明を指摘できたときではない。証明を行う人自身が演繹の最終ステップに到達したときだ。論理の最後の階段をのぼったら、「ＱＥＤ（かくして証明された）」と宣言すればいい。ＱＥＤは、証明したかった主張を立証したという意味である。そこに独自性や驚きは必要ない。論理的に正しくＱＥＤの瞬間を生み出せばそれでいい。昔から、ピタゴラスの定理はどれかひとつのやり方で証明されれば十分とされている。

ピタゴラスの定理のような名称がつくのは、数学や形式論理の証明に限る。証明の論理の各段階は、論理的に十分な正当性がないといけない。それにより、各段階に二重の確実性が生まれ、最終結果そのものにも二重の確実性が付随する。いわば、論理の各段階で数字の１に１を掛けるようなものだ。１に１を掛けても結果は1のまま。よって、その最終結果は証明されたことになる。

このやり方ならば、どこかの段階で正当性を証明できなければ、その時点で証明を中止せざるをえなくなる。信念や憶測を正しいと信じるが故に不正を行ったり、論理の構築で手を抜いたりすれば、証明も証明に求められる二重の確実性も破綻する。

二重の確実性が得られなければ、証明できるのは恒真式（こうしんしき）だけになる。

二重の真を持つ偉大な数学理論は、真が二重であっても「1＝1」や「緑＝緑」といった恒真式と論理的に等しい。恒真式は、「松葉は緑である」や「クロロフィル分子は緑の光を反射する」といった現実世界に関する事実の記述とは違う。この種の記述には幅があり、厳密に言えば曖昧ではっきりしない。しかも、蓋然論的な不確実性が並ぶことが多い。たとえば、「松葉は高い確率で緑である」という具合だ。

この記述には三重の不確実性が潜んでいる。ひとつは「緑の松葉」の定義の曖昧さだ。何が緑で何が緑でないかの間に明確な境界はなく、程度の問題になる。また、松葉そのものの色が緑かどうかという点も曖昧で、「確率」の度合いについても同じ問題が起きる。度合いを表す「高い」という言葉はなんともはっきりしない。高い確率と高くない確率の間にも、明確な境界は存在しない。

これまでに、数学の定理とまったく同じように二重の確実性を完璧に満たす事実の記述を生み出した人はひとりもいない。量子力学による最も正確なエネルギー予測ですら、小数点以下数桁までしか行われない。二重の確実性を得るには、小数点以下の数値を無限に算出しなくてはならない。

ほとんどの科学者はこのことを知っていて、当然ながら気にかけている。数理モデルの論理的な前提は、そのモデルが具現化しようとする世界にしかほぼ当てはまらない。そうした根本的な不適合が、モデルが算出する予測にどう影響するかはまったく明らかになっていない。不適合の影響を受ける推論は、段階を追うごとに1未満の数を掛けたかのように結論の信頼性を減じていく。現代の統計学は、十分な数のサンプルがあり、それらがモデルの二重の前提に十分に近似していれば、信頼区間内に留まれる。これにより、少なくともデータの確実性を高める責任は果たしたことになる。

不完全な科学的推論から、幅のある三段論法で法則を導き出すのは大きな後退である。これに異を唱える人は、類似の前提なら類似の結論になるはずだと主張する。結果の要因となる行為や、本心や未来の予測といった表に出ない心理状態は、本質的に曖昧だ。ここで言う「類似」は、そうした曖昧なパターンに幅広く適合させることが含まれる。

現実には、判断を下す人が「認める」か「却下する」かのどちらにするかで最終的に決まる。ただし、それは厳密には誤った推論だ。繰り返しになるが、0から1の間にある数字は、どの数字も絶対に1に満たない。よって、演繹の段階が増えるごとに、結論の信頼性は損なわれていく。裁判官が木槌を叩いたところで、証明の代わりにはならない。

幅をもたせた根拠は、普段の言葉を使っているときに得られるQEDの瞬間に近いかもしれない。私たちの脳内で日々繰り広げられる議論は、論理的にとてもお粗末なものだ。だからこそ、少なくとも一度は何かを証明する必要がある。少なくとも一度は、真のQEDの瞬間を体験してもらいたい。

理想的な確実性を得るという経験は、めったに味わえないが、その味わいはこの世のものとは思えないほど極上だ。一度味わえば、ほかでは得られない経験として心に残るだろう。

「呼びかけたら反応するツール」があれば……
——理解とコミュニケーション

リチャード・ソール・ワーマン

建築家、地図製作者、TEDカンファレンス創立者。著書に『それは「情報」ではない。——無情報爆発時代を生き抜くためのコミュニケーション』（金井哲夫訳、エムディエヌコーポレーション、2007年）

私は、理解とコミュニケーションに役立つツールに囲まれたいと夢見ている。呼びかけたら反応するツール。話すと相づちを打つツール。私が私であるとの証明になるツール。私の好奇心を広げる旅を次々に提案してくれるツールがあったらどんなにいいか。

どのツールも無知という糸で編まれ、疑問というステッチが施されていて、新たな知識を招き入れる。その編地はたくさんのステッチが施された地図やパターンとなり、望めば強力接着剤をたらして自分の好きに張り合わせられる。

iPhone／iPad／iMacにも、相づちを打つようになってほしい。初期の映画は舞台劇のアーカイブだった。iPadやキンドルは、雑誌、新聞、本のアーカイブだ。それから、複雑さの度合いに応じた会話やさまざまな言語での会話が可能になり、私の問いかけのニュアンスが伝わる言語表現もツールとして誕生してほしい。

いまあげた思いつきを踏まえて、私の夢を実現させるには助けが必要だ。

思うに、夢の入口にはたどり着いている。
新たなツールに、私たちはもうつま先を踏み入れている。

生命は副産物である

――何かを見出そうとする人間の衝動

カール・ジンマー

ジャーナリスト、ブロガー（「ザ・ルーム」）。著書に『進化――生命のたどる道』（入山尚子訳、長谷川眞理子監修、岩波書店、2012年）

チャールズ・ダーウィンが『種の起原』を発表してから150年以上経つが、いまだそのシンプルで見事な洞察の真髄が正しく評価されずにいる。

どういうことかというと、**生命の多様性は生物に必要だから存在するのではないという点が理解されていないのだ**。鳥に翼があるのは、飛べるようになるためではない。私たちに目があるのは、ものを読めるようになるためではない。目や翼をはじめとする生物の不思議はどれも、生命そのものの副産物として誕生した。生物は必死に生き延びようと繁殖するが、完璧な複製は生み出せない。**エンジンから熱が生まれるように、繁殖のループから進化という副産物が生じる**。

私たちは、あらゆるものの背後にある何かを見ようとし過ぎる。そのせいで、生命は副産物であるという認識がなかなか持てない。何もないところに何かを見ようとする衝動を克服できたら、皆生きやすくなるのではないか。それどころか、そもそも何かがあると思いたがる理由も解明できるかもしれない。

人食い文化は存在しない

——ベック効果

グレゴリー・コクラン

ユタ大学人類学非常勤教授。共著書（ヘンリー・ハーペンディングとの共著）に『一万年の進化爆発——文明が進化を加速した』（古川奈々子訳、日経BP社、2010年）

言葉を巧みに使った不当な戦略は、誰もが目の当たりにしたことがある。そして残念ながら、ほとんどの人が、そうした戦略を使ってほかの誰かを苦しめた経験もあるのではないか。私はそうした行為を「**ベック効果**（第1形態）[※]」と呼んでいる。これは、自分に有利な結果をもたらすために根拠の基準を調整するときに起こる。

なぜ「ベック」なのか？　この名称は、メジャーリーグ球団のオーナーでプロモーターだったビル・ベックに由来する。彼は自伝のなかで、ミルウォーキー・ブルワーズの球場のライトスタンドに可動式のフェンスを使っていたと述べている。最初のうちは、強打者揃いのチームと対戦するときだけフェンスを設置していたが、どんどんエスカレートし、最終的には対戦チームが攻撃の回はフェンスを設置し、自分のチームが攻撃のときはフェンスをはずすようになった。

科学の歴史を振り返ると、可動式のフェンスがいくつも見つかる。たとえばフロギストン説は、マグネシムが燃焼するとフロギストンが放出されるというものだった。マグネシムを燃焼させる実験で質量が増したことから、説は正しくないように思われたが、説の支持者は平然と、フロギストンは負の質量を持っていると説明した。

ヨハネス・ケプラーについても見てみよう。彼は、6惑星（当時は6つしか判明していなかった）の距離は5つの正多面体をはめ込めば説明できると考えた。この説は、地球、火星、金星には当てはまったが、木星にはまったく当てはまらなかった。ところが、ケプラーはその問題を一蹴し、「距離の大きさを思えば、誰も疑問に思わない」と言った。新たに発見された惑星にも、当然彼の説は当てはまらないが、幸い、天王星が発見されたのは彼が亡くなってからずいぶん経ったあとだった。

死体安置所でランチ

どの分野においてもベック効果を使いたい欲求は強いが、人間科学や歴史科学では本当に盛んに使われている。どちらの分野も、ベック効果のようなナンセンスな意見を無効にする確かな根拠を実験で得るのは、不可能であったり、非現実的であったり、違法であったりする場合が多い。そして、**この効果を使いたい衝動に誰よりも強く駆られるのは、人食い文化のイメージを一新すること以外に存在理由がないと言わんばかりの文化人類学者をおいてほかにいない。**

彼らはときに、特定の人食い事件を否定する。アメリカ南西部に暮らしたアナサジと呼ばれる先住民集団もその一例だ。彼らに人食い文化があった証拠は次から次へと出てきた。考古学者の調査から、筋肉を削ぎ落とされ、髄液を求めて割られ、鍋で煮込まれて滑らかになった人の骨が大量に発見された。ヒト組織が消化された痕跡のある人糞まで見つかっている。

だが、それだけでは十分とは言えない。アナサジに人食い文化があったと示唆すれば、彼らの子孫にあたるプエブロ人の反感を買う。それがなぜか、生々しい証拠の山に勝るのだ。ということは、これと同じ原理によって、文化人類学者はほかの少数民族のメンツを保つためにもウソをついているのではないか。たとえば、アメリカ南部が連邦組織から脱退したのは本当に関税が原因だったのかと疑いたくなるかもしれないが、そういうわけではないようだ。

一部の人類学者はさらに論を進めて、人を食う文化が存在したという事実を否定した。アナサジについての考古学的研究を否定しただけでなく、歴史的な説明をはじめ、今も生きている人々からの報告までをも無視しているのだ。

ソロモン諸島を発見したアルバロ・デ・メンダーニャ・デ・ネイラは、気さくな首長が宴を開き、4分の1に切った少年を食べるように勧めてきたと報告している。だが、もちろん捏造なのだろう。アステカを征服した人々は、アステカを人食い王国だと述べた。だが、いくら考古学的な証拠があるからといって、これも事実であるはずがない。ポートモレスビーに暮らすパプア人が、死体安置所にランチに行こうと申し出たのも、きっと観光客を増やすのが目的で、公共の精神の表れだったのだろう。

新生代第四紀に起こった大量絶滅で、世界の大型動物相の大半が絶滅した。この事実に対し、古生物学者は独自のフェンスを立てることができる。オーストラリアに生息していた大型有袋類、飛べない鳥類、爬虫類は、5万年前に人間がやってくると間もなく消滅した。北米と南米に生息していた大型哺乳類は、約1万年前にいなくなった。これもまた、人類が姿を現してからすぐのことだ。

ニュージーランドに生息していた恐鳥も、ポリネシアの植民地化が始まって2世紀も経たないうちに絶滅し、マダガスカルの巨大な飛べない鳥類やキツネザルも、人間がやってくるとほとんど姿が見えなくなった。これらのパターンから浮かぶ原因は何か？　もちろん、気候変動だ。**人間がそれら動物を狩っていたなど、絶対にありえない！**

ベック効果はむしろ、科学より日常生活で用いられるほうが多い。とはいえ、世間は科学者にある程度のわきまえを見せてほしいと期待する。**科学的な事例は明快にわかりやすく提示されるので、騙されないようにするためにもベック効果の存在は知っておいたほうがいい。**

おおむね何の意味もないと実証されているにもかかわらず、「証拠の不在は不在の証拠にならない」と口にする役人や、フロイトの心理療法は人によっては効果があると主張する精神科医には、ビル・ベックの精神が入り込んでいる。

※（原注）ベック効果の第2形態は何かというと、打席に小人を立たせるのと同等の知的レベルのものだと思えばいい。これについてはエッセイがもう1編書ける。

科学と人文学はどうすれば共存できるのか
——スーパーヴィーニエンス

ジョシュア・グリーン
認知神経科学者、哲学者、ハーバード大学心理学部教授

世界にはたくさんのものがある。樹木、車、銀河、ベンゼン、カラカラ浴場、あなたの膵臓、オタワ、倦怠感、ウォルター・モンデール……。これらすべてはどのように共存するのか？　言うなれば、これらはスーパーヴィーニエンス（付随性）（動詞は「スーパーヴィーンする」）によって共存する。

スーパーヴィーニエンスは、アングロアメリカ哲学から誕生した手軽な抽象語のひとつである。あらゆる物事の関係性について考えるための、総合的なフレームワークとなる言葉だ。ただし、厳密な定義に目を向けると、なぜか扱いづらくなる。スーパーヴィーニエンスは、２つの特性の間にある関係性を指す。たとえば、Ａという特性とＢという特性があるとしよう。**特性Ａが特性Ｂにスーパーヴィーンするのは、「２つの物事とそれぞれが有する特性Ｂが異なることなく、それぞれが有する特性Ａが異なるということがない」場合に限る。**※この定義は実に正確ではあるものの、具体的にどういうことなのかはよくわからない。

スーパーヴィーニエンスは、実在する次元が異なるものの関係性を表す。たとえば、コンピュータのスクリーンに１枚の写真が表示されているとしよう。画像という高次の次元で話をすると、スクリーンに映って

いるのは、舟の上に置かれたライフジャケットの隣で丸くなっているイヌであると描写できる。また、特定の配置に色を対応させた画素の集合であるとも表現できる。この画像は、「画素にスーパーヴィーンしている」と言える。なぜなら、スクリーンに映る画像（イヌや舟など）という特性は、別のスクリーンに映る画像の画素という特性が異ならない限り、画像という次元で違うものにならないからだ。

画素と画像は、事実上は同じものである。だが、両者の関係は非対称である。この「非対称」というのがポイントだ。画像は画素にスーパーヴィーンするが、画素は画像にスーパーヴィーンしない。なぜなら、別々のスクリーンで画像という特性が異なっていなくても、画素という特性が異なるケースはありうるからだ。たとえば、別々のスクリーンに映る画像は同じでも、大きさや解像度といった特性が異なるかもしれない。それに、画素をいくつか機能させなくしても、画像は同じ画像のままだ（ちなみに、画素をいくらか変えたからといって、著作権違反からは逃れられない）。スーパーヴィーニエンスの非対称性について考えるなら、何が何を決めるかという点に注目するのがいちばんわかりやすいのではないか。画素を決定づけるのは完全に画像だが、画像を決定づけるものは画素だけではない。

スーパーヴィーニエンスという概念は、もっと幅広く活用されるべきだ。画像と画素についてだけでなく、多くの事柄が明確になる。たとえば、物理はなぜ科学のいちばんの土台となるのか、物理学者はなぜいちばんの土台となる分野を研究するのかといった背景が明らかになる。多くの人にとって、それは価値観の違いに思えるかもしれないが、そうではないし、そうである必要もない。物理学が科学の土台となるのは、あなたの膵臓からオタワまで、宇宙にあるすべてが物理的な何かにスーパーヴィーンするからだ（と、私のような「物理主義者」は主張している）。私たちにとって物理的に同一の宇宙がほかに存在するとすれば、その宇宙にはあなたのと同じ膵臓やカナダにあるのと同じオタワが存在するはずだ。

気になる人文学者の無関心

スーパーヴィーニエンスはとりわけ、論争が起きやすく関係が深い次の3つの関係性を把握するうえで役に立つ。その3つとは、科学と人文学、思考と脳、事実と価値の関係性だ。

人文学者のなかには、科学を権威主義だとみなす人がいる。人文学をのっとって、すべてを電子、遺伝子、数字、ニューロンに還元することを目論み、そうやってありとあらゆるものが生命体に生きる価値を与えていると「言い逃れる」つもりだと思っているのだ。

こうした考えを抱いていると、科学者の野心が現実になる見込みの大きさしだいで、蔑視や怯えが生まれる。科学者は確かに横柄なところがあり、人文学者や彼らの研究のことを幼稚で敬意を払うに値しないと切り捨てたりする。**ここで頼りにできるのがスーパーヴィーニエンスであり、これを活用すると、科学と人文学はどうすれば共存できるのか、なぜ科学は人文学の領域を侵しているとの見方をされるのか、その見方ははたして本当に妥当なのか、といった疑問について考えやすくなる。**

人文学者と科学者では、研究する対象が異なるように思える。人文学者は、愛、復讐、美、残虐性、そういった事象に対する理解の進化などを思索する。だがときには、科学者のように欲深くなることもあるようだ。それに対し、物理学者は完全な物理理論の構築を切望している。そういう理論は「ＴＯＥ（万物の理論）」と呼ばれる。人文学者と科学者の研究するものが異なる一方で、物理学がすべてを網羅する学問であるのなら、人文学者（人文学者に限らず、物理学者以外の科学者も対象になる）には何が残されているのか？

ＴＯＥは、ある意味本当に万物の理論であり、ある意味そうではない。ＴＯＥは、すべてがほかのすべてのものとスーパーヴィーンする世界で完全な万物の理論となる。**仮に物理的に同一の世界が2つあるとすれば、この2つの世界は人文的にも同一で、愛、復讐、美、残虐性、それらに対する理解がまったく同じになる。**だがそれは、ＴＯＥがほかの理論をすべて無効にするという意味ではない。それは絶対にありえない。ＴＯＥに、『マクベス』や義和団の乱の興味深い点は何ひとつ語れない。

おそらく、人文学者が大まじめに物理学を脅威ととらえた瞬間はこれまで一度もなかったと思う。今、本当に脅威となる存在があるとすれば、それは行動科学だ。高校で誰もが勉強した自然科学の類いにつながる科学が懸念されている。個人的には、行動遺伝学、進化心理学、認知神経科学の3分野をとりわけ脅威に思う。私は、人文学の典型である道徳的判断について研究している。研究の一環として、道徳的判断を下す被験者の脳をスキャンする。遺伝子にも目を向けるようになったし、研究は進化論の考え方に基づいて行う。思考は脳にスーパーヴェーンするという前提で、人間の価値観（個人の権利と全体の利益の葛藤など）を神経系に対抗するものとして説明しようと試みている。

この種の研究に対し、人文学者はどこか居心地の悪さを感じると私は個人的に知っている。ハーバードの人文学センターで講演を行い、ディスカッションの時間になったとき、著名な教授のひとりから、私の講演（特定の内容がどうというのではなく、私のアプローチ全体）のせいで、物理的に気分が悪くなったと言われた。人文学の主題は常に、物理科学の主題にスーパーヴェーンするものだったが、人文学者はこれまで、写真好きが画素という特性を無視する感覚で、物理学の内容を役立てることに平然と無関心でいられた。だが、今でも無視できるものだろうか？　たぶん、できるのだろう。たぶん、個々の興味によるのだろう。いずれにせよ、物理的に気分が悪くなるほど心配するような話は何もない。

※（原注）「スーパーヴィーニエンス」という言葉は、「中華料理をテイクアウトできる店がすぐ近所にできた。スーパーヴィーニエンスだ！」というように、コンヴィニエンス（都合がいい）の最高レベルを表す意味で使われるケースもあるようだ。

文化は改善できる

——文化のサイクル

ヘイゼル・ローズ・マルクス

スタンフォード大学行動科学デイヴィス＝ブラック教授。共著書（ポーラ・M・L・モヤとの共著）に『人種を学ぶ——21世紀に向けた21のエッセイ（Doing Race: 21 Essays for the 21st Century）』

アラナ・コナー

サイエンスライター、社会心理学者、テック博物館（カリフォルニア州サンノゼ）キュレーター

専門家が悲劇や偉業を説明するときは、必ず文化を引き合いに出す。その対象は、精神不安定な若者はなぜ政治家に発砲するのか、アフリカ系アメリカ人の子供はなぜ学校で落ちこぼれるのか、アメリカはなぜイ

図表3

人が文化を生み出し、それに適応するしくみ
——文化のサイクル

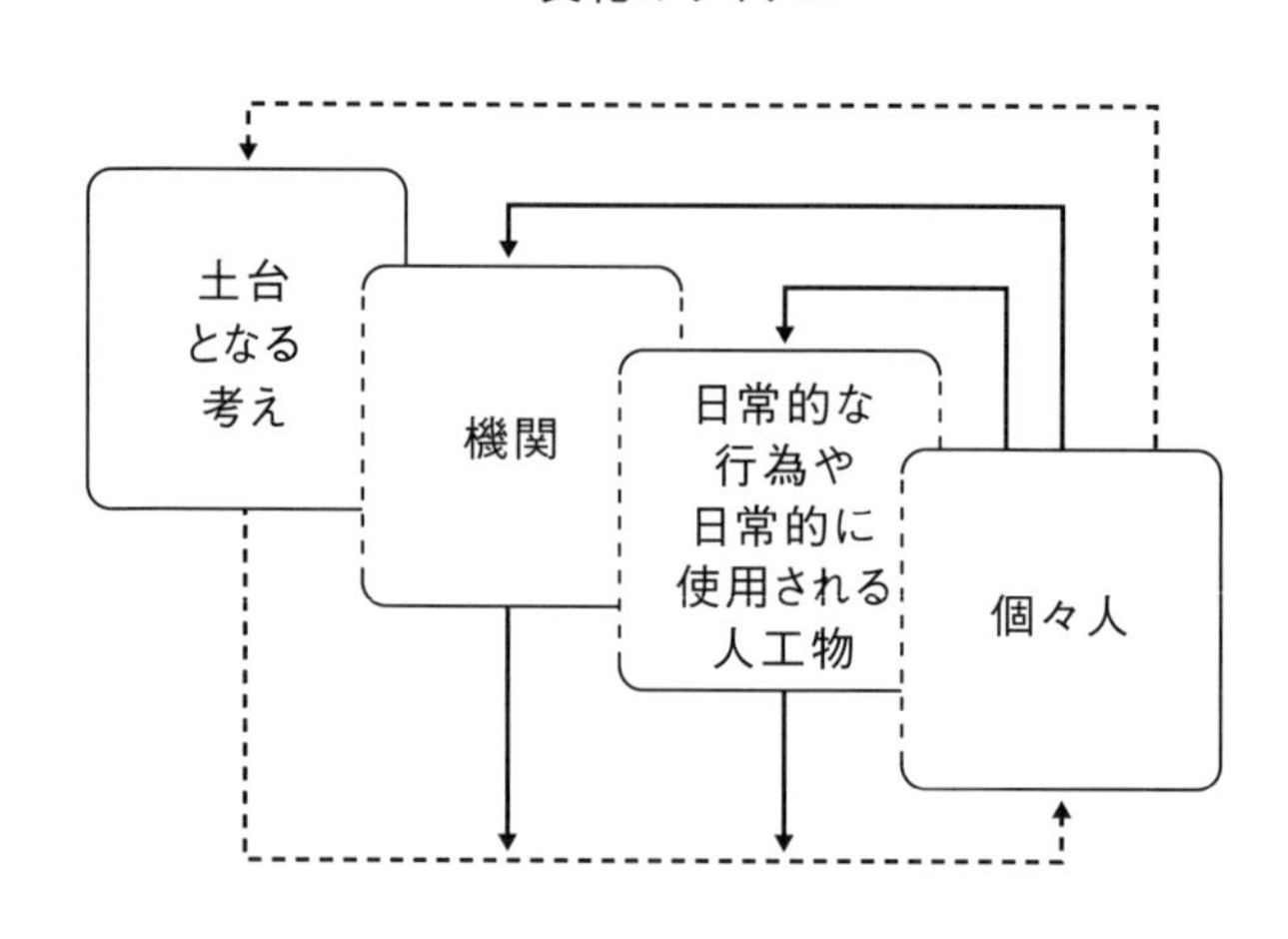

ラクに民主主義を定着させることができないのか、アジアの工場はなぜ世界的に優れた車を生産できるのか、とさまざまだ。とある朝にメディアを素早くクリックするだけでも、銃、ツイッター、倫理観、アリゾナ、常時接続、勝者による独り占め、暴力、不安、持続性、企業欲といった文化にまつわる問題点が露わになる。ただし、文化とは正確にはどういうもので、どのように作用するのかという説明や、よりよい文化に変えるにはどうすればいいのかを語れる人は誰もいない。

この溝を埋める認知の武器となるのが「**文化のサイクル**」だ。この武器は、文化の作用の仕方ばかりか、永続的に文化を変える方法も教えてくれる。**文化のサイクルは再帰的なプロセスが反復して行われるもので、人が文化を生み出してのちに適応するというプロセスが繰り返される**。そして文化が人を、その文化を長続きさせる行動をとるように形づくる。

要するに、文化と人（人以外の霊長類もいくらか含

む）は互いに互いを作り合うのだ。そのプロセスには4つの段階が関係する。ひとつは個々人で、これには個々の考え、感情、行動が含まれる。次は、個々人を反映し形づくる日常的な行為や日常的に使用される人工物。それから、そうした行為や人工物の提供や阻止を司る教育、法律、メディアなどの機関。最後のひとつは、善、正義、そしてこのプロセスのすべてに影響し影響される人間について世間に周知されている考えだ（**図表3**を参照）。

文化のサイクルは、社会的などんな区分にも生まれる。マクロなもの（国家、人種、民族性、地方、宗教、性別、社会的階級、世代など）も、ミクロなもの（職業、組織、近隣地域、趣味、嗜好、家族など）も関係ない。文化のサイクルでは、個人の心理的な特徴もしくは外的な要因のどちらか一方だけで何かが起こることはない。どちらも絶えず作用する。媒介がなければ文化が成立しないように、文化のないところに媒介は存在しない。**人間は、文化によって形づくられる、形づくる者**なのだ。

だから、たとえば学校で起きた銃乱射事件の原因を究明するときに、犯人が精神的に病んでいたからか、学校というものに対して敵意や憎しみを抱いていたからか、文化が生み出した死を招く人工物（つまりは銃）を手に入れやすい環境にあったからか、銃を簡単に手に入れられる環境づくりが後押しされたからか、抵抗や暴力を美化する考えやイメージが世間に広がっているからか、と考えるのでは単純化し過ぎている。もっといい尋ね方は別にあり、それには文化のサイクルが必要となる。原因を究明するには、文化のサイクルの4つの要素はどのように作用し合うのかと尋ねればいい。実際、公衆衛生の最前線で調査を行う人々は、社会的ストレス因子や個人的な弱さだけで生じる精神疾患はほとんどないと強く主張する。**精神疾患のほとんどは、生物学と文化、遺伝子と環境、生まれと育ちの相互作用によって生じる**という。

社会科学者たちは、これとは相反する思考が別の形となって表れるものに頭を悩ませている。たとえばハリケーン「カトリーナ」に見舞われたとき、何千という貧しいアフリカ系アメリカ人はアメリカ南部の海岸線から避難しないことを「自ら選んだ」と、ほとんどの報道機関が伝えた。一部の寛容な社会科学者はそうした行動を説明しようとしたが、どの理由も脚光を浴びるにはいたらなかった。避難しなかったのは当然だという心理学者たちは、「貧しい人たちが行動を起こすには外からの力が必要だから」と言った。要は、「内発的なモチベーションが低いから」、「自己効力感が低いから」と言いたいのだ。

社会学者や政治科学者は、収入、貯蓄、教育、交通手段、医療、警察による安全の保護などが欠落していたことで、その場にとどまるという市民としての基本的な権利を守るしか選択肢がなかったからだとした。人類学者は、親族とのつながり、信仰、歴史的な結びつきからとどまることを選んだと言った。経済学者は、逃げるために必要な物資、知識、経済的余裕がなかったせいだとした。

こうしたさまざまな立場による論争は、皮肉にも全員がほぼ正しい。**ただし彼らは、象の一部を触って自分の感想こそが正しいと主張し合うインドの寓話の盲人たちと同じだ。各分野の貢献をひとつにまとめなければ、全員が間違っていることになり、あまり役に立たない存在となってしまう。**

文化のサイクルは、異なる段階のものが互いに分析し合う関係を示す。確かに、4段階プロセスという説明は、講演会でよく見受けられる1点に絞った説明のように小気味よいものではない。とはいえ、慎重な専門家が当たり前に口にする「簡単には説明できません」や「状況によります」よりははるかにシンプルで正確だ。それに、文化のサイクルには分解して模倣するやり方が組み込まれている。持続性のある変化がどこかの段階で起こる場合、たいていは4つすべての段階が変わる。文化を変える特効薬はない。たとえば、今も続いているアメリカの公民権運動には、個々人の心と思考の解放、日常生活における平等な扱い、それらを報道するメディア、法律や政策の改正、アメリカ人全体が思う善き人間像の基本的な見直しが必要だ。人は文化を変えることはできるが、それは簡単ではない。とりわけ、ほとんどの人が文化を有しているという自覚すらない状況が大きな障害となる。人はたいてい、自分を標準仕様の人間で正常だと思っている。そして、**自然なこと、当然なこと、正しいことから逸脱するのは、自分とは違う人たちだと考える。**

とはいえ、人は皆いくつもの文化のサイクルに属している。これは誇るべきことだ。文化のサイクルは、人間が生み出した優れたプロセスだ。このサイクルのおかげで、突然変異や自然淘汰を待たずして、生息の範囲を広げたり、新たに食用資源として見出されたものから栄養を抽出したり、気候変動に対処したりできる。現代の生活は複雑になり、社会や環境の問題は拡大し、慢性化している。それを思うと、**文化のサイクルを理解し使いこなせる能力は、これから必須となる**だろう。

スケールが変わると直感が働かなくなる

——相転移とスケール転移

ヴィクトリア・ストッデン

法情報学研究者、イリノイ大学アーバナ・シャンペーン校情報科学准教授

物理学者は、物理的なシステムのなかでの状態の変化を表す用語として「**相転移**」という言葉を生み出し

た。たとえば、液体から気体への変化がそうだ。この概念はほかの学問にも適用され、社会学（狩猟採集民から農民への変化を考えるとき）や統計学（パラメーターの変化によってアルゴリズムの動きに突然起こる変化を考えるとき）などさまざまな分野で見受けられる転移を説明するときに用いられるようになった。しかし、まだ一般的な言葉の仲間入りは果たしていない。

相転移は、前の状態と関連性があるとは思えない状態への変化を表す。そのため、**人の直感に反する現象の見本を表す**ことにもなる。この点が実に興味深い。

水は液体であるという知識しかないとすれば、熱を加えたら気体に変わると誰が想像できるだろう？　物理学の文脈における相転移は数学的にしっかりと定義されているが、たとえ定義を正確に覚えていなくても、幅広い現象の説明にこの考え方をうまく挿入することはできる。とりわけ、スケールの増大に伴って思いがけず急に起こる変化を説明するのに最適だ。

2次元の点の集合を想像してみてほしい。1枚の紙に点がいくつもある状態だ。次に3次元における点の集合を想像してみよう。立方体の内部にいくつもの点が浮かんでいる。では、4次元になるとどうか。想像はできても、はたして点が凸包（とつほう）状になると推測できるだろうか？　4次元以上の次元では、点の集合は常にその状態になる。数学的には相転移は起きていないが、次元のスケールが増大すると、私たちが直感的に期待するものとは違う変化が起こる。このように、スケールの増大によって思いがけない変化が起こることを、私は「**スケール転移**」と呼んでいる。

ほかの例もあげると、ひとつのシステムのなかで交流する人の数が増大すると、思いがけない結果が生じる場合がある。スケールの大きい市場では、しばしば予期せぬ動きが見受けられる。賃貸料に関する法律によって手頃な賃貸物件の供給数が制限される、もしくは最低賃金に関する法律によって低賃金の求人数が減るといった現象について考えてみてほしい（ジェームズ・フリンは手軽な抽象語の例として「市場」をあげているが、私の場合は、スケールの大きい市場システムがしばしば見せる予期せぬ動きに関心がある）。

また、コミュニケーションのスケールが大きくなったらどんな予期せぬ現象が生まれるだろうか。コラボレーションや交流を通じて、思いがけないアイデアやイノベーションが生まれることもあるだろう。だが一方で、科学にコンピュータを使った大規模な計算を取り入れたところ、記述よりデータやコードの共有のほうが大変であると実証され、思いがけず実験の再現性が低下した。

スケール転移の定義はわざとゆるくしている。それは、大きなスケールの状況で誤った方向へ本能的に進みかけたときに、そうと気づくためのフレームワークとなることを目的としているからだ。

これは、社会学者のロバート・K・マートンが提唱する「予期せぬ結果」に出てくるスケール転移とは対照的だ。彼によるスケール転移は、個人の意図的な行動ではなく、システムを指しているうえ、スケールの増大が原因で変わるという概念に直結している。

人の直感は、スケールが変わるとどうしても正常に働かなくなるらしい。だから、**自分を取り巻く世界で起こる思いがけない変化を思い描けるようになる術が必要**だ。

デジタル時代のいちばん際立った特徴は、スケールの桁外れな増大が容易になった点ではないか。**データの保存量と処理力、そしてつながりのスケールがとてつもなく大きくなったおかげで、かつてないスケールでかつてないほど多くの問題に取り組める。**

テクノロジーがさらに普及し続ければ、スケール転移はいずれ当たり前に使われる言葉になるだろう。

再現性指数

――科学の分野でさえ再現性が軽視されている

ブライアン・ナットソン
スタンフォード大学心理学・神経科学教授

複数の賢人から相反する哲学を紹介された村人たちは、誰を信じるべきかとブッダに尋ねた。するとブッダはこう助言した。

「自分の力で物事を知り、自分で実践し、自分で責任を負えば、安寧と幸福へと導かれる。その導きに従って生活し行動しなさい」

このような経験主義の助言が、科学者ではなく宗教指導者から発せられたことに驚く人もいるのではないか。科学では、「自分の目で確かめる」が暗黙の信条とされている。実験を行って結果を報告するだけでは決して十分ではない。その実験をほかの誰かがやったときに、同じ結果が得られる必要がある。何度行っても同じ結果が得られる実験は、「再現可能」な実験と呼ばれる。科学者は皆、再現性に敬意の念を抱いているが、それを行動で示すことは基本的にない。

ある意味それは、自然だと言える。人間の神経系は急な変化に反応するようにできていて、その対象は微妙な明るさの変化やにわかにわき起こる恍惚感など多岐にわたる。素早く起こる変化に執着するのは、適応の側面を考えると納得がいく。すでに過ぎ去った機会や脅威に対し、限られたエネルギーを向けても意味がない。ただし、徐々に大きくなっていく問題の前では、変化への執着は仇となりかねない（鍋に入れられたロブスターや温室ガスの下にいる人間を思い浮かべてみてほしい）。

文化もまた、変化への執着を促進する。科学の世界では、著名なジャーナルのいくつか、いや、科学の学術界全体までもが目新しさを重視し、再現可能性を注目や掲載に値しないものとみなしてゴミ箱に捨てている。もっと形式的なことに目を向けると、科学者は研究の再現性ではなく斬新さに基づいてしばしば判断される。

再現性を侮るなかれ

「h指数」の普及に伴い、hに入る数字によって研究の影響度が定量化されるようになった。h指数は研究者の評価指標のひとつで、「被引用数がh回以上ある論文がh本ある」ことを満たす最大の数値がhとなる（たとえばジョー・ブロー博士が公刊した5本の論文それぞれが5回以上引用された場合、彼のh指数は5となる）。

ところが、インパクトファクターと影響度が相関関係にある分野（物理学など）になると、困った事態が生じる。たとえば、ブロー博士が物議を醸す（ので引用される）成果を公刊すれば、それが再現不可能な成果であってもインパクトファクターが上昇する可能性があるのだ。

再現性（r）指数を設けてインパクトファクターを補完してはどうか？　h指数のhと同様に、rは「ほかの科学者に単独でｒ回以上再現された現象をｒ個公刊している」ことを満たす最大の数値で表せばいい（つまり、スージー・シャープ博士が公刊した5個の現象それぞれが、ほかの科学者によって5回以上再現された場合、彼女のｒ指数は5となる）。

再現数のｒ指数はどうしても、引用数のｈ指数よりも低い値となる。これは再現の場合は公刊されない限り、誰にも再現できないからだが、**再現によって、研究の質を明らかにしうる情報がもたらされるかもしれない**。ｒ指数もｈ指数のように、ジャーナルや学術界に採用される可能性はある。ただしそれには、再現性を公刊し広めることへの偏見に対抗できる尺度が必要だ。

再現性指数は、むしろ科学者でない人たちのほうに役立つかもしれない。実験室にこもって膨大な時間を大変な作業に費やしてきた研究者のほとんどは、報われるアイデアは数少ないという現実を本能で理解している。そして、その少ないうちのいくつかは、運や他者のお情けから生まれる。一方、再現性があれば目のつけどころが正しいとも認識している。だが、専門家でない人たちはそうは思わない。

一般の人が目にする科学の進歩は、メディアのフィルターによって大幅に変えられた研究だ。それも、ひとつずつしか目にしない。そのせいで、素人やジャーナリストは、新たな結果の出現によって最新の思いがけない発見がひっくり返されるたびに、繰り返し驚く。

再現性という尺度があれば、累積寄与度に意識が向きやすくなる。それに、再現性という基準を、医療や教育の充実、犯罪の減少を目的とした公共政策に適用させるべく検討してみるのも興味深い。**個人レベルで導入すれば、個人的に効果をあげたいこと（ダイエット、エクササイズ、仕事など）の最適化が可能になるのではないか。**

再現性を侮ってはいけない。むしろ、それがある状況を歓迎すべきだ。軽んじられることが多いというのなら、再現性は例外的なものなのかもしれない。流れる水が岩についた泥を落とすように、再現性は最も信頼できる研究者やジャーナル、場合によっては分野まで明らかにしてくれる。科学の分野に限らず、個人の方針や国の政策を評価するうえで欠かせないものとなるかもしれない。そればかりか、冒頭で紹介したカーラ・マスッタの教えのように、信じる人を決めるときにも活用できるかもしれない。

事実が流動的になる時代

――記憶や記録の概念の進化

シェニー・ジャーダン

テック・カルチャー・ジャーナリスト、ブログ(「ボイング・ボイング」)、パートナー兼記事投稿者兼編集者、動画サイト「ボイング・ボイング・ビデオ」総合プロデューサー兼司会者

若いときに心に傷を負う経験をした人ならわかると思うが、私の記憶にはところどころ穴がある。大きな穴になると、その期間は数年にわたる。ほかの穴は、期間は短いが、その後何十年も心に繰り返しよみがえったつらい出来事をすっぽりと飲み込むくらいの大きさだ。

脳に記録されているそうした経験の記憶は、ときどき消えてはまた浮上し、また消えるということを何度も繰り返す。私は年を重ねて強さを身につけ、記憶と闘えるようになった。そうすると、自分に内在する記

録は、まったく同じ瞬間を生きたほかの人の記録とは異なるのかもしれないと意識するようになった。

自身の経験をどのように記憶し、どれくらい覚えているかは人によって違う。時間と人生経験は直線上に並んでいないし、生の瞬間の中立的な唯一の記録などひとつも存在しない。人間はありえないほど複雑なファイルの集合であり、筋肉、血液、骨、呼吸、そして神経やニューロンに流れる電気信号などで成り立つ。いわば、ペイロードを運ぶ電気信号の群れであり、サーバーをヒットするパケットだ。**そんな私たちのアイデンティティは、置かれている環境と切っても切れない関係にある。どんなストーリーも、環境設定なしに語ることはできない。**

私は、インターネットの世界が誕生する前に生まれ、ハイブマインドのネットワーク化が広がるなかで大人になった最後の世代だ。日々オンラインで作業をしながら、新たな記憶をネットワークという思考に覚えさせているうちに、私はこう考えるようになった。**出来事、心理、自分の身に起きたこと、事実について共有した記憶はすべて移り変わるものであり、盛り上がっては消えるの**だと。個々が持つ個人的な記憶のほとんどと同じなのだ。絶えず編集されてきたウィキペディアは、紙の事典の代わりとなる。ツイッターでのやりとりは、形式が決められた階層制のコミュニケーションを失墜させる。私の世代が子供の頃のニュースといえば、三大チャンネルのどれかから権威の声が流れるものだったが、いまやニュースは、絶えず変わり続ける混沌としたものとなり、ひと目見ただけでそうとわかるものではなくなった。国家の公式な歴史ですら、ウィキリークスや、まだ見ぬその後継サイトの類いによって書き換えられるかもしれない。事実は、私の祖父の時代に比べて流動的になった。ネットワーク化された思考のなかで、観察という行為（経験の断片を報告、ツイート、増幅する行為）はストーリーを変える。**情報の軌跡が、ネットワーク上でその情報が広**

まる速度が、何が記憶されて誰が記憶するかということの本質を変え、共有されるアーカイブに残る期間を変える。変わらない状態というものは存在しない。

となれば、記憶や記録の概念についても、進化させる必要がある。

私たちが今作りあげている歴史は生き物だ。それを踏まえて、記憶を記録する新しいやり方、ストーリーを伝える新しいやり方をみんなで見つけようではないか。新たな歴史の記録に力を注ぐことで、この計り知れない複雑さを受け入れるのだ。

記憶するということの意味を、改めて見直そう。

科学的なプロセスを理解するうえで欠かせない概念

——統計的な有意差

ダイアン・F・ハルパーン
クレアモント・マッケナ大学名誉教授

「**統計的な有意差**」は科学に不可欠な表現のひとつだが、教養のある大人の間で普通に使われるようになった。この表現には、科学的なプロセス、偶発的な事象、確率の法則の基礎知識が含まれている。リサーチが関係するところには、必ずと言っていいほどこの表現が登場する。新聞の記事、「奇跡」のダイエット法をアピールする広告、研究出版物、学生の実験レポートなどは序の口で、登場する場面は多岐にわたる。「統計的な有意差」は、事象の流れを考えやすくしてくれる手軽な抽象表現であり、事象には、実験（実験以外の調査目的の活動を含む）、帰無仮説と対立仮説の特定、（数に関する）データ収集、統計分析、起こりそうにないことが起こる確率などが含まれる。短い表現ながら、実に多くの科学を媒介している。

それだけに、研究者が「統計的な有意差」を見つけた、見つけなかったが基本的に何を意味するかを理解していなければ、どんな調査結果も理解が難しいのではないか。

残念ながら、「生半可な知識は危険である」との古い格言は、この表現の中途半端な理解にも当てはまる。英語では、「有意」に「significant」という言葉を用いるが、調査結果を報告するときと日常的によく使う場面とでは意味が異なるという問題がある。

「significant」はたいてい、重要な意味を持つ場面で使われる。たとえば、外科医から「手術が終わったら、かなり（significantly）気分がよくなりますよ」と言われれば、抱えている痛みが大幅に軽減する意味だと正しく認識できる。しかし、「統計的な有意差」で使われるsignificantは、（帰無仮説が事実であれば）偶然が原因でその結果が生じる可能性は低いという意味になり、結果に重要な意味があるとは限らない。また、研究者が一定レベルの確率でしか実証していないことを結論として断定すれば、その結論は誤りとなる。「統計的な有意差」は、調査や統計の核となる概念のひとつだが、**大学で統計学や調査手法を教わった人ならわかるように、それは直感的に理解できるものではない**。

「統計的な有意差」は科学的なプロセスに欠かせないさまざまな考えを伝えるものではあるが、この表現を私たちの語彙からなくしたがっている専門家は多い。それは、誤用が多発しているからだ。科学と確率論の融合が強調され、高い頻度で使用されているのは事実だが、いや、だからこそ融合の解消を望む声があがったとも言える。**「統計的な有意差」という表現は、含まれるべきでない意味を暗示し、専門家でない人々に誤解を生むことがよくある**のだ。

それどころか、専門家が誤用することも少なくない。例を使って説明しよう。2種類の薬の効果を偽薬と比較する実験が行われた。実験は正しく行われ、薬Xには偽薬と統計的な有意差があり、薬Yにはないとわかる。だがこの場合、「XとYの統計的な有意差なし」となる可能性がある。どういうときかというと、Xの偽薬との統計的な有意差が確率0・04未満で、Yの偽薬との統計的な有意差が確率0・06未満という、統計的な有意性の試験で使用される仮定の数値の大半よりも高い結果を得ていた場合だ。

これを読んで頭痛がする人は、科学的手法の核となる「統計的な有意差」について表面的にしかわかっていないにもかかわらず、その重要さを理解していると思い込んでいる大勢のひとりである。

この言葉に潜む危険性について理解を深めると、認知能力の向上に大いに役立つ。

今後、「統計的な有意差」という言葉には、結果は重要でないかもしれないこと、統計的な有意差の有無に基づく結論は誤りの可能性があること、この2点も含まれるという共通認識が広がれば、世間の常識の質が飛躍的に高まる。

「統計的な有意差」を目にするときや使うときは、科学的なプロセスの話が約束されていると思えばいい。欠点や誤解はあるものの、この表現は、世界について知るほかの方法に比べて実質的に知識を前に進めてくれる。「統計的な有意差」の意味に先に述べた2点を加えれば、世間の科学に対する理解が向上するだろう。

専門用語を安易に使うと会話が台無しになる

――デシボ効果

ベアトリス・ゴーラム

カリフォルニア大学サンディエゴ校医学部教授

「**デシボ効果**」という言葉は、概念を安直に適用する行為を指す（デシボは「deceive（騙す）」と「placebo（プラセボ、偽薬）」を組み合わせた造語である）。概念の意味や概念に不可欠な前提を明らかにしないで適用すれば、思考の役に立つどころか、誤った考えにとらわれかねない。

概念をとらえた語句は、日常会話でも使われる。オッカムの剃刀、プラセボ、ホーソン効果などがそうで、こうした語句や慣例語は原則として会話を円滑にするものであり、実際にそうできる力がある。これらの言葉を会話に取り入れると、その言葉に内包された原理や前提をいちいち確認するという煩わしさから解放されるので、やりとりの効率が上がる。

とはいえ、概念の妥当性の元となる条件や前提を確認する必要がなくなると、その条件や前提の適用が正当かどうかを考慮しなくなる恐れがある。そうなれば、**会話の効率が高まるどころか、会話が台無しになりかねない**。

「プラセボ」と「プラセボ効果」を例に見ていこう。これらの言葉を紐解くと、プラセボは「生理学的に作用しないが、それを摂取した人には、作用した、もしくは作用する可能性があると思わせる何か」と定義される。そして「プラセボ効果」は、プラセボを摂取した人がその効果を期待した（効果があると暗示にかかった）ことで状態が改善する現象を表す。

これらの言葉が生まれ育った分野に戻ると、デシーボ効果の例があとを絶たない。プラセボとプラセボ効果に関する主要な仮定は、たいていが誤りだ。順に見ていこう。

①「プラセボ」という言葉を耳にすると、科学者は何の迷いもなく「作用しないもの」と仮定し、「生理的に作用しないとされた物質は何か？」と考える。もっと言うと、原理上は作用しないものになりうる物質は何か、となる。生理的に作用しないとされる物質はひとつも確認されていないからだ。

プラセボの製造に関する規定はなく、その成分は公表されないのが普通だ（実験を主導する製薬会社によって決定されるのが一般的だ）。成分が公開された珍しいケースのなかには、プラセボの成分によって疑似効果が生まれた事例が確認されている。

コレステロールを低下させる薬のために、コーン油を使った実験とオリーブ油を使った実験が実施された。

一方の実験では、比較となるグループに「期せずして」心臓発作が起こる確率の低下が見受けられ、それがコレステロール抑制薬の効果が現れなかった一因ではないかと報告されていた。

もう一方の実験では、がん患者の胃腸の症状に「期せずして」薬の効果が現れた。ただし、がん患者は乳糖（ラクトース）不耐症の可能性が高く、実験で使用されたプラセボの成分は乳糖だった。

「プラセボ」という言葉が実在する物質を意味するようになれば、比較薬の成分が実験に与える影響について考慮しなくなってしまう。

②不調を抱えた人にプラセボを提供する実験で彼らの回答を平均すると、かなりの改善が報告されるケースがたくさんある（③を参照）ことから、科学者の多くが「プラセボ効果」（があるという暗示）は実在し、効果を及ぼす範囲は広いと認めるようになった。

デンマークの研究者、アスビョン・ルービャーソンとピーター・C・ゲッチェは、プラセボを摂取する場合と何の治療も行わない場合を比較した実験の体系的な見直しを行った。その結果、**プラセボは総じて何の働きもしないことがわかった**。プラセボ効果が見受けられる事例はほとんどない。痛みや不安に対しては、短期的に軽度の「プラセボ効果」が確認されている。痛みのプラセボ効果については、オピオイド拮抗薬であるナロキソンによって遮断されたとあり、内因性オピオイドの関与がはっきりと報告されている。つまり、痛みの緩和が見受けられるどの結果についても、プラセボ効果が現れると期待することはできない。

③プラセボを摂取した人から改善の報告があったと聞くと、科学者なら「プラセボ効果」のおかげだと推測するのが一般的だ。期待もしくは暗示の効果だと普通は思う。しかし、実際にはまったく違う話であることが多い。たとえば、病気の自然経過や平均値への回帰が起きたのかもしれない。釣鐘曲線の形をした分布図を想像してみてほしい。対象とする治療の成果が、痛み、血圧、コレステロールなど何の改善であれ、治療の対象とされるのは、決まって分布図の極端な位置（例：頂点）にいる人たちだ。

しかし、治療の成果として表れる数値は、生理学的な違い、自然経過、測定ミスなどの理由から必ずばらつきが生じる。それらを平均すれば、高い値は低くなる。これが**「平均への回帰」と呼ばれる現象で、この現象にプラセボの使用の有無は関係ない**（これがデンマークの研究者たちの研究報告へとつながる）。

「プラセボ」という言葉を用いる際に生じる弊害

ハーバードのテッド・カプチャクは、デシーボ効果の別の問題に悩まされた。彼の研究は、過敏性腸症候群に苦しむ人々を対象に、プラセボを与えた場合と何も与えなかった場合を調べるというものだった。

プラセボを摂取するグループには、大きく「プラセボ」と書かれた瓶から取り出した薬を渡し、これは高い効果があるプラセボだと伝えた。この研究の命題は、プラセボであると最初から正直に伝え、さらには被験者と密接な関係を築くことで、彼らを騙さなくても期待の効果が現れる可能性を確かめることにあった。

実験を行った調査員は被験者と何度も会って彼らの信頼を獲得し、プラセボの効果は強力だと繰り返し伝えた。すると、プラセボを提供されたグループからは、症状がよくなったという喜ばしい報告があがり、その件数は何も摂取しなかったグループを上回った。そしてその結果がプラセボ効果だとみなされた。

しかし、被験者は単純に、研究者たちが聞きたがっていると思うことを伝えただけではないのか？

ニューヨーク・タイムズ紙のデニース・グレーディ記者は、次のような思い出を記していた。

「子供の頃、花粉症を抑える注射を毎週打っていたが、効果があったとはまったく思わない。ただし、効果が出てほしいとはずっと思っていた。注射を打ってくれていた医師がとても優しい人だったので、症状が軽くなったかと尋ねられれば、必ず『はい』と答えていた」

このような誰かを喜ばせたいという欲求（おそらくは「社会的認知に関わる」報告バイアスの一種と呼べるだろう）が、プラセボ効果だと解釈させるような言動を生み出す土壌を作った。それにより、被験者の症状に実際に効果があったとの結論がもたらされたのだ。

前提の誤りがこれほど大きく作用するのであれば、ハーバードの研究者たちは、既存の用語（「プラセボ効果」）で解釈しなくても、説得力のある別の可能性を選べたのではないか。

彼らの結果に則した説明をするなら、特定の生理学的な効能があったという言い方ができる。カプチャクの実験で効果が高いと謳ったプラセボには、非吸収性の繊維（微結晶性セルロース）が使用されていた。プラセボの成分を公表したことは称賛に値する。

とはいえ、別の非吸収性繊維には便秘と下痢（過敏性腸症候群の症状）の両方を改善する効果があり、たとえばオオバコなどはそれらの症状を改善する目的で処方されている。こうなると、「プラセボ」に被験者の症状に対する特定の生理学的な効能がなかったとは言い切れない。

こうしたことから、「プラセボ」という言葉を「作用しないもの」という意味に仮定することはできないのだとわかる（実際は、なんらかの効能を示すのが一般的）。それに、プラセボを投与する実験で投与された患者の症状が大きく改善したからといって（投与だけを考慮した結果が得られると期待したからといって）、それを暗示による効果だと思い込んでもいけない。

こうしてみると、**概念の説明を省いてくれるとされる用語（「プラセボ」や「プラセボ効果」）を代用すると、健全な論理的思考を促すどころか、大事な問題について批判的に考えることを阻む、もしくはそうした**

考えを無視してしまうケースが多いとわかる。そのケースには、結果から導き出された推測が医療現場に伝わる可能性があるものも含まれる。そして、ここで言う大事な問題は、基本的に誰もが関係する問題という意味である。

人間の本質を受け入れると賢い選択ができる
――アンスロポフィリア

アンドリュー・レヴキン

ジャーナリスト、環境問題専門家、ニューヨーク・タイムズブログ「ドット・アース」執筆者。著書に『北極はここだった(The North Pole Was Here)』

人間の支配が進みながらも驚きに満ちている有限の惑星で成長を続けていくには、「アンスロポフィリア」が大量に必要だ。「**アンスロポフィリア**」は、厳密で公正な自己愛や自己評価を簡易に表した私の造語である。個人間またはコミュニティのなかで、不確実さを孕む何かに対する意見が二極化したときに、この概念を取り入れることを提案したい。

アンスロポフィリアは、E・O・ウィルソンが提唱した「バイオフィリア」にあえて響きを似せている。バイオフィリアは「非人間界の部分を自然と呼び、大事に思う人間の性質」という意味で、ウィルソンはこの貴重な概念を育んだ。自然(ネイチャー)のなかで人間が果たす役割の考察は長きにわたって軽んじられ、役割を果たすと認めてすらこなかった。おまけに、こちらのほうがもっと重要だと思うが、私たち人間の本質（ネイチャー）についても十分な考察がなされていない。

過去を振り返ると、進歩に向けて人間を駆り立てようとする試みの多くは、2つの考えをもとに成り立っていた。「ああ悲しい」と「みんなの恥になる」だ。どちらにも「恥を知れ」の要素がかなり入っている。

このことの何が問題なのか？

悲しみは感情を麻痺させる。悲しみの矛先をどこかに向けようとすれば、対立が生まれるが、その矛先が真犯人に向くことはめったにない。

たとえば、「悪いのは誰だ？　BP社か、それとも石油を燃料とする乗り物や暖房器具を使う人々か？」というようなテーマで対話をすると、どこかで以前に聞いた気候に関する政策論争が始まって、主張をひととおり述べて机を叩く。これと同じ現象は、9・11同時多発テロや世界金融危機は警告を無視したから起きたという論争でもきっと目にするはずだ。

人間の本質（作家のビル・ブライソンはこれを「聖人の面と凶悪な面」と呼ぶ）をもっと深く考察すると、人は間違いを犯しやすいという自らの性質を知る難しさに気づけるようになる。こうした傾向を認識するだけで、選択の仕方に磨きがかかる。少なくとも、次の選択では間違いを多少は減らせるようになるはずだ。

私個人の話だが、今夜キッチンを漁るとしたら、リンゴよりクッキーに手を伸ばしたがるのを知っている。この傾向を考慮すれば、実際に漁ったときに余計な200キロカロリーを摂取せずにすむ確率が少しは高くなるだろう。

今度は、もっと大きなスケールの例で考えてみよう。

人間は一貫して、自分から離れた場所で起きた災害から学ぼうとしない。中国の四川省が大地震に見舞われたとき、学校校舎が倒壊して何万人もの生徒（と教師）が亡くなった。それなのに、アメリカのオレゴン州は、アメリカ北西海岸のカスカディア沈み込み帯と呼ばれる断層帯で地震が起これば、倒壊する恐れのある学校が1000校以上あると把握しているにもかかわらず、改修を急ぐ投資にはひどく消極的だ。

恐ろしい事例が実際に起こり、オレゴン州の抱えるリスクが科学的な検証で明らかにされてもなお、なぜ他人事のままなのか。社会学者は多くの検証に基づく理由を理解している。その理由は人間の「身近に今起きていること」を優先するバイアスにあると把握しているのだから、その知識は、政策が立てられる場やお金の使いみちが決められる場で重視されているのではないか？　それはほとんどないように思われる。

社会科学の研究者たちも、人間が地球温暖化を招いたとの論争（科学的な選択、政策的な選択の両方を含む）を厳しい目で見ていて、それはおおむね文化的なものだと理解している。ほかの（たとえば医療問題など）多くの論争がそうであるように、地球温暖化の論争もまた、共同体主義者（リベラリスト）と個人主義者（リバタリアン）という2つの大きなコミュニティの間で繰り広げられている。

そんななか、膨大な調査に基づく説得力のある報告がなされた。それによると、情報にはあまり意味がないという。どちらのコミュニティも自分たちが有利になる情報を選択するので、情報が立場を変えるに至った事例はごくわずかしかない。要するに、気候変動に関する政府間パネルから気候科学に関する意見が新たに発表されても、いきなり調和がとれて前に進む道が開けると期待すべきではないのだ。

こうした現実の認識が広がれば、最前線で延々と議論する代わりに、真んなかから独創的な交渉アプローチが生まれる可能性が高くなる。たとえば、先程の調査の気候に対する態度の項目を見ると、利用可能なエネルギーの限られた選択肢を広げる必要性に異議を唱える声ははるかに少ない。

物理学者のマレー・ゲルマンは、**多角的な問題に直面したときに「全体をありのままに見ること」が必要**だと繰り返し主張し、頭文字をとってその見方をＣＬＡＷと名づけた。ＣＬＡＷを実践するためには、それを行う種をありのまま分析することも必要だ。

これから先、国連や下院などの代わりとなるものが考案される可能性はないだろう。だが、建設的な対話や問題解決のための新たなアプローチを試す機会は十分にある。良くも悪くも、その最初の一歩となるのが、私たち人間の本質を受け入れることだ。

それがアンスロポフィリアである。

情報から「ノイズ」を排除する方法

——信号検出理論

マーザリン・R・バナージ

ハーバード大学心理学部リチャード・クラーク・カボット社会倫理学教授

人は自分の感覚を通じて世界を知覚する。そうやって脳を仲介して受け取る情報が、世界に対する理解の土台となるのだ。この土台があるおかげで、注意を向ける、知覚する、記憶する、感じる、論理的に考えるといった、ごく普通の精神活動や特殊な精神活動が可能になる。こうした精神の動きを介して、私たちは物質と人があふれる世界を理解し、その世界で行動するのだ。

私は今、南インドにあるポンディシェリという都市でこれを書いているが、この文章を評価する人は、この都市にはあまり多くない。私と親しい人も含めて、ここにいるのは五感を凌ぐ超感覚的なものの存在を信じる人々で、彼らは皆、科学的に検証されていない「天然食品」や情報を取得する手段のほうが、科学的に立証されているものより優れていると思っている。たとえば、私は今回の滞在中に、人はカロリーを摂取せずに何カ月も生きていられる（体重は減るが、それは科学的な観察がなされるときに限られている）と彼らが信じていることを知った。

ポンディシェリはインドの連邦直轄領のひとつである。300年にわたってフランスに支配され（窓の外を見ると、英国軍の侵略を何度も食い止めた痕跡がある）、インドが独立したあともその支配は10年近く続いた。多数の魅力を備えた都市だが、とりわけスピリチュアルな体験を求める人々が集まるようになった。多くのインド人や白人が世俗的な生活を捨ててやってきては、精神の向上に努めて肉体の治療を行い、そのコミュニティを代表して善行に投資する。

昨日は優秀な若者と知り合った。法律家として8年間働いていたが、今はアシュラム（精神的な修行をする共同体）に住み込んで書籍販売を担当しているという。「法律の仕事に就いていた人間がスピリチュアルに傾倒するものか」と反論したくなるかもしれないが、アシュラムにいるのは、ここでの生活を求めて財産やさまざまな職を捨ててきた人たちだ。この話のポイントは、**教養がありそうな人までもが、非合理的な思考の形を望んでいるように思える**というところにある。

特定の都市をどうこう論じるつもりはなく、この一風変わった都市についてももちろん例外ではない。ポンディシェリは芸術と文化に力を注いで社会の向上を進めていて、その努力は賞賛に値する。しかし、それと同時に、ヨーロッパ、アメリカ、インドから特定のタイプの人々を引き寄せる都市でもある。

そのタイプとは、**がんを治癒するのはハーブだと信じて（化学療法が必要にならない限り）標準医療を避ける人、新しいことを始めるのに火曜日は不吉だと言う人、足の親指にある特定のつぼが消化器系を支配すると信じている人たち**だ。

自分が生まれた時間の星の位置の関係で、高位の存在から説明のできない何かが送られてきた体験や、「マザー」の思想にふれたことから、ポンディシェリへ導かれたと主張する人たちもいる。「マザー」とは、アシュラムがある一帯を統治するフランス人女性のことだ。もう亡くなっているが、死してなお、任期中に辣腕をふるう多くの政治家よりも彼女の影響力は大きい。

情報には必ず「ノイズ」が混じっている

今あげたようなことは極端に思えるかもしれないが、世界のどこを見ても、現実に極端だとみなされているケースはほとんどない。内容を変えれば、誤った姿勢が内在する思考はどこでも簡単に見つかる。アメリカの私が暮らす地域で雪が56センチ積もったが、この積雪は間違いなく、しつこく地球温暖化を訴えるイカれた科学者たちに対して神が怒っているという信仰を生み出すに違いない。

私たちの認知機能に備えられるいちばん強力な武器は何かと考えたところ、**「信号検出理論」**が思い浮かんだ。これはシンプルでとても役に立つ概念だ。今年のエッジの問いは、偶然にも私がずっと考えていたアイデアと合致する。私の考えの原形となるのはデイヴィッド・グリーンとジョン・スウェッツが発表した『信号検出理論と精神物理学（*Signal Detection Theory and Psychophysics*）』だが、その考えは、フォトンの波動が視覚的検出に及ぼす影響や、聴覚に音波が及ぼす影響に関心を持った、彼らより前の世代の科学者たちの研究が始まりだ。

信号検出理論を踏まえた思考法はシンプルで、**世のなかに純粋な情報はなく、常にノイズが混じっている**というものである。たとえば耳に入る情報は、音の伝達に付随する物理的な特性の関係から、音質が低下する。また、情報を観察している生命体が持つ特性によって、音情報の伝わり方や解釈の仕方にさらなる影響が及ぶ。たとえば、聴覚の鋭さ、情報が処理されるときの状況（例：雷雨のなか）、モチベーション（例：耳に入ってくる情報に関心がない）などだ。

このように、情報が物理的かつ心理的に伝わる条件ははっきりしないが、信号検出理論を活用すると、刺激と反応の両側面から決断の質を理解できる。

信号検出理論の最も重要な点は、**受け取り手（人間以外の生物も含む）が手にするどんな情報も、必ず判断を言葉で説明した4項目のどれかに落とし込める**という点だ。何かが起きたのか、それとも起きなかったのか（例：電気は光ったのか、光らなかったのか）。それから、受け取り手が情報を検出したのか、しなかったのか（例：光は見えたのか、見えなかったのか）だ。

図表4

2つの質問を使って「ノイズ」を排除する――信号検出理論

何か起きたのか？

受け取り手は検出したか？	はい	いいえ
はい	ヒット	誤認
いいえ	失敗	正しい棄却

これを表にしたのが**図表4**で、さまざまなタイプの判断を下すときに活用できる。たとえば、「ホメオパシーの薬を飲んだのか、飲まなかったのか」と「病気は治ったのか、治っていないのか」を図表に当てはめるという具合だ。

ヒット：信号は存在し、検出されている（正しい反応）
誤認：信号が存在しないにもかかわらず検出されている（誤った反応）
失敗：信号は存在するが検出されていない（誤った反応）
正しい棄却：信号は存在せず、検出もされていない（正しい反応）

信号が、暗い背景に対する明るい光のようにわかりやすいもので、判断を下す人の視力がよくて信号をとらえるモチベーションが高ければ、ヒットと正しい棄却は大量に生まれ、誤認と失敗の数はごくわずかとなるはずだ。判断を下す人の特性が変われば、判断の質も変わる。信号検出理論は、条件がはっきりしないという一般的な条件下での刺激と反応の質を評価するときにとりわけ効果的だ。その条件には、受け取り手が特異な基準（最低限点数）を設けている場合も含まれる。

信号検出理論が適用されている分野は、ソナーによる物体の探知、記憶の質、言語の総合理解、視覚による認識、消費者マーケティング、陪審決議、金融商品の価格予測、医療診断と多岐にわたる。

この理論では、判断する過程の本質を理解するうえで、数学的に厳格なフレームワークを使うことになる。だから、科学者はひとり残らずこの理論を頭に入れておかないといけない。この理論が頭に入っていれば、「今週昇進するのは射手座の人である」といった意見の質を分析するときに、4項目について考えざるを得なくなる。

よって、物事の道理をわきまえたいという人は、信号検出理論を認知の武器として備えておいたほうがいい。

試合の勝利とはいていた靴下には関連がある

――アポフェニア

デイヴィッド・ピザーロ
コーネル大学心理学部准教授

人間の脳は驚くほどパターン検知に優れている。**脳にさまざまなメカニズムがあるおかげで、物体、事象、人の間に隠された関係を明らかにできる。**それがなかったら、感覚を襲う情報の海は、でたらめで支離滅裂なものにしか思えないだろう。とはいえ、パターン検知のシステムが検知に失敗すると、実在しないパターンを誤って見出そうとすることがある。

ドイツの神経学者、クラウス・コンラッドは、特定の精神疾患を抱える患者に見られるそうした傾向を**「アポフェニア」**と名づけた。しかし、行動科学のさまざまな報告から、その傾向は病を抱える人や教養のない人だけに見られるものではないという事実が明らかになりつつある。健康で教養のある人も、定期的に似たような間違いを犯しているというのだ。迷信深いアスリートは、勝利と靴下につながりを見出す。我が子に予防接種を受けさせない親は、予防接種と病気に因果関係があると思い込んでいる。不規則なノイズに仮説を実証する結果を見出す科学者もいる。そして、たまたま関係性のある曲が続けて流れたら、音楽ソフトの「シャッフル機能」が壊れたと誤解する人が何万人もいる。

要するに、**人類の成功に多大な貢献をしたパターン検知は、簡単に私たちを裏切ってしまう**というわけだ。パターンを見過ごす傾向は、パターン検知という適応メカニズムに不可欠な副産物なのだろう。

しかし、「アポフェニアは日常的に起こるものである」という考えがすぐに思い浮かぶようになれば、きっと役に立つ。アポフェニアはリスクを伴うものであると認識でき、パターンの誤解が生まれないように用心する力が高まるはずだ。

「知性のゴミ」を捨てるには

――手軽な抽象語

エルンスト・ペッペル

神経科学者、ミュンヘン大学人間科学研究所所長。著者に『意識のなかの時間』（田山忠行・尾形敬次訳、岩波書店、1995年）

ゴミの廃棄はどうしても避けられない。それは知性のゴミも同じだ。認知の武器は知性のゴミであふれている。そうなったのは単純に、自業自得によるものだ。そのゴミ箱は、定期的に空にしたほうがいい。ゴミを溜めたままにしている人は、「**SHA（手軽な抽象語）**」がいかに私たちの創造性を制限しているかを確かめてみてほしい（このSHAという言葉そのものがいい例だ）。それにしても、いったいなぜ認知の武器はゴミであふれてしまうのか？

（ここからは、ＳＨＡを傍線で表すものとする）まずは過去を振り返ってみよう。現代科学は、フランシス・ベーコンが１６２０年に発表した『ノヴム・オルガヌム』から始まったと言える。彼の分析が、科学を行うときに人が陥る４つの過ちの説明から始まることに、現代に生きる私たちは感服せざるをえない。

だが残念ながら、彼の警告は基本的に忘れられている。フランシス・ベーコンのひとつ目の警告は、人は進化の犠牲になっているというもの。遺伝子によって洞察力がどうしても制限されるのだ。２つ目は刷り込みによる制約だ。人の生活に根づいた文化は、エピジェネティックなプログラムが生まれる枠となり、最終的にはニューロンが処理する構造を制限する。３つ目は言語による堕落。なぜ堕落するかというと、思考はそう簡単に口頭表現に置き換えられるものではないからだ。そして４つ目は理論となる。明示的にも暗示的にも、人は理論に誘導されやすく、ときには支配される。

「何ごとも原因はひとつ」と思うと誤解を招く

認知の武器はどのような影響を及ぼすのか？　たとえば、人は言語にとらわれている。進化を通じて受け継がれてきたものとして、私たちには物事を抽象化する能力がある。この力に誇るべきメリットがあることは確かだ（この力によって、ほかの生物より人が優れているように思える）が、同時に損失ももたらす。

抽象化はたいてい言葉で表現される。私たちはどうやら、言葉を使わないと抽象化できないらしい。「存在論的に言い表す」ことが求められるため、抽象化の過程で知識を抽出し、それを表す名詞を考案する（ここでの抽象化には、絵で表す抽象表現は含まれない）。抽象化すれば、複雑さは明らかに軽減する。人は物事をシンプルにしたがる。それはなぜか？　進化で受け継がれた遺産は速さを求めるからだ。
しかし、スピードは生き残るためには有利な武器となりうるかもしれないが、認知を有利にするとは言えない。行動におけるスピードと思考におけるスピードを混同するのは絶対的な誤りである。選択にスピードの重圧がかかれば、事実の深みを蔑ろにしたくなる。その重圧から、シンプルかつ明瞭で、理解も言及も伝達もしやすくなるＳＨＡの発明が容認される。このように、人は生物学的な過去の犠牲となり、結果として自分自身の犠牲となるため、お粗末なＳＨＡに行き着いて現実を置き去りにするというわけだ。

全人類に共通する病をひとつあげるとしたら、何ごとも単一の原因に基づいて説明したいという動機に駆られる「単一原因病」があげられる。知的演習としては優れているかもしれないが、原因をひとつに決めつけるのは単純に誤解を招く恐れがある。

もちろん、コミュニケーションはなくてはならないものであり、それには一般に言語と呼ばれる口頭での言及が必要となる。しかし、口頭でのコミュニケーションという枠や言葉を使って言及するシステムのなかにいれば、「存在論的に言い表すこと」や継続的に「使い勝手のいい」ＳＨＡを生み出し続けるという犠牲をどうしても自分たちに強いてしまう。この点を理解していなかったら、知性のゴミでしかない認知能力を使い続けることになるだろう。

知性のゴミを徹底的に排除する以外に、この状況から抜け出す現実的な方法はあるのか？　私はあると思っている。単純に、**考えるときにキーワードとなるＳＨＡを使わなければいい。**知覚について考えるときは、「知覚」というＳＨＡをあからさまに（少なくとも1年は）使わないようにする。自己について考えるときは、「自己」というＳＨＡを参照してはいけない。自分の知性のなかのゴミについて調べてみると、誤解を生むＳＨＡがたくさん見つかる。

私が自分のゴミに注意を向けてみると、ネットワークとしての脳、機能のローカライズ化、表明、抑制、しきい値、決断、現在といったＳＨＡが見つかったが、これらはほんの一部にすぎない。こうしたＳＨＡのいくつかを喩えとして引用するぶんにはいいと思うかもしれないが、これもやはり問題からの逃避になる。

私は自分も進化の犠牲者のひとりであるということを、事実として認識している。また、ＳＨＡとして「ゴミ」という言葉を提案するにしても、同じ問題がつきまとう。ゴミの概念ですら、ある種の発見が必要となるからだ。

だが、この難題を意識しないわけにはいかない。認知の武器の中身は、自己言及によって決まる。つまり、無分別にＳＨＡを使っていれば、認知の武器の中身はそういう使い方で定義されたＳＨＡだらけになってしまうのだ。

訳者あとがき

書籍の翻訳を仕事にしていると時々、「どういう本が翻訳したいですか」と尋ねられる。そういうとき、私は「おもしろい本です」と答える。おもしろい本とは、実に漠然とした答えだ。「その心は？」と続けて尋ねられること間違いなしだ。果たして、おもしろい本はどういう本か。人によって、その意味は違うだろう。「面白くない本を訳したい人間がいるわけがない」と言われてしまうかもしれない。

私がおもしろいと感じる本は実にさまざまで一言でまとめるのは難しい。たとえば、世の中には、「ああするといいよ、こうするといいよ」といろいろ教えてくれる本がたくさんあり、とても人気がある。確かにどれもおもしろい。

夜よく眠れるには、痩せるには、試験に受かるには、仕事で成功するには、どうすればいいか。そして何より「お金持ちになるにはどうすればいいか」をわかりやすく教えてくれる本は大人気だ。そのほかには、部屋を片づけてきれいにする方法を教えてくれる本もあるし、美味しい料理やお菓子を作る方法を教える本もある。おもしろくて、とても役に立つ。この種の本でよく言われるのは、「ただ読んだだけでは意味がない。書かれていることを実践しないと」ということだ。それはそうかもしれない。貯金せよ、と書いてあるのに浪費を続けていたらお金持ちにはなれないし、今すぐ不要なものを捨てなさいと書いてあるのに、まったく捨てずに次々に新しいものを買っていたら片づかない。「本を読んだのに、全然何も変わらなかった」ということは起きるだろうが、何もせずにそれを言うのは責任転嫁だろう。悪いのは本ではなく、読んだ自分だ。本には責任がない。読む側の努力があって、はじめてその本は価値を持つ。

ただし、私が訳したい「おもしろい本」はその種のものとは違う。私が求める要素は数多くあるが、なかでも絶対に外せないものがひとつある。それは、「読むと物の見方、考え方（つまり世界観）が変わる」という要素だ。

人生はダイエットでも、片づけでも、貯金でも変わり得る。だが、人生を最も大きく変えるのは、その人の世界観である。その人が世界をどう見るか。自分の体験をどう解釈するか。それは必ず行動に大きく影響を与える。行動が変われば人生が変わる。例をあげよう。たとえば、あなたが常時、紫外線の見えるメガネをかけて生活することになったとしたらどうなるだろうか。人間は通常、紫外線を見ることができない。それが見えれば驚くような発見の連続だろう。今までの自分はいったい何だったのか、と思うかもしれない。見えなかったものが見えるようになれば、それに反応して、必然的に今までとは違う行動を取るようになるはずだ。

つまり、世界観が変わる本を読めば、特に意識して「書いてあることを実践」しなくても、必ず人生は変わるのだ。具体的にどの方向に変わるかはわからないが、その本を読まなかったら行かなかった方向に行くことは間違いない。それまでと違う方向に行けば、また多くの新たな可能性が開ける。その分、人生は確実に豊かになる。

本書もやはり、読む人に今まで見えなかったものが見える「特別なメガネ」を授けてくれる本であり、間違いなく、私の定義でいう「おもしろい」本である。原題が〝This Will Make You Smarter（これがあなたを賢くする）〟というだけあって、書かれているのは、知るだけで賢くなることばかりだ。リチャード・ドーキンス、ダニエル・カーネマン、リサ・ランドール、ジョシュア・グリーン、スティーブン・ピンカー、ケヴィン・ケリーなど、ノーベル賞受賞者を含む一流の科学研究者たち150人以上の手による良質の科学エッセイが収録されている。

科学には、昔から、普通の人の素朴な感覚を覆すところがある。朝、日が昇って、夕方、日が沈む。太陽は日々、そして時々刻々、位置を変える。それを見ていれば、普通の人は「太陽が動いている」と思うはずである。自分の目で見たこと、体験したことが真実だと思うからだ。しかし、科学によって、実は地球が動いていることが明らかになった。これは「あのね、見た目にはわからないけど、地球って動いてるんだって！」「へえ」ということで終わりの話ではない。地球が動いていると皆が知ったことで、その後の人間の世界観はそれ以前とは大きく変わることになった。自分たちは宇宙の中心にいると思っていたのに、そうではなく、宇宙の片隅のありふれた場所にいるのだとわかったのだ。なるほど、自分はありふれた存在なのか、と思う。では、同じような存在がどこかに見つかるのでは、とも思い始める。地球が動くという発見をした人自身がまったく予想もしなかった変化が人間に起きたのだ。

本書にも出てくるが、人間の感覚器官は私たちにありのままの現実を伝えるわけではない。目は可視光線しか見えないし、耳もごく限られた周波数の音しか聞こえない。私たちは日頃、感覚器官と脳が作り上げた「世界の模型」のようなものを見ているだけだ。その事実を知るだけで、「では、自分の知らない現実とはどのようなものだろう」と考えるはずである。超音波が聞こえるコウモリ、人間よりはるかに嗅覚の鋭い犬がどのような世界に住んでいるか、想像することもできる。そういう想像のできる人は、できない人よりもはるかに視野が広く、発想も豊かだろう。何か困ったことに直面したときにも、見識の狭い人には思いつけないアイデアで切り抜けられるかもしれない。本書を読み、視野を広げて「賢く」なって、人生を飛躍させる人が一人でも多く現れたとしたら、訳者としてこれ以上の喜びはない。

最後になったが、共訳者の花塚恵氏、編集を担当されたダイヤモンド社の上村晃大氏にこの場を借りてお礼を言っておきたい。ありがとうございました。

二〇二〇年三月　　夏目大

［編者］

ジョン・ブロックマン (John Brockman)

編集者、著作権代理人、作家。科学者や思想家が自らの著作物を通じて一般の人々に直接語りかけるようになったことを「第三の文化」と呼び、彼らの活動を随時更新する場としてオンラインサロン「エッジ」を主宰する。年に1度同サイトを通じて科学者や思想家に質問を投げかけ、その回答を集めている。『2000年間で最大の発明は何か』（草思社）、『キュリアス・マインド』（幻冬舎）、『知のトップランナー149人の美しいセオリー』（青土社）など編書多数。

［訳者］

夏目大（なつめ・だい）

翻訳家。大阪府生まれ。同志社大学文学部卒業。大手メーカーにSEとして勤務した後、現職。『Think CIVILITY』（東洋経済新報社）、『タコの心身問題』（みすず書房）など訳書多数。

花塚恵（はなつか・めぐみ）

翻訳家。福井県生まれ。英国サリー大学卒業。英語講師、企業内翻訳者を経て現職。『苦手な人を思い通りに動かす』（日経ＢＰ）、『Appleのデジタル教育』（かんき出版）など訳書多数。

天才科学者はこう考える
——読むだけで頭がよくなる151の視点

2020年３月11日　第１刷発行
2020年６月16日　第３刷発行

編　者——————ジョン・ブロックマン
訳　者——————夏目大、花塚恵
発行所——————ダイヤモンド社
〒150-8409　東京都渋谷区神宮前6-12-17
https://www.diamond.co.jp/
電話／03-5778-7234（編集）　03-5778-7240（販売）

装丁デザイン————竹内雄二
装丁画像——————Paul Campbell/iStock
本文・図版デザイン、DTP—松好那名
製作進行——————ダイヤモンド・グラフィック社
印刷———————信毎書籍印刷（本文）・新藤慶昌堂（カバー）
製本———————川島製本所
編集協力——————野口孝行
編集担当——————上村晃大

ISBN 978-4-478-10575-7